LEGO

LEGO®

レゴ® アイデアブック

なんでもつくれる！

ダニエル・リプコーウィッツ 著／五十嵐 加奈子 訳

ファンビルダー：セバスティアン・アーツ、ティム・ゴダード、デボラ・ヒグドン、
バーニー・メイン、ダンカン・ティトマーシュ、アンドルー・ウォーカー

東京書籍

レゴ® アイデアブック

もくじ

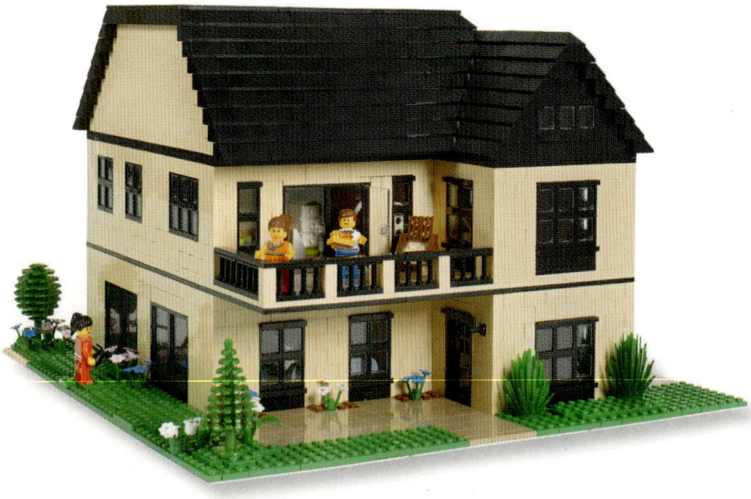

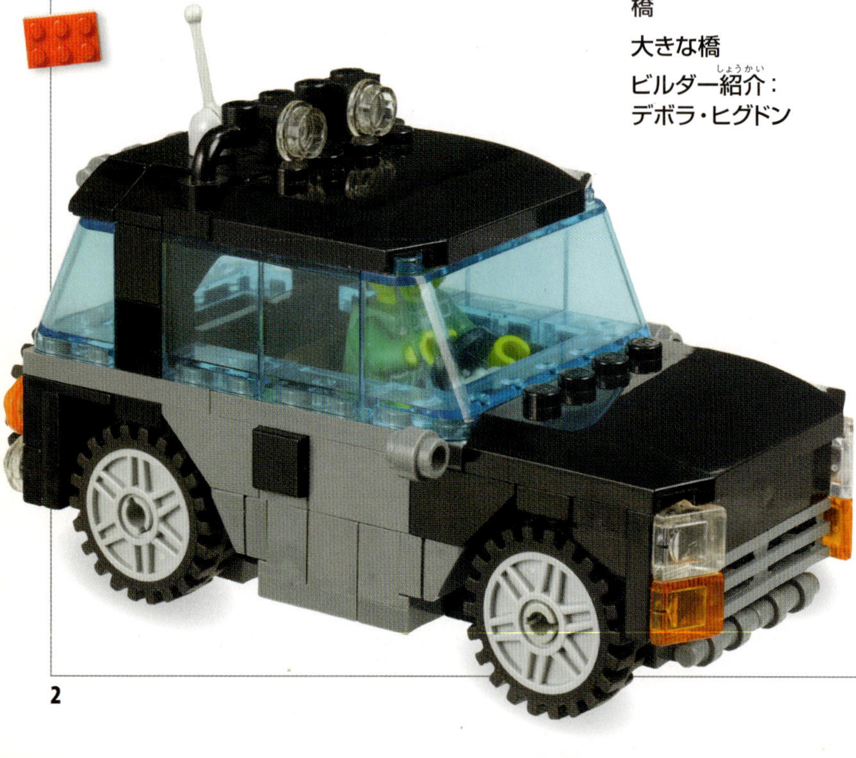

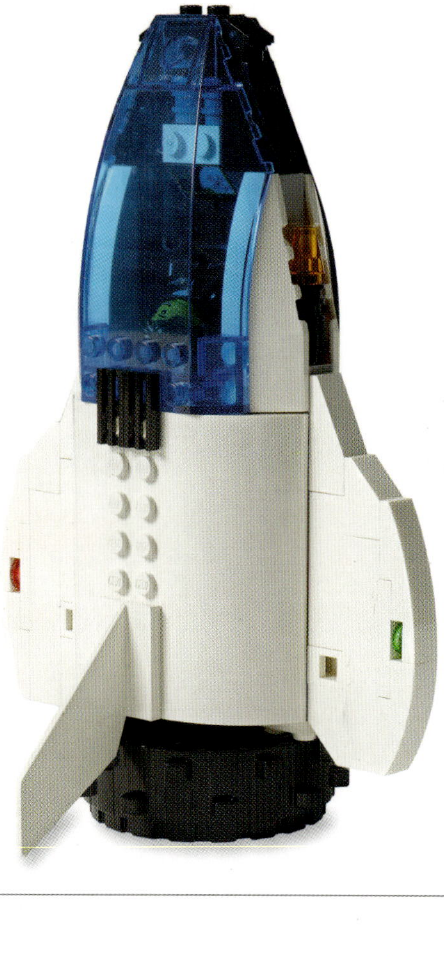

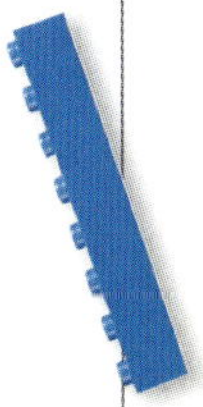

はじめに

スロープ
2×2

この本に登場するレゴ® ファンによる作品は、アイデアを提供《ていきょう》するためにファンが自分の手持ちのブロックを使って組み立てたものです。そのため、部品の年代や色、状態《じょうたい》はさまざまで、現在《げんざい》では入手がむずかしいものもあります。

レゴ® ブロックでのものづくりはとても楽しく、限《かぎ》りなくクリエイティブな遊びです。バケツいっぱいのブロックがあって、ほんの少し練習すれば、たいていのものは作れます。でも、どんなに腕《うで》のいいビルダーにも、よいアイデアが必要《ひつよう》です。そこで登場するのがこの本!
ページをめくれば、子どもから大人《おとな》まで、あらゆるレベルのビルダーに役立つすてきなアイデアがたくさん見つかるはずです。

レゴ® ブロック

あらゆるレゴ® モデルの出発点はレゴ® ブロック。基本的《きほんてき》なブロックには、表面にあるポッチ（スタッドとも呼《よ》ばれています）と裏面《りめん》にあるチューブという2つのシンプルな部品があり、ポッチがチューブにしっかりとはまるしくみになっています。この連結力《れんけつりょく》を、レゴグループでは“クラッチ・パワー”と呼んでいます。レゴ® ブロックにはさまざまな形やサイズがありますが、どのブロックもたがいに連結させることができます。

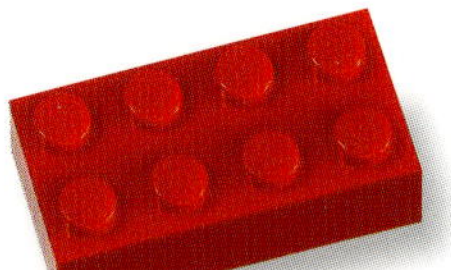

ブロック2×4

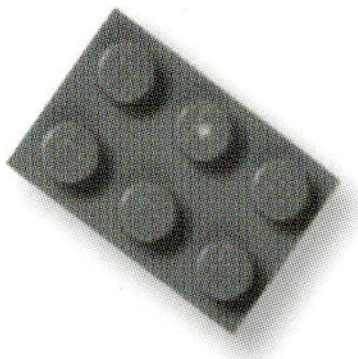

プレート2×3
（うす型でポッチがあるもの）

タイル2×2
（うす型でポッチがないもの）

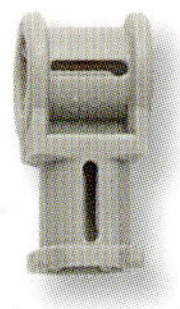

レゴ®テクニック
垂直車軸コネクタ

専用《せんよう》ピース ブロックのほかに、はじめからプロペラや炎《ほのお》、メガホンなどの形をした専用ピースもあります。レゴ® テクニックのピースには歯車や車軸《しゃじく》もあってとても便利《べんり》です。専用ピースもすべて基本ブロックと連結させることができます。

スケール モデルを組み立てる前に、まずスケールを決めましょう。“ミニフィギュアスケール”なら、ミニフィギュアが乗れる大きさの宇宙船《うちゅうせん》や、扉《とびら》から中に入れる大きさのお城《しろ》にしなければなりません。

手持ちのブロックが少ないときは、“マイクロスケール”で作るといいでしょう。たとえば旗《はた》のピースが宇宙船の翼《つばさ》になったり、1×1の小さなスロープがコックピットの窓《まど》になったり、基本ブロックはさまざまな用途《ようと》に使えます。

もっと大きなスケールに挑戦《ちょうせん》し、レゴ® ブロックの彫像《ちょうぞう》を作ってみるのもいいでしょう。

ミニフィギュアスケールで作った城門

プレート4×4

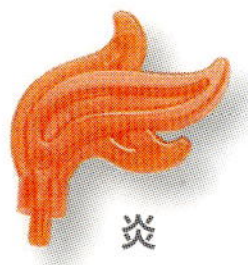

炎

プロペラ

メガホン

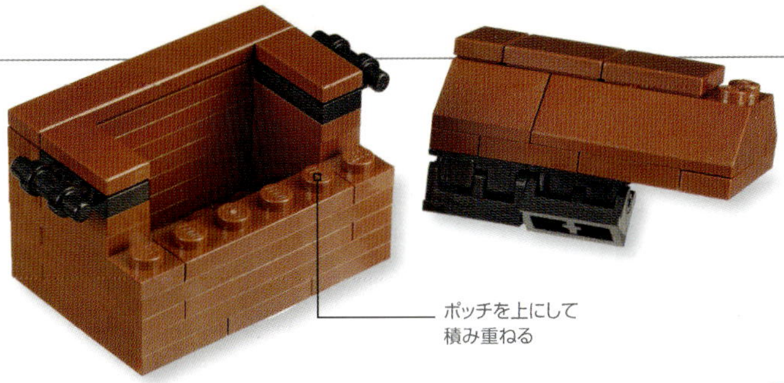

ポッチが上

レゴ®モデルは多くの場合、ポッチが上にチューブが下にくるように、ブロックを下から上へ積《つ》み重ねて作ります。これがいちばんシンプルな組み立てかたで、この方法《ほうほう》ですばらしい作品がいくらでも作れます。

側面《そくめん》ポッチ

1面以上の側面にもポッチが付《つ》いているブロックもあります。そんな便利なブロックを使えば、モデルを横方向や下方向にも組み立てられ、形もなめらかに仕上がります!

横方向の組み立てに便利《べんり》なピース

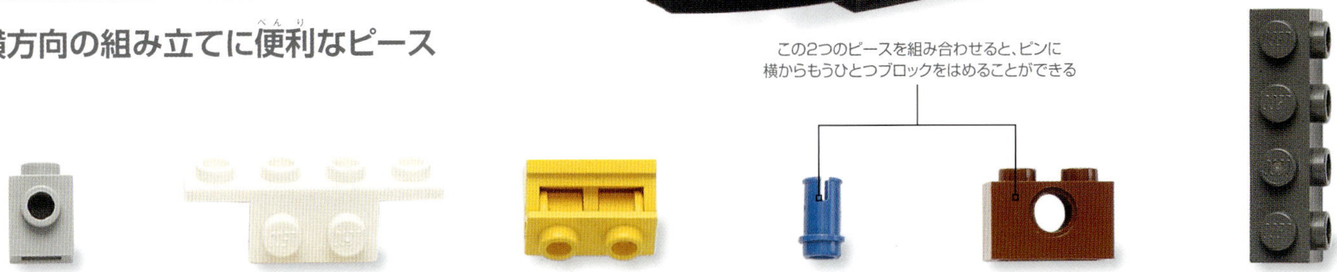

側面ポッチ付き
ブロック1×1

アングルプレート
1×2／1×4

ヒンジブロック1×2と
ヒンジプレート1×2

レゴ®テクニック
ハーフピン

穴あきブロック
1×2

側面ポッチ付き
ブロック1×4

この本の使いかた

この本にあるアイデアをヒントに、自分でいろいろなモデルを作ってみましょう。組み立ての手順《てじゅん》や使うブロックのリストを示《しめ》していないのは、みなさんの手元に、各《かく》モデルに必要なブロックがすべてそろっていることはめったにないからです。以下に、各ページの見かたを紹介《しょうかい》します。

組み立ての概要《がいよう》

モデルづくりの出発点となる概要です。ひと口に「小型宇宙船を作る」と言っても、作るモデルはひとりひとり異なります。それでいいのです!

ラベル

ラベルは、重要なブロック、組み立てのテクニックや機能など、モデルに関する詳細情報を与えます。アレンジのしかたや代用できるブロックなども示しています。

メインモデル

どのようにできているかがわかるように、メインモデルはいろいろな角度から示されています。完全にまねをするのではなく、そこからイマジネーションを得て、手持ちのブロックに応用しましょう。

代替《だいたい》モデル

別のブロックを使って、メインモデルと似た（場合によっては、よりシンプルな）モデルの作りかたが示されています。

組み立てのポイント

四角い囲みの中の写真は、メインモデルを組み立てる際のポイントを示しています。モデルを分解し、モデルづくりに生かせるテクニックを紹介します。

組み立てのヒント

レゴ®ビルダーには、それぞれのやりかたがありますが、ここでは最初《さいしょ》の一歩に役立つヒントをいくつか紹介《しょうかい》しましょう。もちろん、いちばん大切なのはイマジネーションを働《はたら》かせ……まず組み立ててみること!

リサーチ 作りたいものが決まったら、実物や写真を見てヒントやアイデアを得《え》ましょう。

アイデアはどこにでもあるよ! 窓《まど》から外の景色《けしき》を見てごらん —— ついでに、窓そのものも!

ありあわせのブロックで 持っているすべてのレゴ®セットのブロックをまぜ合わせ、宇宙《うちゅう》シリーズのブロックで家を作ったり、レゴ®シティのブロックでファンタジーの世界を構築《こうちく》してみましょう。

中心となるピース めずらしい形やおもしろい形のピースを見つけ、その使いみちを考えるところから始めるのもいいでしょう。

プランは立てても立てなくてもいい! プランを立てて必要《ひつよう》なブロックをすべて集めたほうがいい場合もあれば、わざわざプランを立てずに、いきなり組み立てはじめたほうがいい場合もあります。

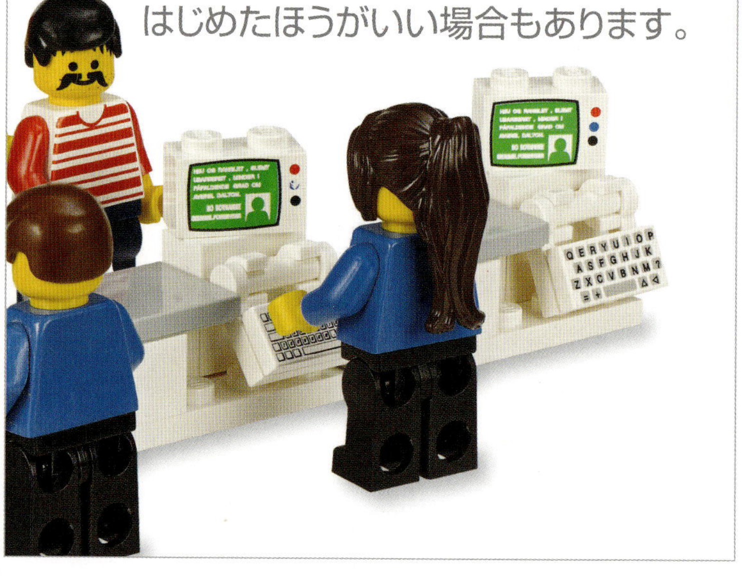

ブロックの分類《ぶんるい》 ブロックを色や種類《しゅるい》ごとに分類しておくと、組み立ての時間がかなり節約《せつやく》できます。

目的《もくてき》 モデルを作るときには、その目的や機能《きのう》を考えましょう。

遊べるように あとで遊ぶためのモデルであることを忘《わす》れずに。ミニフィギュアを乗せるポッチも、かならず付《つ》けておきましょう。モデルをたくさん作って遊びの幅《はば》を広げ、遊びのシナリオもいろいろ考えましょう!

キリンは黄色と茶色じゃなきゃだめなんて、だれが決めたの? きみが持っているブロックを使って、思いどおりの色にすればいいんだよ。

安定感がだいじ 見た目のりっぱさだけでなく、遊んでもこわれない頑丈《がんじょう》さが必要です。

手持ちのブロックでクリエイティブに
異《こと》なるブロックを使って似《に》たような効果《こうか》が出せます。農業用トラックに積《つ》むキャベツがなくても、黄色いブロックがあれば、わら俵《たわら》ができますよ!

失敗《しっぱい》しても気にしない 大切なのは、自分なりの方法《ほうほう》を見つけること。うまくいかなかったら、分解《ぶんかい》して一からやりなおせばいいのです! 組み立ての問題を解決する方法は、ひとつだけとは限《かぎ》りません。

思い描《えが》いたのとはまったく別《べつ》の、もっとすてきなモデルができるかもしれないよ!

ディテールが決め手
自動車や宇宙船のライトから庭に咲《さ》く花まで、ディテールを充実《じゅうじつ》させ、精彩《せいさい》にとんだ作品に仕上げましょう。

高く、高く、はるか遠くへ！　まぶしいほどカラフルなこの複葉機は、翼が2枚、組み立てる楽しみも2倍！　（28−29ページ）

飛行機《ひこうき》、列車、自動車

さあ、さっそく始めましょう！ 陸《りく》、海、空、道路、線路 ——
どんな旅がしたいですか？ あなたのモデルに付《つ》けるのは、
二輪《りん》、四輪、翼《つばさ》、プロペラ、それとも帆《ほ》？

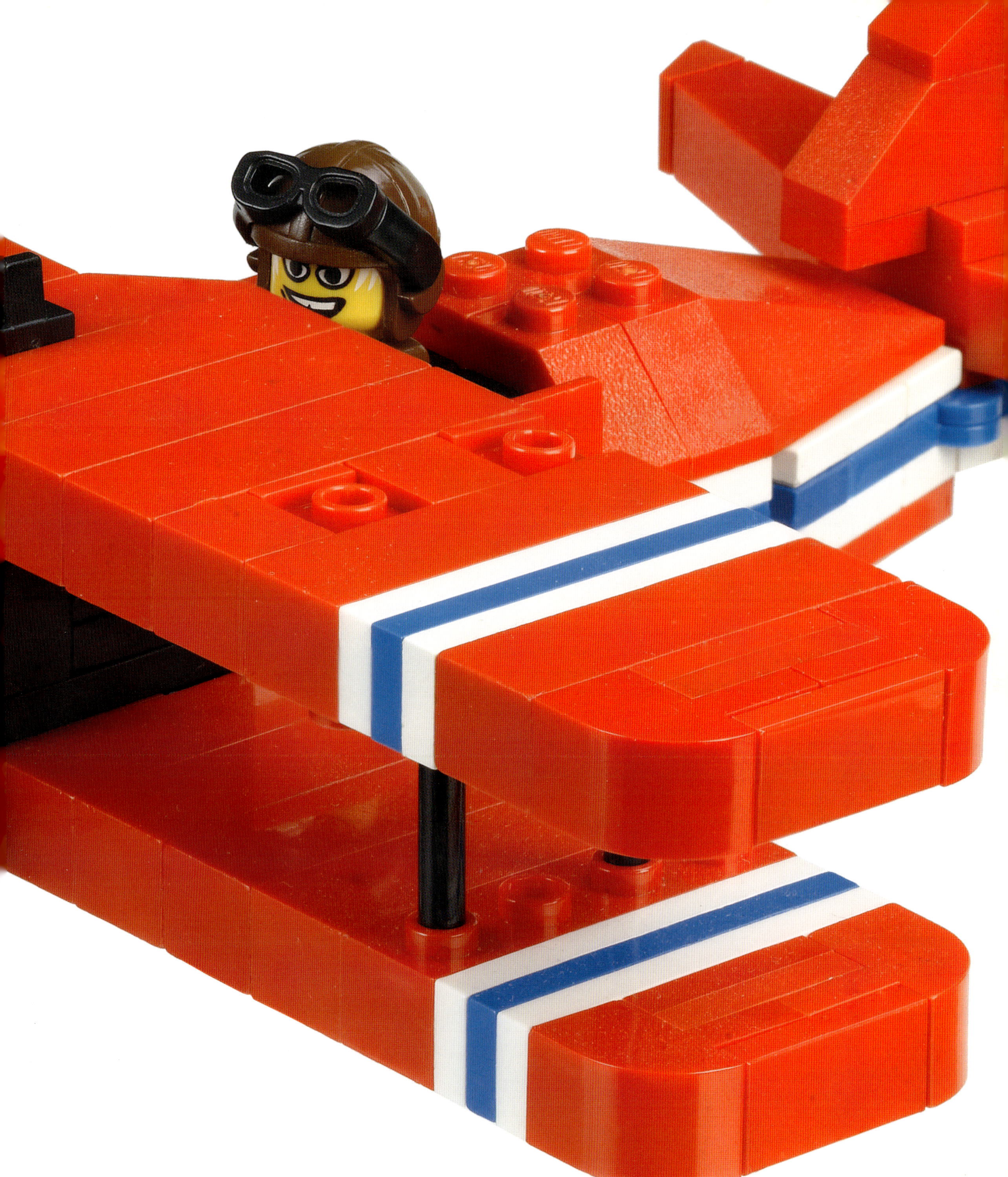

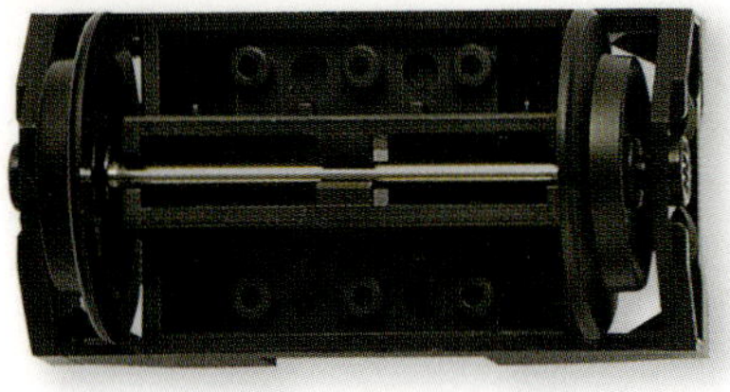

トレイン用ホイールベース

アングルスロープ2×6

チューブ

曲面アーチ1×6×2

ドーム型ブロック2×2

乗り物を走らせる
飛行機や列車、自動車を作るには、車輪と車軸プレートが便利。なければ自分で作ってみよう!

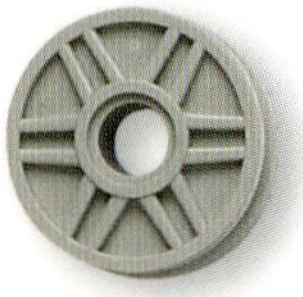

うす型リム

スロープ1×2

逆スロープ1×2

レゴ®テクニック十字軸

バー

レーダーアンテナ
2×2

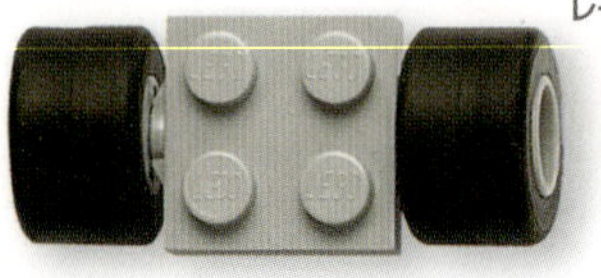

ワイドリム、ワイドスムーズタイヤ、
車軸プレート2×2

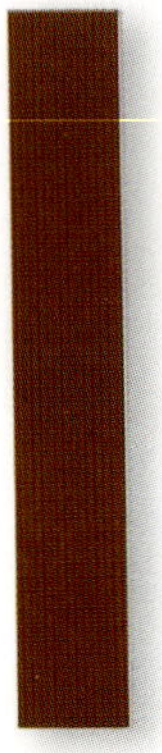

タイル1×6

カールーフ4×4

色で個性を
ぱっと目を引くスポーツカーを作るなら、明るく大胆な色と、表面にポッチがないなめらかなブロックが最適。

曲面スロープ1×3

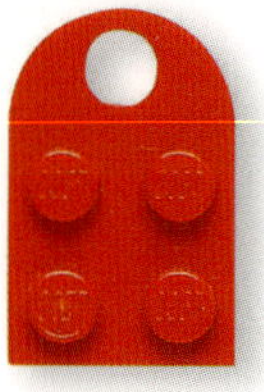

穴あきカーブ
プレート2×3

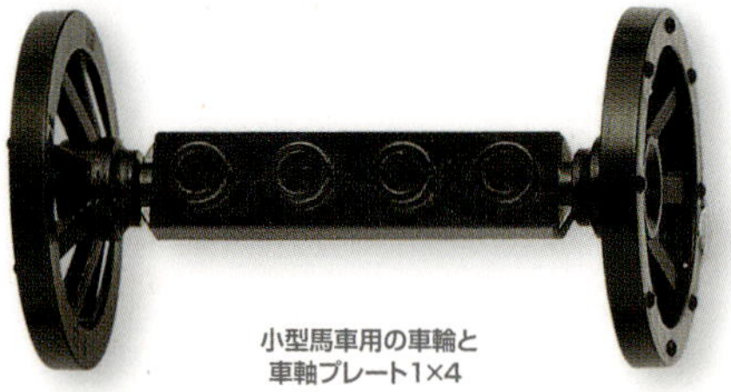

小型馬車用の車輪と
車軸プレート1×4

タイル1×1

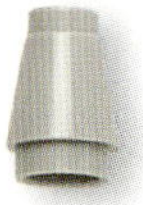

コーン1×1

スロープ1×1

電球

グリル1×2

プリントタイル1×2

ラウンドプレート
1×1

なめらかなピース
タイルなどの表面がなめらかなピースを使い、洗練されたエアロダイナミックな乗り物を作ろう。

ダブルホイール付き
プレート2×2

プリントタイル1×2

ライトアップ
透明なピースは、ヘッドライトやテールランプ、ナビゲーションライトにぴったり――スポットライトにも!

ラウンドプレート
1×1

レゴ®テクニック リムと
バルーンタイヤ

トレッド付きうす型タイヤ

ホイールとタイヤ

ハンドル

シート

プリント付き
ラウンドタイル2×2

レバー

エンジン始動

かっこいい乗り物を作るには、車輪《しゃりん》や車軸《しゃじく》、プロペラといった基本的《きほんてき》なピースが欠《か》かせませんが、レゴ®ブロックの車や飛行機のセットにこだわる必要《ひつよう》はありません! 持っているレゴ®製品《せいひん》を総《そう》ざらいして、作品にユニークな形や工夫《くふう》にとんだディテールを与《あた》えてくれそうな、とびきりすてきなピースを選《えら》びましょう。ぜひ見つけてほしいのは、たとえばここで紹介《しょうかい》するようなピースです。

格子窓(4点連結)

グリルスロープ1×2

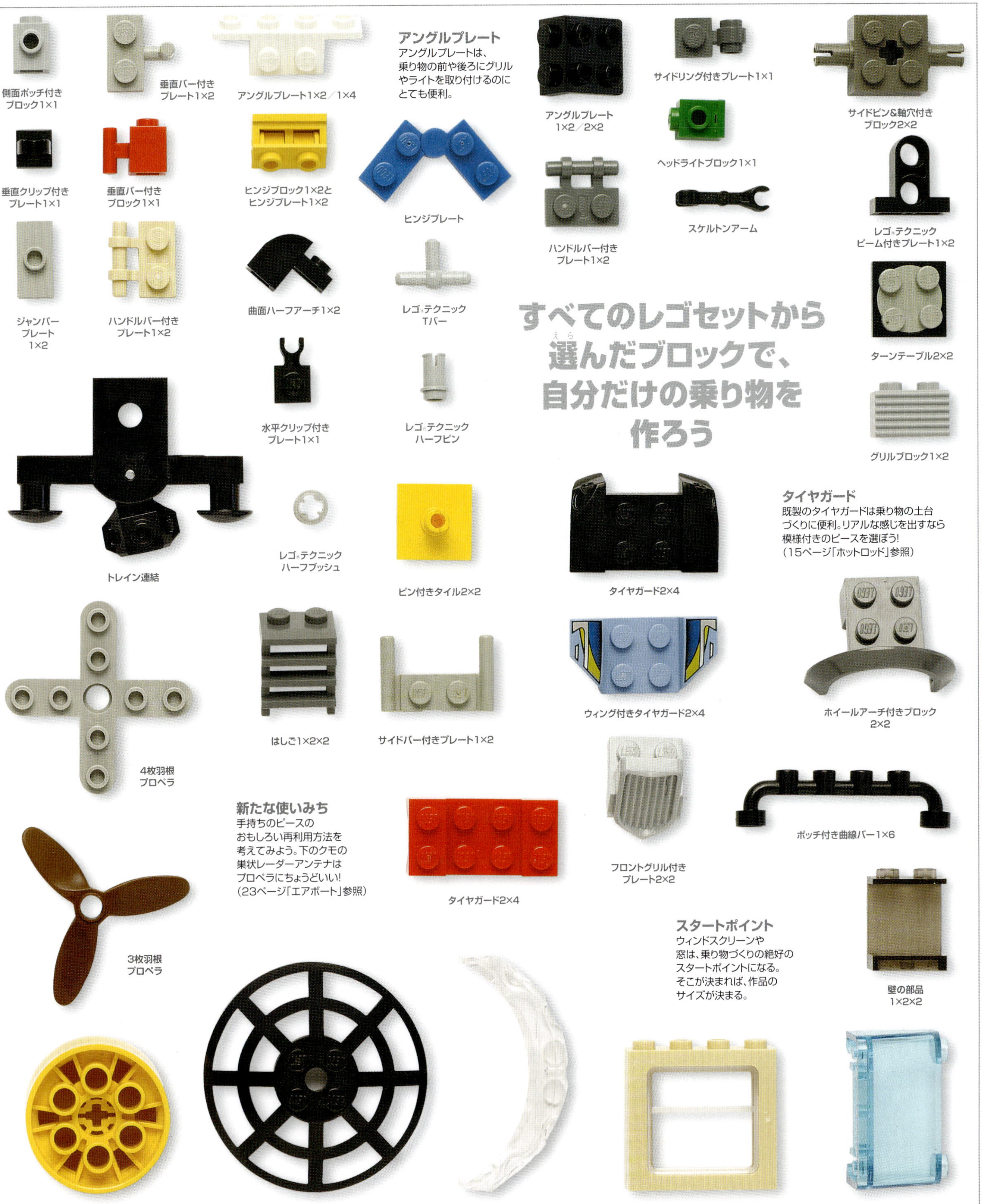

側面ポッチ付き
ブロック1×1

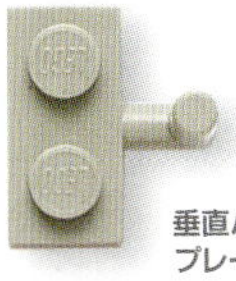
垂直バー付き
プレート1×2

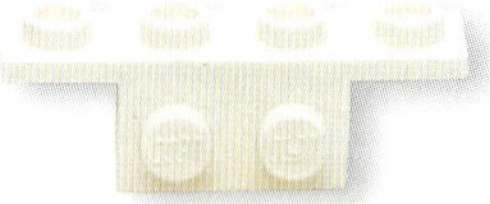
アングルプレート1×2／1×4

アングルプレート
アングルプレートは、
乗り物の前や後ろにグリル
やライトを取り付けるのに
とても便利。

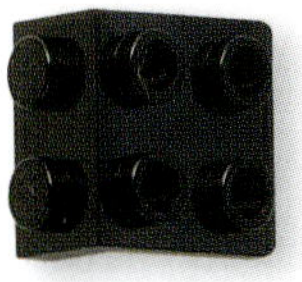
アングルプレート
1×2／2×2

サイドリング付きプレート1×1

サイドピン&軸穴付き
ブロック2×2

垂直クリップ付き
プレート1×1

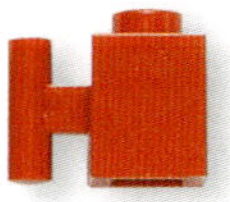
垂直バー付き
ブロック1×1

ヒンジブロック1×2と
ヒンジプレート1×2

ヒンジプレート

ヘッドライトブロック1×1

ハンドルバー付き
プレート1×2

スケルトンアーム

レゴ®テクニック
ビーム付きプレート1×2

ジャンパー
プレート
1×2

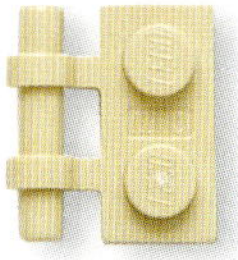
ハンドルバー付き
プレート1×2

曲面ハーフアーチ1×2

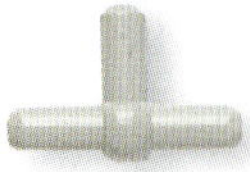
レゴ®テクニック
Tバー

すべてのレゴセットから選《えら》んだブロックで、自分だけの乗り物を作ろう

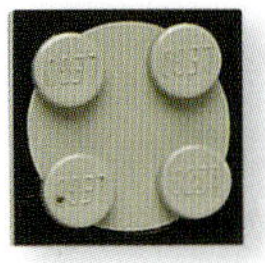
ターンテーブル2×2

水平クリップ付き
プレート1×1

レゴ®テクニック
ハーフピン

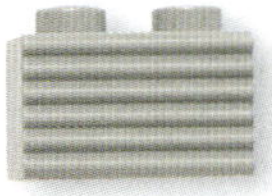
グリルブロック1×2

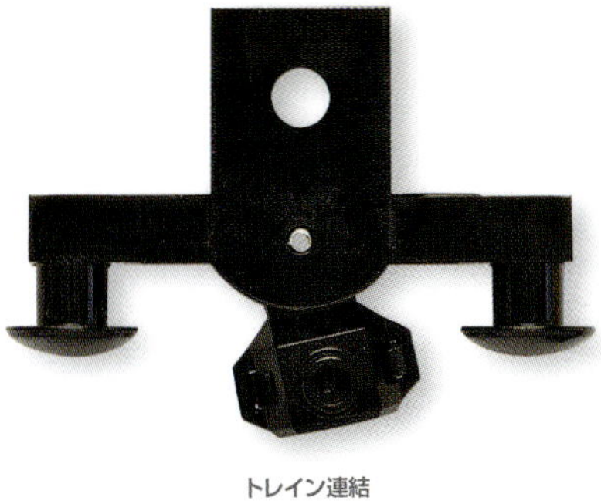
トレイン連結

レゴ®テクニック
ハーフブッシュ

ピン付きタイル2×2

タイヤガード2×4

タイヤガード
既製のタイヤガードは乗り物の土台
づくりに便利。リアルな感じを出すなら
模様付きのピースを選ぼう!
（15ページ「ホットロッド」参照）

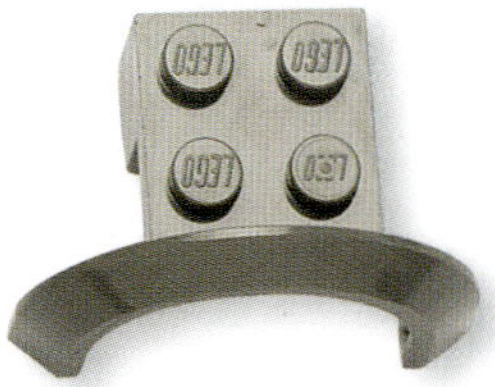
ホイールアーチ付きブロック
2×2

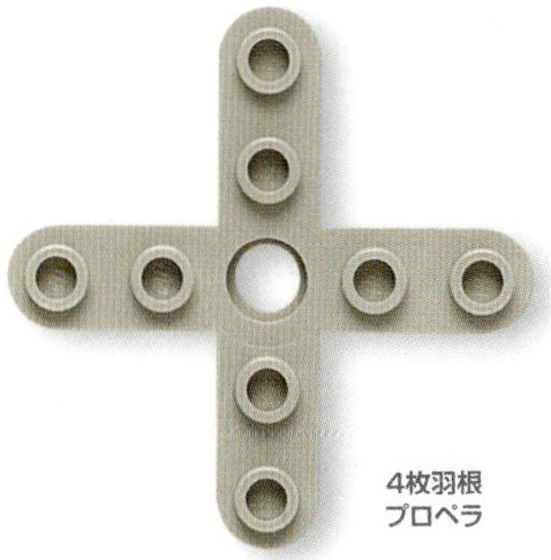
4枚羽根
プロペラ

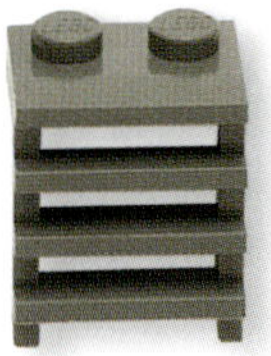
はしご1×2×2

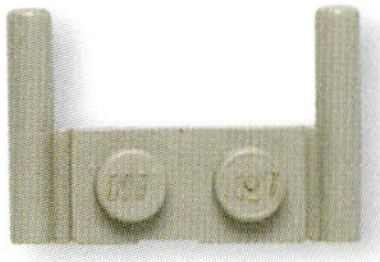
サイドバー付きプレート1×2

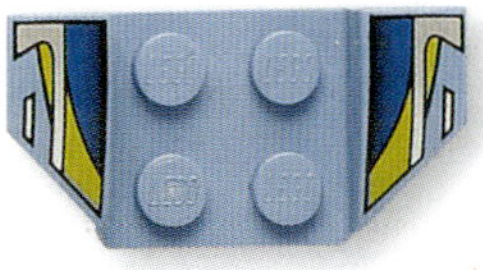
ウィング付きタイヤガード2×4

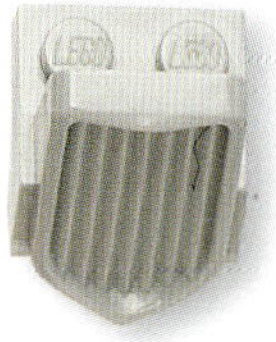
フロントグリル付き
プレート2×2

ポッチ付き曲線バー1×6

新たな使いみち
手持ちのピースの
おもしろい再利用方法を
考えてみよう。下のクモの
巣状レーダーアンテナは
プロペラにちょうどいい!
（23ページ「エアポート」参照）

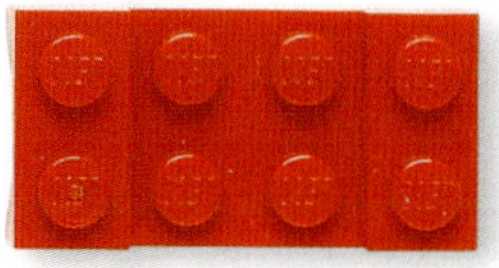
タイヤガード2×4

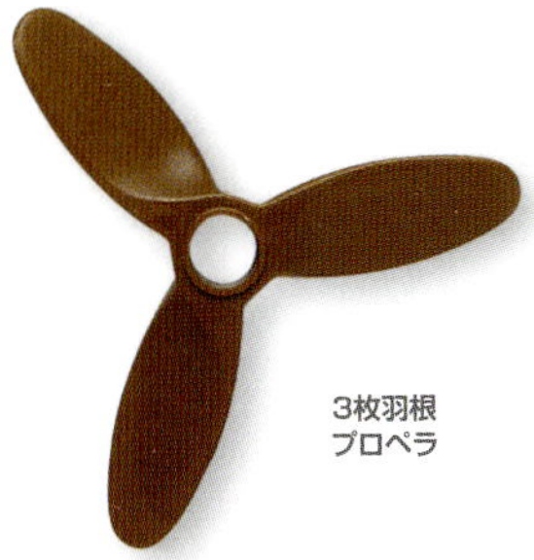
3枚羽根
プロペラ

スタートポイント
ウィンドスクリーンや
窓は、乗り物づくりの絶好の
スタートポイントになる。
そこが決まれば、作品の
サイズが決まる。

壁の部品
1×2×2

レゴ®テクニック ワイドリム

クモの巣状レーダーアンテナ6×6

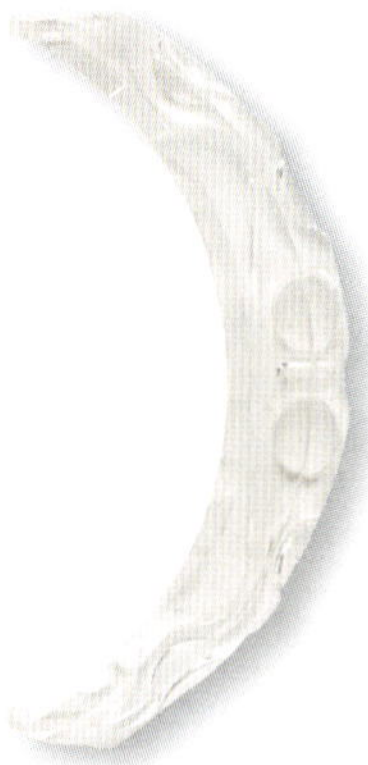
曲面ウィンドスクリーン

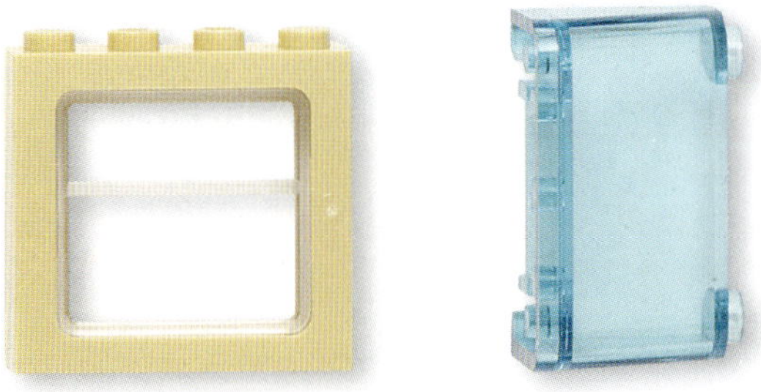
窓枠と窓ガラス1×4×3

ウィンドスクリーン2×4×2

自動車

さあ、いよいよ出発！　自動車を組み立てる前に、走る場所を考えましょう。街路《がいろ》ならミニフィギュア一人乗り用のコンパクトな車。オフロードならアウトドア仕様《しよう》のいかつい感じに。どんな車でも、肝心《かんじん》なのはドライバーが乗れて、タイヤがスムーズに回転すること！

ドアはなくても

ドアを作るのはむずかしいものですが、ドアがなくても、ヘッドライトブロックと1×1のタイルでドアハンドルが作れます。それに給油口《きゅうゆこう》も！

組み立ての概要

- **目的:** 小型自動車を作る
- **用途:** 移動、輸送
- **基本要素:** 四輪、フロントガラス、ヘッドライト、ハンドル
- **その他の要素:** ルーフラック、スペアタイヤ、トランク、追加の座席

屋根がぱっと開いて、ドライバーが出入りできる
ポッチ1個のジャンパープレートに付けたボンネットオーナメント
サイドリング付きプレートで作ったサイドミラー。1×1のスロープやプレート、タイルでもいい
テールランプ——好きな色の透明なタイルを車体に組みこむ

前後の窓は同じピース
ナンバープレート。プリントタイルを使ってもいい

背面《はいめん》

シティカー

ざわめく狭《せま》い街路を走るコンパクトな車をデザインしましょう。まず基本的《きほんてき》な車体部分を組み立て、フロントグリルやヘッドライト、ナンバープレートなどのディテールを加《くわ》えていきます。

風に髪《かみ》をなびかせてみたいけど、プラスチックの髪じゃねえ……

屋根とリアウィンドーをはずせばオープンカーに！

アングルプレート1×2／2×2

中を見ると

長方形のプレートを重ねた土台の下に車軸《しゃじく》プレートでタイヤを取り付《つ》けています。フロント部分のディテールを支《ささ》えるのは、1枚《まい》のアングルプレート。

ボンネットの下

車のフロント部分は、ブロックとクリップ、さらに横方向の組み立てで連結《れんけつ》しています。複数《ふくすう》の方向に組み立てる場合、接点《せってん》が多いほど連結力が強まります。

積《つ》み荷スペース

前後2列の座席《ざせき》があり、ミニフィギュアが必要《ひつよう》な荷物を積めるように小さなトランクも付いています。後部座席をなくして、トランクを広くすることもできます。

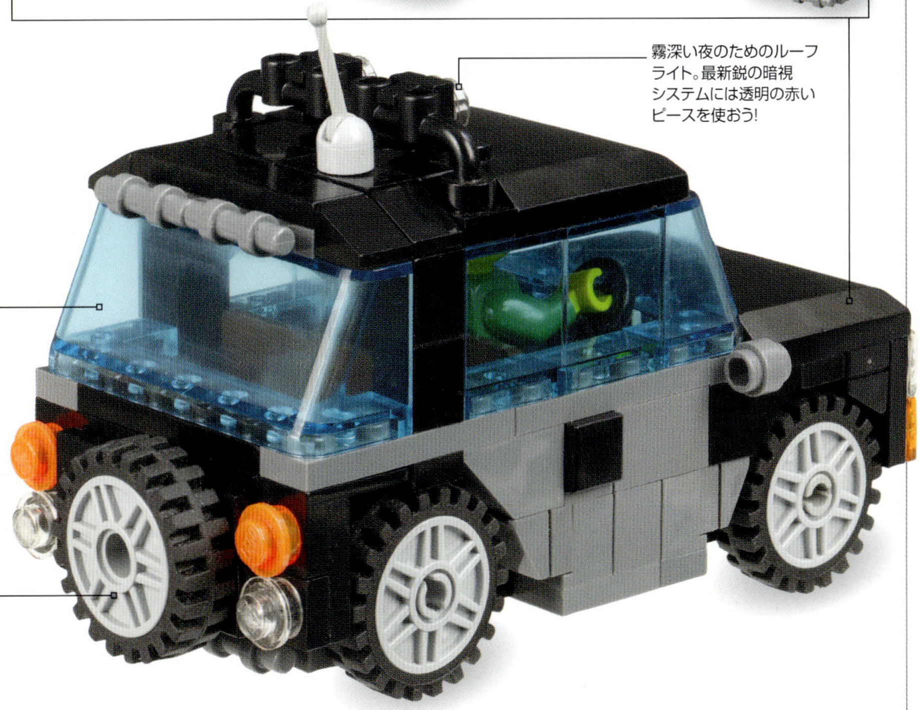

霧深い夜のためのルーフライト。最新鋭の暗視システムには透明の赤いピースを使おう!

もしものために、車の後ろかトランクにスペアタイヤを積んでおこう

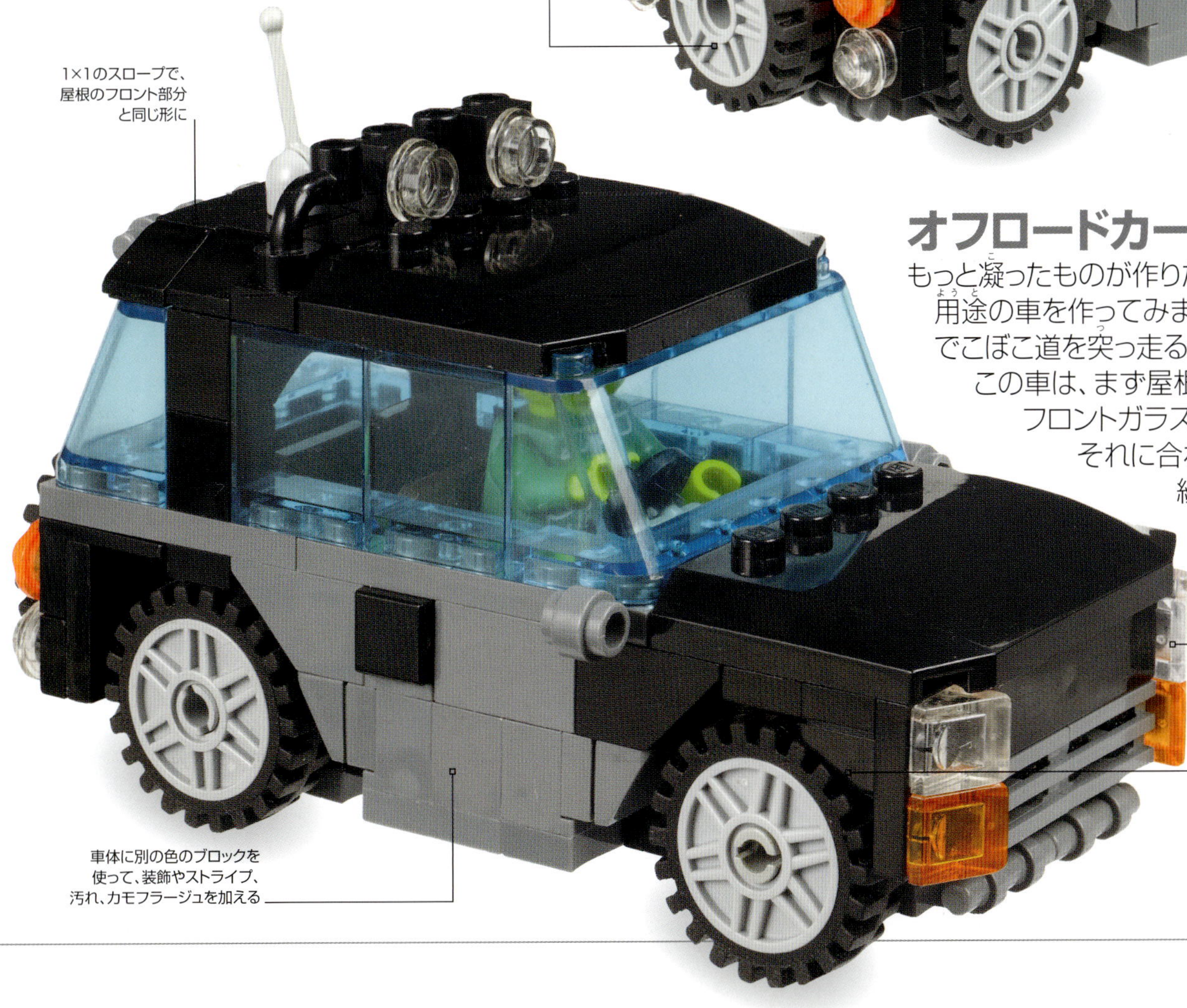

1×1のスロープで、屋根のフロント部分と同じ形に

オフロードカー

もっと凝《こ》ったものが作りたいなら、特殊《とくしゅ》な用途《ようと》の車を作ってみましょう。たとえば、でこぼこ道を突《つ》っ走るオフロードカー。この車は、まず屋根とボンネットとフロントガラスのピースを選《えら》び、それに合わせて下のほうを組み立てていったものです。

サイドに透明なスロープを使うと、ひと味ちがう感じに

ブロックで作ったタイヤガード。タイヤが回転できるスペースをあけること!

車体に別の色のブロックを使って、装飾やストライプ、汚れ、カモフラージュを加える

モンスタートラック

現実的《げんじつてき》な車やトラックでないとだめなんて、だれが言いました? 特別《とくべつ》なピースがほんの少しと豊《ゆた》かなイマジネーションで、奇想天外《きそうてんがい》な乗り物を生み出すことができます。大迫力《はくりょく》のターボトラックから超《ちょう》高速レーシングカーまで、パワーみなぎるマシンが道路やサーキットを制《せい》します!

組み立ての概要
- **目的:** 高性能・高馬力の乗り物を作る
- **用途:** 競争、レース、自慢!
- **基本要素:** 普通の車にあるものすべて(ただし、かなり極端な形で!)
- **その他の要素:** 巨大タイヤ、巨大排気管、スパイク、チェーン、炎、フィン、スポイラー

ゴムバンド
レゴ® テクニック ハーフビーム

スリル満点《まんてん》

軽快《けいかい》なサスペンションを実現するために、旋回《せんかい》するレゴ®テクニック ハーフビームにタイヤを取り付《つ》けています。ゴムバンドがビームを中央に引きよせるため、タイヤが外側に押し出されても、弾力《だんりょく》でもとの位置《いち》に戻《もど》ります。

ホイールで作ったブースター——ジェットエンジンを使えば、もっと過激に!

背側面《はいそくめん》

クリップとロボットの手で作ったロールケージ
バーを一列につなげて、ミラーやチェーン、スパイクなどを取り付ける
分厚いグリルは格子窓のピース
カーブやでこぼこのあるピースをがれきに見立て、サスペンションをためす
通気口のあるエンジン部分は、1×1のラウンドプレートでできている

スケルトン ターボ

陽気な黄色にだまされてはいけません——このモンスターは、はんぱじゃない! 実際《じっさい》に動くサスペンションシステムを搭載《とうさい》し、個別《こべつ》に動く巨大《きょだい》なタイヤで、行く手をはばむ障害《しょうがい》物をすべて乗り越《こ》え、押《お》しつぶしていきます。

上面

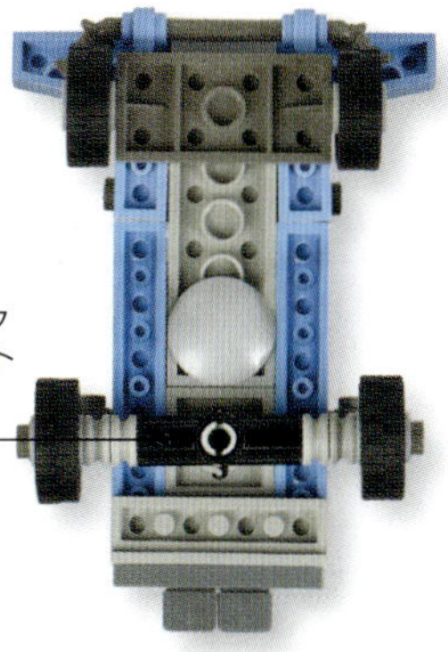
レゴ®テクニック
ピン付きプレート

底面《ていめん》

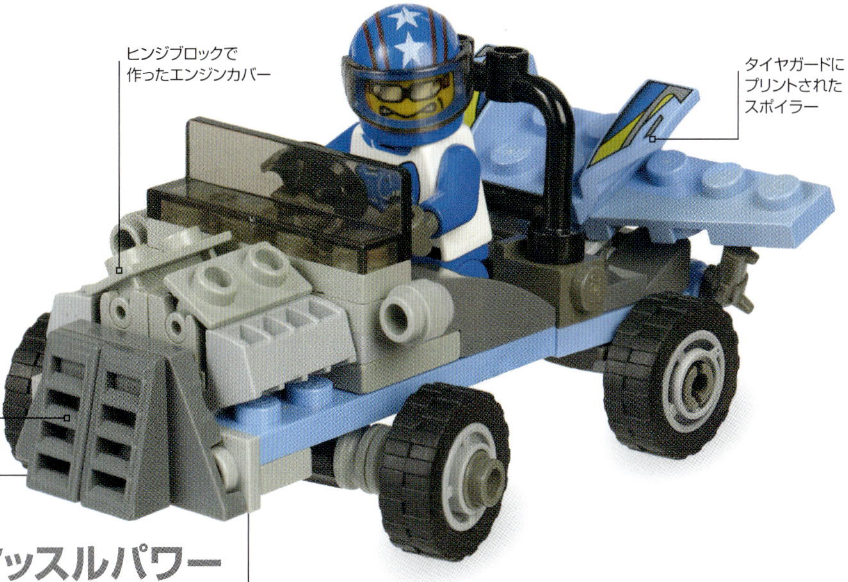
ヒンジブロックで
作ったエンジンカバー
タイヤガードに
プリントされた
スポイラー

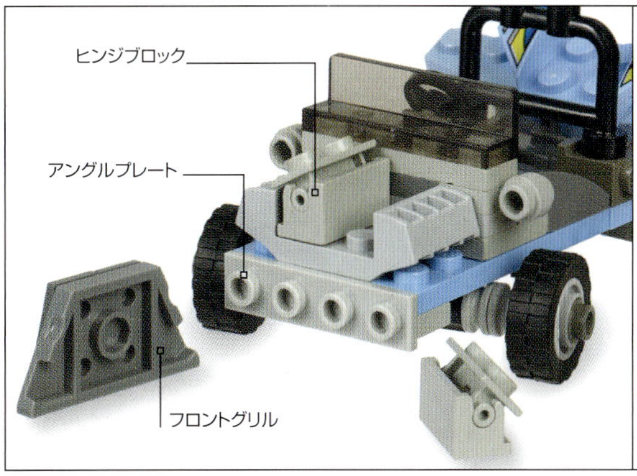
ヒンジブロック
アングルプレート
フロントグリル

マッスルパワー

サイドベント（通気口《こ》）付きブロックに、2個のヒンジブロックを背中《せなか》合わせに置《お》くと、むきだしの4気筒《きとう》レーシングエンジンに。フロント部分はアングルプレート1枚《まい》で支《ささ》えています。

ホットロッド

前輪《ぜんりん》は、車体の下に連結《れんけつ》させたレゴ®テクニック ピン付きプレートに取り付けてあるため、車軸《しゃじく》が左右に動きます。フロント部分を下から支えるアングルプレートが、車軸がぐるりと一回転しないようおさえています。

剣やチェーンで一段と迫力が
増す。どんなアクセサリを
付けてもいい!
このガイコツのように、
ステッカーの新しい使い
みちを見つけよう
きょうは
だれにもオフィスの
駐車《ちゅうしゃ》スペースを
横取りさせないぞ!
究極の障害物……
きみのマシンは
これを乗り越え
られるか?

小型の乗り物に大きな
タイヤを付けると、モンスター
トラックらしいバランスになる

前面

背面

トラック

大型《おおがた》トラック、小型トラック、建設《けんせつ》用トラック、農業用トラック、トレーラー付《つ》きの超《ちょう》大型トラック、燃料輸送《ねんりょうゆそう》トラック、郵便配達《ゆうびんはいたつ》車——タイヤがあって荷物を運ぶものは、みなトラックです。全国を駆《か》けめぐるものも埠頭《ふとう》で使うものも、タイヤが4つのものも18 個《こ》のものも、部品さえあればどんなトラックでも作れます!

組み立ての概要

目的: トラックを作る

用途: さまざまな荷物を運ぶ

基本要素: タイヤ、強さ、大きさ、積み荷スペース

その他の要素: 追加のタイヤ、可動機能、着脱可能なトレーラー

輸送《ゆそう》トラック

大きくなくても、ディテールをたっぷり盛《も》りこめます。グレーと茶色、黄褐色《おうかっしょく》のブロックが、このクラシックなトラックに使いこまれた素朴《そぼく》な味わいを与えます。いまはキャベツを運んでいますが、板で囲《かこ》った荷台でなんでも運べます!

車体の顔

フロントグリル、ヘッドライト、その他の細かいパーツは1枚《まい》のプレートに取り付けられ、1枚のアングルプレートでトラック本体と連結《れんけつ》しています。

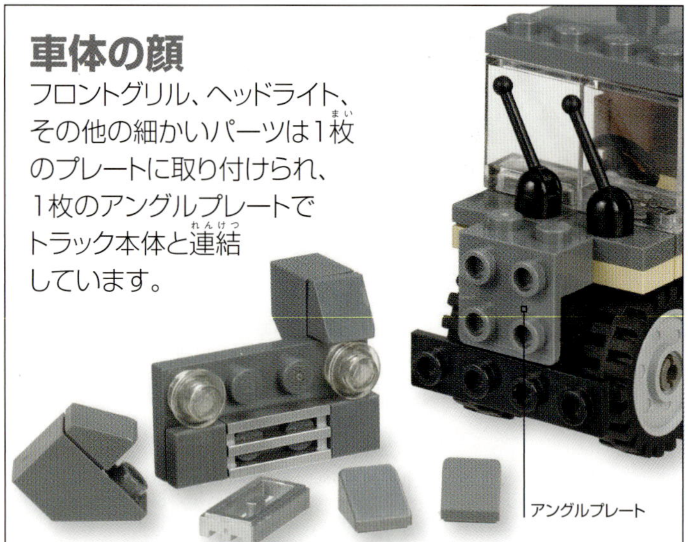

アングルプレート

重ねたヘッドライトブロックに長いタイルをはめて作った木製の荷台
スロープでフロント部分に傾斜を付ける

前面

運転席《せき》

ドライバーを固定《こてい》するなら、プレートか椅子《いす》に座《すわ》らせる。外に出やすくするならタイルの座席《ざせき》に!

運転はハンドルバー、
レバー、または
ハンドルで

フロントガラスを取り付ける
なら、十分な連結力が得られる
だけのポッチが必要

屋根をなくせば運転席で
遊びやすい

レバー2本でりっぱな
ワイパーに。アンテナを
使ってもいい

キャベツに見えるピースが
なければ、別の積み荷を
作れるピースを選ぼう

このキャベツはどうだい? 古いロボット工場で育てたんだぜ!

メカニカルなディテール
には、プリントされた
文字盤や計器、銀色の
ピースなどを使うといい

荷おろしのために荷台の
後ろはあけておくか、
シンプルなヒンジ式ゲートにする

荷物が多ければ、
トレーラーを1、2台
加えてもいい
(20ページ)

アイスクリームトラック

夏の暑い日、フレンドリーなアイスクリームトラックはいつでも大人気！ デコレーションで楽しくカラフルに仕上げましょう。お客さんみんなにおいしく食べてもらえるように、荷台に冷《つめ》たいアイスクリームをたっぷり用意しておくのも忘《わす》れずに！

組み立ての概要
目的: アイスクリームトラックを作る
用途: 輸送、アイスクリーム販売
基本要素: 窓、取りはずせる屋根
その他の要素: ゴブレット、個性を出すためのピース

好《この》みのテイストで

アイスクリームトラックは独特《どくとく》な形をしています。車体の前面には曲面ハーフアーチを使ってかわいい形にしましょう。屋根の上にタイルを並《なら》べればなめらかになりますが、タイルがたりなければポッチが出たままでもだいじょうぶ。

底面《ていめん》

花のピースで
明るい車体に

目立つデザイン

お客を呼《よ》ぶために、目立つトラックを作りましょう！ ヘッドライトブロックで車体に花などのアクセサリを付《つ》けるのもいいでしょう。カラフルなラウンドプレートはアイスクリームに見えます。

通気口のおかげで
車内はすずしい
タイルを並べた
屋根
うちのアイスクリームは特別だよ。なぜかって？ とけないからさ！
巻き物が印刷された
ピースはメニューに
ちょうどいい。
本日のおすすめは？
窓は商品の
受け渡し口に
赤いホイールアーチは赤い
屋根とおそろい。好きな色を
使えばいい

前面

背面《はいめん》

ナンバープレートには、グリルかタイルを使う

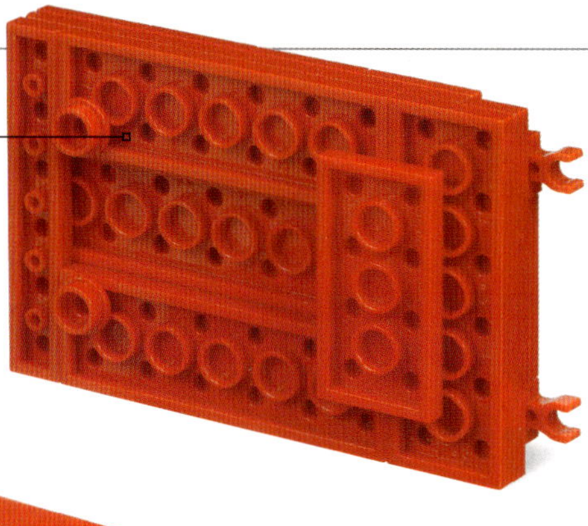

車内からアイスクリームを渡せるように、屋根がはずれる!

少しだけポッチを残してほかはタイルにすると、屋根がはずしやすい

アイスクリームマシンは、ゴブレットとドーム型ブロック

トラックの前に楽しいピースを飾ろう。ゴブレットはすてきなアイスクリームコーンになる

フロントガラスがなければ、あけたままでもいい

曲面ハーフアーチで丸みを付ける

タイヤが回るスペースを十分にとること

レゴ®テクニックハーフピン

もっとすてきに

トラックのフロント部分は、穴《あな》あきブロックとレゴ®テクニック ハーフピンで連結《れんけつ》しています。プリントタイルを加《くわ》えればもっと目立つデザインに。ヘッドライトとバンパーもお忘れなく!

小型《こがた》車両

自転車よりは大きいけれど、車よりは小さい！　でこぼこの地面を進むものからゴルフ場をらくらく走るものまで、小型車両はあらゆる用途《ようと》で多くのドライバーに役立ちます。駐車《ちゅうしゃ》スペースをとらないし、狭《せま》いすきまもすいすい、ポケットの中にもおさまります。ここにあるアイデアを参考《さんこう》に、さっそく作ってみましょう！

組み立ての概要
目的: 小型車両を作る
用途: 移動、運搬
基本要素: タイヤ、ハンドル、コントロール
その他の要素: トレーラー、輸送トラック、小型ガレージ

探検《たんけん》に
出るときは、
帽子《ぼうし》を
忘《わす》れるなよ！
トウモロコシ――ほかには何が運べるかな？
グリルはミニフィギュア・アングルプレートに連結
アングルプレートで、テールランプとナンバープレートを固定
ドライバーは立ったままでもうまく運転できるが、座席を付けてもいい
茶色のバーを入れると、グリルが太く頑丈に見える

四輪《りん》オートバイ

コンパクトでタフな車体に大きな4つのタイヤが付《つ》いたオフロードカーを作り、オフロードを軽快《けいかい》に走りましょう。特別《とくべつ》な旅には、取り付けが簡単《かんたん》なトレーラーをプラスして！

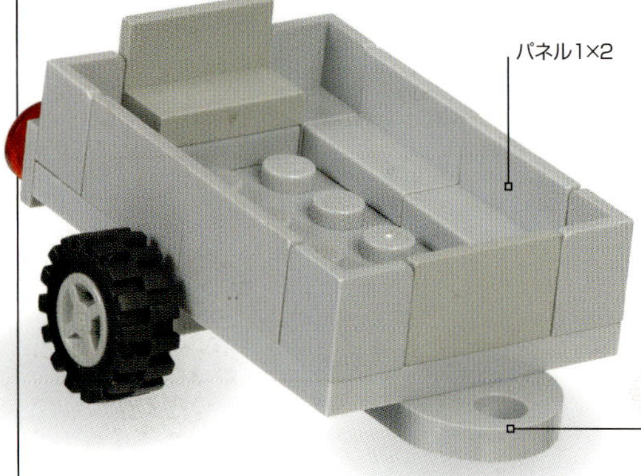
パネル1×2
2×3の穴あきカーブプレートを車両の垂直バーに引っかけてトレーラーを取り付ける

トレーラー

このトレーラーは、タイヤを2個《こ》取り付けた4×6のプレートを土台に組み立ててあります。できるだけ多く荷物を積《つ》めるように、周囲《しゅうい》の壁《かべ》はうす型のパネルで。

タイヤガードは、タイヤが回転できる高さに
1×2の垂直バー付きプレートでトレーラーを取り付ける

背側面《はいそくめん》

上面

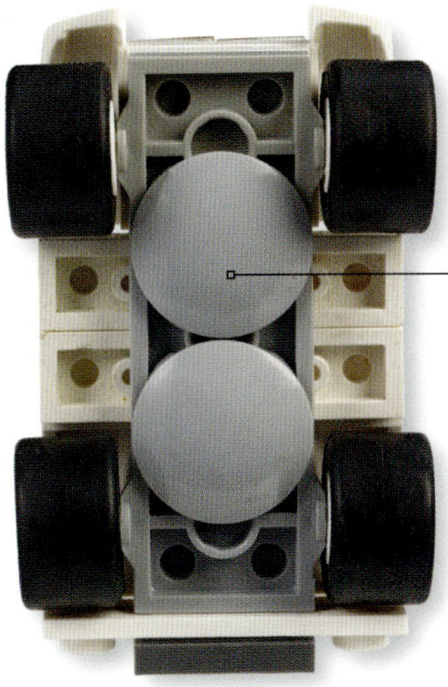

底面《ていめん》

ゴルフカート

オフロードの冒険《ぼうけん》よりも、ゴルフのほうが好き？　では、オープンキャブのゴルフカートを作りましょう！　まずシンプルなフロント部分を作り、そのあと後ろのほうを組み立てていきます。

スライドプレートで
2×2のプレートに
車軸を固定する
ゴルフカートは普通は白だが、
ゴルファーにスポーツブランドの
スポンサーがいるなら、カラーの
ピースを加えてもいい
走りやすい
スムーズタイヤ

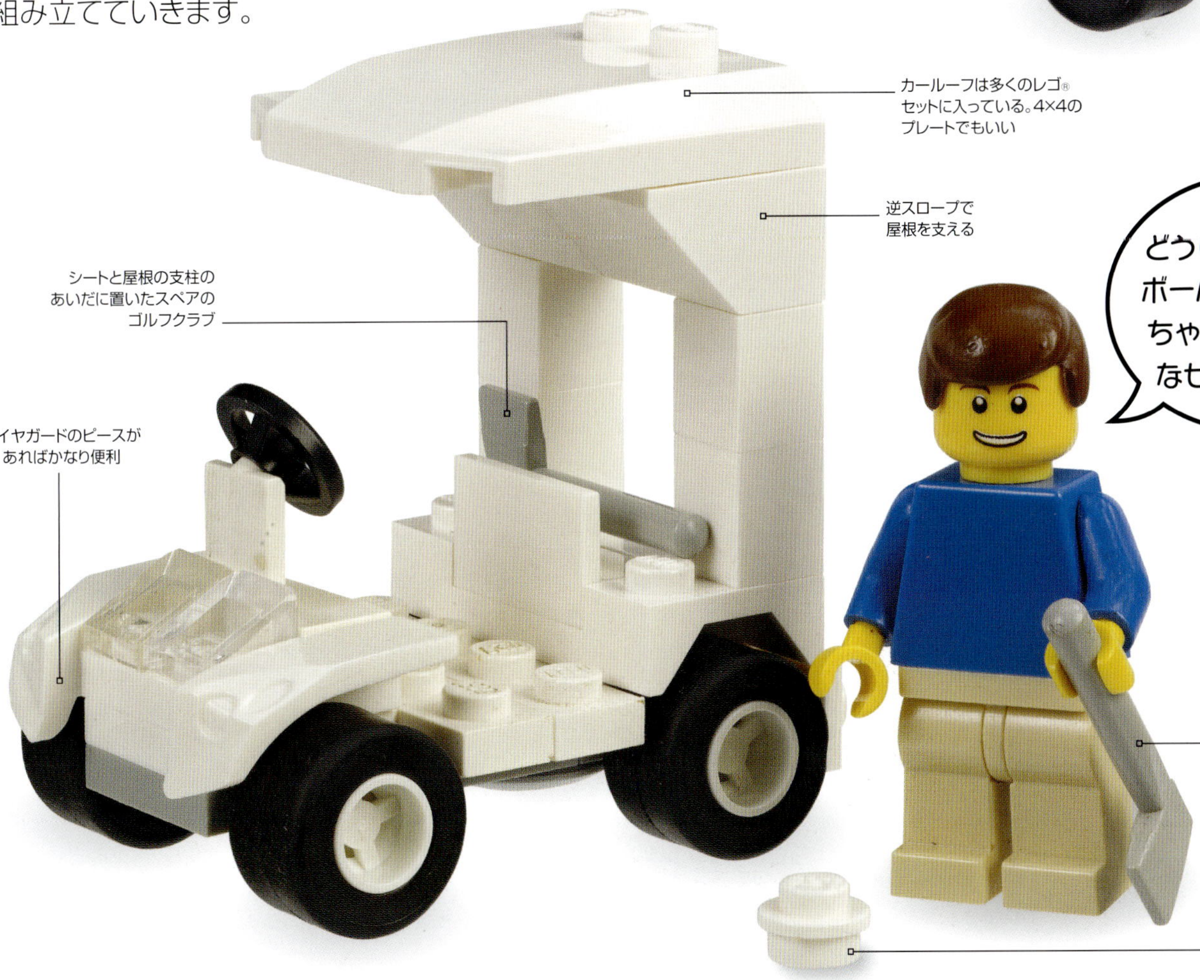
カールーフは多くのレゴ®
セットに入っている。4×4の
プレートでもいい
逆スロープで
屋根を支える
シートと屋根の支柱の
あいだに置いたスペアの
ゴルフクラブ
どうしてもゴルフボールをかち割《わ》っちゃうんだよね。なぜだろう……
タイヤガードのピースが
あればかなり便利
斧はゴルフクラブ
としても使える
ゴルフボールは白でなく
てもいい！　あざやかな色
のボールにすれば、ゴルフ
コースで見つけやすい

世界の乗り物

アジアの人力車やイタリアのゴンドラ、フロリダ州エバーグレーズ湿地《しっち》のエアボート……世界には、環境《かんきょう》や地形に合わせた乗り物が山ほどあります。ほかにどんなエキゾチックな乗り物が思い浮《う》かびますか? 次の休暇《きゅうか》でアイデアを仕入れてきましょう!

組み立ての概要
目的: 世界の乗り物を作る
用途: ドライバーと客を運ぶ
基本要素: 多様な形と推進力
その他の要素: 周囲の環境、建物、ランドマーク

ゴンドラに乗り遅《おく》れないように、急いでくれ!
あまりもうからないけど、この仕事はすごく運動になるよ
日よけの支柱はスキーのストック
現代でも、人力車には馬車のような車輪が使われる
取っ手は、車夫が両手でにぎれる間隔にする

人力車

足が動力のこの人力車は、横方向に組み立てた土台に取っ手と車輪《しゃりん》を付《つ》けたもの。日よけは、ミニフィギュアのお客さんが座《すわ》れる高さに付けましょう。

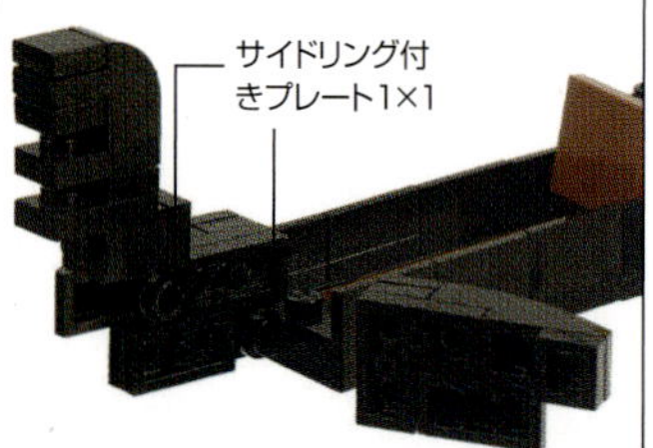
サイドリング付きプレート1×1

たのもしいブロック

船首部分のカーブした側《そく》面《めん》は、サイドリング付きプレート2枚《まい》でつなぎ合わせています。そのうち1枚のプレートは、船首をゴンドラ本体に連結《れんけつ》する役目も果《は》たしています。

ゴンドラ

普通《ふつう》のブロックを横方向に連結し、なめらかな曲線を描《えが》く細長い形に仕上げたベネチアの平底《ひらぞこ》ボート。漕《こ》ぎ手はアングルプレートのポッチで立たせます。

高く持ち上がった舳先(へさき)は、ヘッドライトブロック、数枚のプレート、曲面ハーフアーチ、タイルでできている
おしゃれな観光客は、いつもタキシードを用意している!
スキーのストックと傘の柄をつないだ長いオール

エアボート

このモデルはそもそも、大きなクモの巣状《すじょう》のレーダーアンテナを使おうというすばらしいアイデアから生まれました。プロペラとエンジン、デッキ、フロートを加《くわ》えれば、昔ながらのエアボートのできあがり!

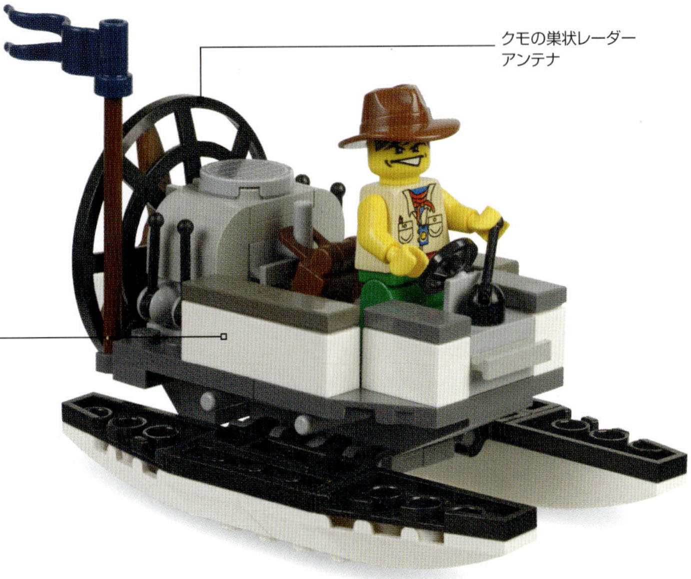
クモの巣状レーダーアンテナ
手すり用のバーがなければ、かわりにブロックやタイルで壁を作ろう!

ハンドルバー付きプレート1×2

フロートの作りかた

2枚のカタマラン・フロートは、2組のアングルスロープを逆《さか》さに組み立てたもの。フロートは、ハンドルバー付きプレートでデッキに取り付けます。

長旗は、モデルに高さといろどりを与える
スケルトンレッグで固定したチューブの手すり
プロペラをレゴ® テクニック ピンで連結すると実際に回せる!
ありがたいことに、ワニどもはここまでは登ってこれない……よな?
大きなフロートが、腹をすかせたワニのいる水面からデッキを高く持ち上げる
曲面ハーフアーチとプリントタイルで作った通気口付きエンジンケース

野生動物の作りかたは157ページ

クラシック トレイン

オールドスタイルの列車を組み立てるのに、特別《とくべつ》なパーツはほとんど必要《ひつよう》ありません！ 参考《さんこう》にする蒸気機関車《じょうききかんしゃ》の写真を見つけ、手持ちのレゴ® コレクションの中から、ぴったりのピースを選《えら》びましょう。組み立てが始まったら——あとは機関車のように着実に前進するだけ！

組み立ての概要

目的: クラシックな蒸気機関車を作る
用途: 鉄道で人と貨物を運ぶ
基本要素: 車輪、煙突、火室、機関士
その他の要素: 貨物車両、客車、石炭ワゴン、線路

丸みのある形

円筒《えんとう》形のボイラーを組み立てるのは、なかなかむずかしいものです。まず外側《そとがわ》にポッチのある直方体を作り、そこに曲面のブロックやスロープをはめていきます。

蒸気機関車《じょうききかんしゃ》

蒸気機関車を組み立てる際のポイントは、前に煙突《えんとつ》がある円筒《えんとう》形ボイラー、機関士《し》のための運転席《せき》、車輪《しゃりん》など、クラシックな形をうまくとらえることです。

もくもくと出る煙は、白、グレー、黒のピースで!
レゴ®テクニックのセットで見つけた黒いヤシの木の部品で作った煙突
運転席の屋根は、機関士が立てる高さにする
この機関車には装飾付きのピースがよく似合う
ボイラーのふたはレーダーアンテナのピース。レバーでさらに本物らしく
ミニフィギュア・アングルプレートでメカニカルな感じに。ここに装飾用のタイルを付けてもいい
スライドプレートで作った緩衝器。小型のレーダーアンテナでもいい
列車用の車輪がなければ、馬車の車輪を使ってみよう

出発進行!
うーん……やっぱり
客車を作ったほうが
いいなあ

火室《かしつ》

より本物らしくするなら、炎《ほのお》でボイラーを熱《ねっ》して列車に動力を与える火室を作りましょう。機関士が石炭をくべるスペースも忘《わす》れずに!

既製のホイールベース。普通の車輪を使ってもいい
ラウンドブロックと樽の中心にレゴ® テクニック十字軸を通して作った丸太
ここにはきれいな飾りはいらない。シンプルな機能にはシンプルなデザイン
プラスチックのチェーン、ポッチ付きストリングロープ、またはチューブで貨物を固定する
乗務員が入れるよう、貨車に設置されたはしご
ホイールベースのピースに組みこまれた緩衝器

貨物車両《かもつしゃりょう》

貨物車両はデザインも簡単《かんたん》で、すぐに組み立てられます。トレイン用ホイールベースを使えば、あとは荷台と囲《かこ》いの部分を組み立て、どんな貨物を運ぶか決めるだけ!

この木箱のような、さまざまな種類の貨物を作ろう

背側面《はいそくめん》

シティ トレイン

地上を走る通勤《つうきん》電車、地下のトンネルを走る地下鉄……都会ではさまざまな電車が走っています。スピードと能率《のうりつ》が重要《じゅうよう》な電車は、たいていコンパクトなチューブ型《がた》をしています。お気に入りの街《まち》の電車と同じ色のモデルや、なめらかな流線型の超《ちょう》高速列車を作ってみましょう!

組み立ての概要
目的: 都会の電車を作る
用途: 都市交通、通勤
基本要素: 箱型、複数のドア、十分な座席とスペース
その他の要素: ボギー台車、乗客、トンネル、駅のプラットホーム、待合所

底面《ていめん》

ターンテーブルを使えば、車輪がまっすぐなままで台車がカーブを曲がれる
レーダーアンテナをレゴ®テクニック ハーフピンで留めた車輪。回転させる方法は思いつくかな?
レゴ®テクニック ハーフピン
ブレーキピンやブレーキビームは、レバーや双眼鏡、アンテナで代用できる

ボギー台車を作る

現代の電車に使われている車輪《しゃりん》付《つ》きの台車をボギー台車といいます。トレイン用のピースがない場合は、レゴ®テクニック ハーフピンとレーダーアンテナ、タイルで作りましょう。ボール&ソケット・ジョイントまたは垂直《すいちょく》バー付きプレートと穴《あな》あきプレートで車両どうしを連結《れんけつ》できます。

こういう形の電車には、曲面スロープがぴったり
地下鉄の列車には、たいてい垂直の手すりがある

オープントップトレイン

ドアとドアのあいだの屋根が簡単《かんたん》にはずれ、電車にすばやく乗りこめます。

トンネルを走る

この電車は、地下をスムーズに走れるデザインになっています。特徴《とくちょう》のある屋根には曲面スロープ、ドアの上部には透明《とうめい》なスロープが使われています。

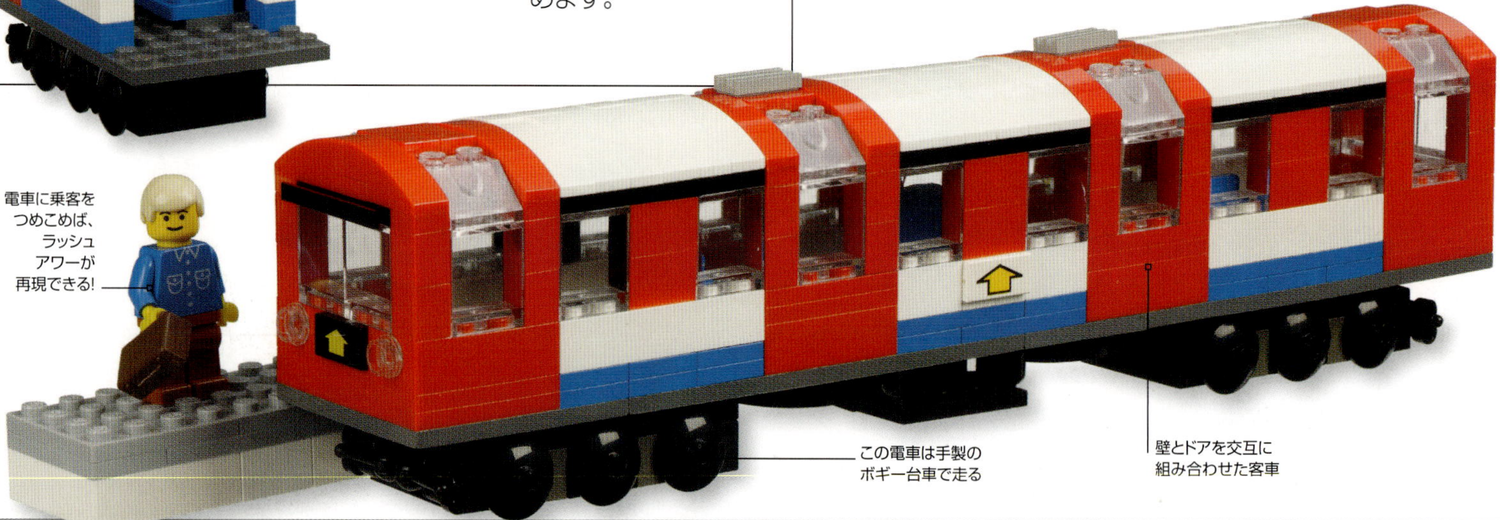

電車に乗客をつめこめば、ラッシュアワーが再現できる!
この電車は手製のボギー台車で走る
壁とドアを交互に組み合わせた客車

すきまにも気を配る

ウィンドスクリーンをヒンジブロックとプレートに取り付け、電車のフロント部分に傾斜《けいしゃ》を付けています。両わきにできたすきまは長いスロープでかくします。

長い
スロープ
ヒンジブロック

ドアの取っ手はサイド
リング付きプレート
ロゴまたは警告ストライプが
プリントされたタイル

動力源

地上を走る電車は、屋根に設置《せっち》された装置《そうち》で頭上の送電線から電力を得《え》ます。バーのピースとロボットアームかスケルトンアームがあれば、この装置が簡単に作れます!

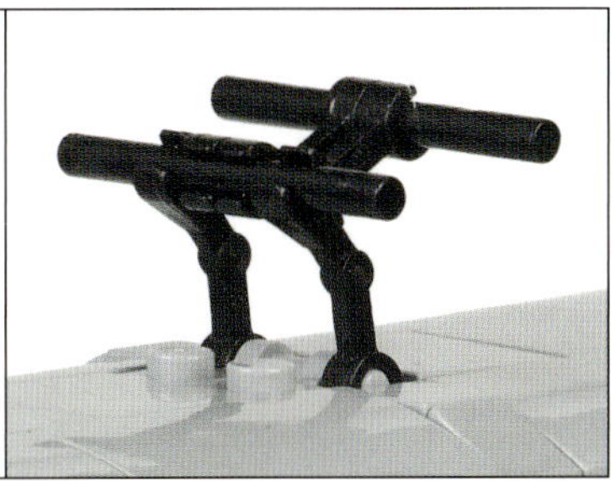

ドアが目立つように、
ほかの部分とは別の色で
ラウンドブロックで、
ドアが大きく開く
スペースができる
水平クリップ付き
プレート1×1
ールジョイント
付きブロック

出発進行!

各《かく》ドアに組みこんだ2個《こ》の水平クリップ付きプレートのおかげで扉《とびら》が開閉《かいへい》します。クリップが垂直バーと連結し、ヒンジの役目を果《は》たすからです。ヒンジプレートやヒンジブロックも使えます。

地上を走る電車

この電車は、6個ポッチ幅《はば》のプレートを土台に組み立てられ、ホイールベースで走ります。ボール&ソケット・ジョイントで車両を連結すれば、線路のカーブも曲がれます!

飛行機《ひこうき》

空には飛行機の見本がいっぱい！　オープンコックピットのヴィンテージ飛行機、超《ちょう》モダンなジェット旅客機、その中間に位置《いち》するさまざまな飛行機。大型《おおがた》飛行機、小型飛行機、複葉機《ふくようき》、三葉機《さんようき》――それに、荷おろしスロープや自動車も積《つ》めるスペースがある貨物輸送機《かもつゆそうき》も。ブロックをひとつかみ持って、出発の準備《じゅんび》にとりかかりましょう！

組み立ての概要
目的: 飛行機を作る
用途: 空の旅
基本要素: 翼、コックピット、エンジンまたはプロペラ、尾翼、着陸装置
その他の要素: 客席または貨物スペース、追加の翼やエンジン、パラシュート付き射出座席

バーや武器をクリップで留めれば戦闘機になる
曲芸飛行機を作りたい？ 側面ポッチ付きブロックを追加して、翼に命知らずのミニフィギュアを乗せよう！
側面ポッチ付きブロックにバーをさしこんで翼を支える

複葉機

飛行機の翼《つばさ》は、ブロックの壁《かべ》を横に倒《たお》した要領《ようりょう》で、表面がなめらかでエアロダイナミックになるよう組み立てます。飛行中にはずれたりしないよう、丈夫《じょうぶ》で安定した翼を作りましょう！

翼の先端は曲面ハーフアーチとタイルで
対比色のプレートを重ねてストライプ模様を作る
プロペラのおかげで飛べる！
表面に見えるポッチが少ないほど、見た目がエアロダイナミックになる

尾翼《びよく》

スロープと曲面スロープで垂直《すいちょく》尾翼を1枚《まい》作ります。次に水平尾翼を2枚作り、2個《こ》ずつ背中《せなか》合わせに置《お》いたヘッドライトブロックとジャンパープレートでつなぎます。

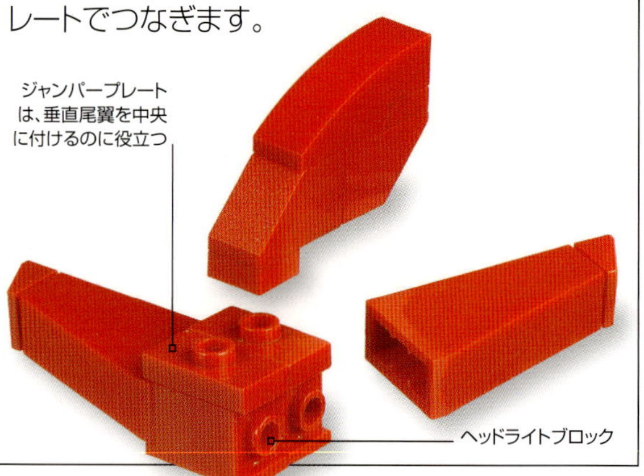
ジャンパープレートは、垂直尾翼を中央に付けるのに役立つ
ヘッドライトブロック

マイクロプレーン

大型モデルを組み立てなくても大型飛行機は作れます。マイクロスケールの飛行機は作りやすく、見た目も壮大《グレート》です。だいじなのは、ひと目で飛行機とわかる特徴《とくちょう》を組みこむこと!

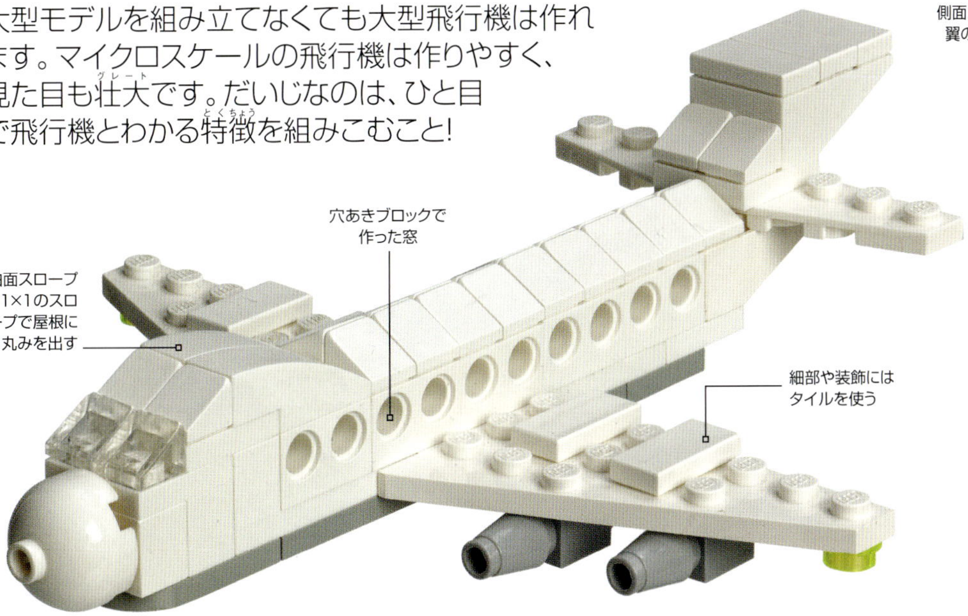

曲面スロープと1×1のスロープで屋根に丸みを出す
穴あきブロックで作った窓
細部や装飾にはタイルを使う

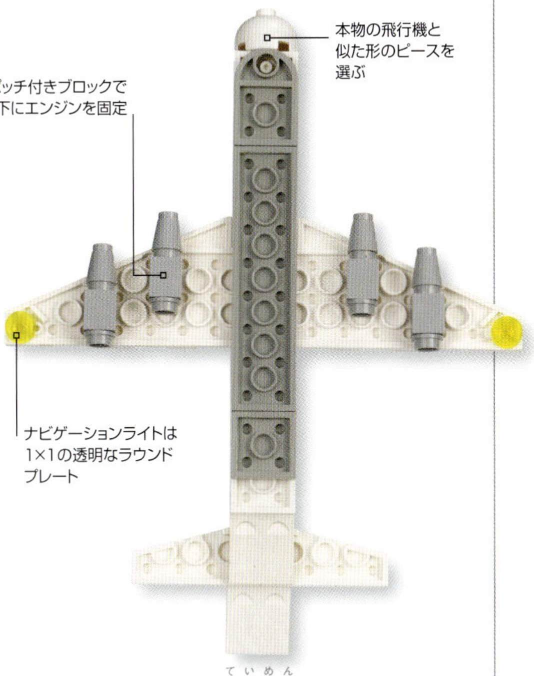

側面ポッチ付きブロックで翼の下にエンジンを固定
本物の飛行機と似た形のピースを選ぶ
ナビゲーションライトは1×1の透明なラウンドプレート

底面《ていめん》

底のプレートで機体部分を連結

底面《ていめん》

尾部《びぶ》は先細りに

ヒンジプレートを使って、尾部の先端《せんたん》を細くしましょう。反対方向を向いた2組のヒンジで、ストレートからいったん狭《せば》まり、またストレートになる形が作れます。

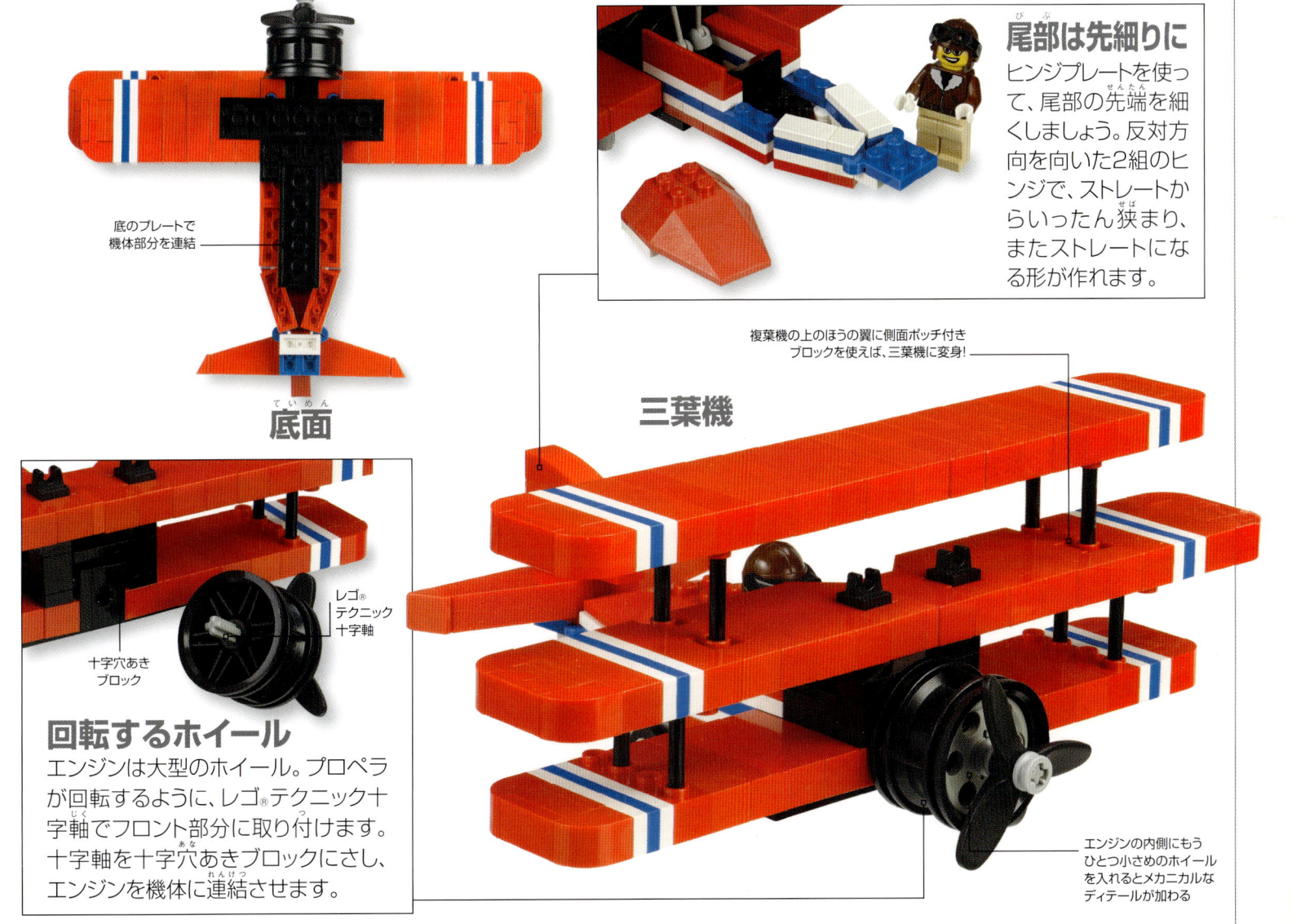

複葉機の上のほうの翼に側面ポッチ付きブロックを使えば、三葉機に変身!
エンジンの内側にもうひとつ小さめのホイールを入れるとメカニカルなディテールが加わる

三葉機

レゴ®テクニック十字軸
十字穴あきブロック

回転するホイール

エンジンは大型のホイール。プロペラが回転するように、レゴ®テクニック十字軸《じく》でフロント部分に取り付《つ》けます。十字軸を十字穴《あな》あきブロックにさし、エンジンを機体に連結《れんけつ》させます。

熱《ねつ》気球

熱気球を作るさいに最《もっと》も重要《じゅうよう》なのは、その形です。気球は球体だと思うかもしれませんが、実際《じっさい》はむしろ電球のような形をしています。次に重要なのは安定性《あんていせい》です。丸い形を作るにはたくさんのブロックが必要《ひつよう》ですから、しっかり連結《れんけつ》させましょう!

組み立ての概要
目的: 熱気球を作る
用途: 楽しい空の旅
基本要素: 明るい色の気球、ゴンドラ
その他の要素: 乗客、砂袋、炎の上がるバーナー

ブロックの気球

下から順《じゅん》に一段《だん》ずつ気球の形を組み立てましょう。外側《そとがわ》のラインができるだけ丸い形になるようにブロックをオーバーラップさせて重ねていきます。ゴンドラの部分は、1枚《まい》のプレートの上にブロックとプレート、タイルを並《なら》べて作ります。

段ごとにポッチ1個分ずつ色をずらし、うずまき模様を作る
気球が浮かんでいられるように、炎の上がるバーナーを付ける
待てよ……地上に下りるにはどうすればいいんだ?
長い車軸で気球にゴンドラを取り付ける
砂袋は、垂直クリップ付きプレートに黒いミニフィギュアの頭部を付けたもの
1×1のラウンドブロックで、かごの材質感が出る

空気より重い

気球は下から上へ少しずつ広がり、てっぺん近くで一気にすぼまる形にします。重量《じゅうりょう》を減《へ》らすために中は空洞《くうどう》にし、十字に組んだブロックで補強《ほきょう》しましょう。

ヘリコプター

ヘリコプターは形もサイズも多彩《たさい》で、さまざまな職業《しょくぎょう》用にデザインされています。組み立てはじめる前に、どんなヘリコプターにしたいか考えましょう。カメラ付《つ》きの軽量取材ヘリ? ゆったりした積《つ》み荷スペースがある救助《きゅうじょ》ヘリ? 大型《おおがた》のものなら、高く飛《と》べるように屋根の上に複数《ふくすう》のローター（回転翼《かいてんよく》）を付けてもいいでしょう。

組み立ての概要

目的: ヘリコプターを作る
用途: 制御ホバリング飛行、輸送
基本要素: メインローター、テールローター、コックピット、スキッド、ランディングギア
その他の要素: カメラ、救助用具、追加のローター

吸気口は、レーダーアンテナとラウンドブロック、ドーム型ブロックに銛（もり）のピースをさしこんだもの
ブースターやロケットは、中心にバーかアンテナを通してパーツをつなぐ
小道具や武器を付け加えると救助ヘリらしくなる!
大きな雨戸のピースが、開け閉めが簡単なカーゴハッチになる

救助《きゅうじょ》ヘリ

この緊急《きんきゅう》救助ヘリの明るい色は海上でもよく目立ちます。機体《きたい》がテール部分に近づくほど細くなるように、幅《はば》をポッチ6個《こ》分から2個分まで徐々《じょじょ》に狭《せま》くしていきます。

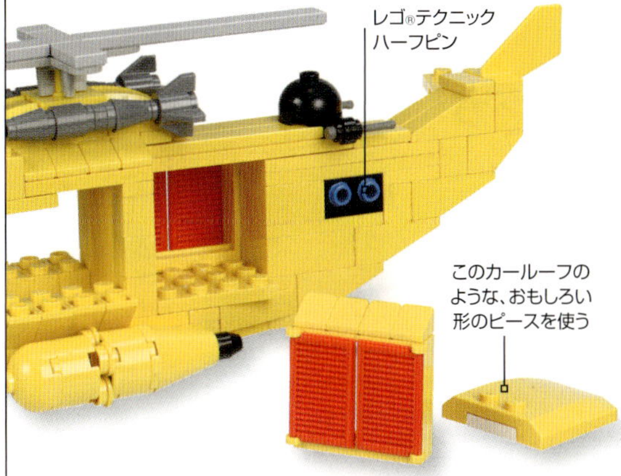
レゴ®テクニック ハーフピン
このカールーフのような、おもしろい形のピースを使う

側面《そくめん》

ヘリコプターの側面を作るには、1×2の穴《あな》あきブロックにレゴ®テクニック ハーフピンを通し、アングル付きのピースを固定《こてい》します。窓《まど》やスロープでディテールも加《くわ》わります。

望遠鏡や車のハンドルなど、意外なピースが救助用具になる

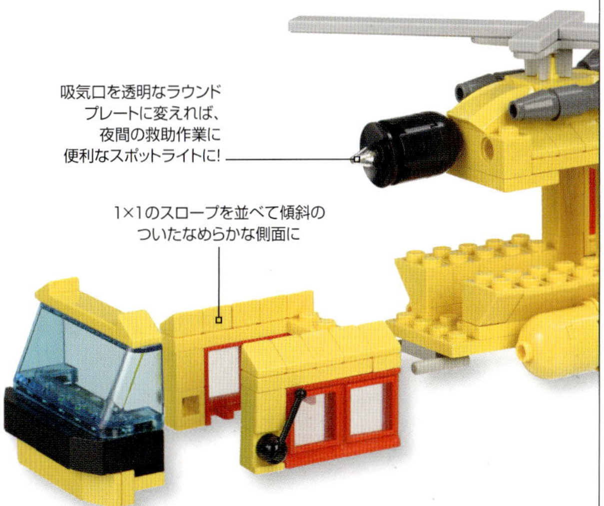
吸気口を透明なラウンドプレートに変えれば、夜間の救助作業に便利なスポットライトに!
1×1のスロープを並べて傾斜のついたなめらかな側面に

ヘリコプターの部品

まずウィンドスクリーンを選《えら》び、それを基準《きじゅん》に全体の大きさを決めます。側面にも窓がある広々としたコックピットは視界《しかい》が広く、乗組員が事故《じこ》や災害《さいがい》を発見するのに役立ちます。

船

作りたいのは、どんな船ですか? ポケットサイズのマイクロシップや、船内のディテールにもこだわったミニフィギュアスケールの船など、さっそく作れる船のモデルをいくつか紹介《しょうかい》しましょう。スピードボートを作って湾内《わんない》を縦横無尽《じゅうおうむじん》に走りたい人も、大型《おおがた》客船を作ってクルーズを楽しみたい人も——自慢《じまん》の船に名前を付《つ》けるのをお忘《わす》れなく!

組み立ての概要
目的: 船やボートを作る
用途: 船旅、輸送
基本要素: 頑丈な船体、煙突、プロペラ
その他の要素: 救命具、乗員室、貨物倉

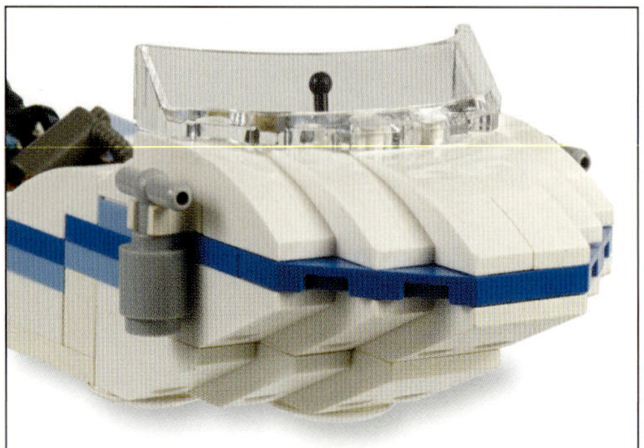

波をすいすい

船首の部分は底《そこ》に逆《ぎゃく》スロープを2段《だん》重ね、その上に曲面スロープを乗せて流線型に!

屋根の上に設置したアンテナマストの土台は、レゴ®テクニック車軸コネクタ
ヒンジブロックとプレートで、モーターが上下に動く
ラウンドブロックにTバーをさして、クリップ式のフロートに

スピードボート

この華《はな》やかなボートの船体は白のプレート。コントラストを出すために、床《ゆか》の部分は黄褐色《おうかっしょく》にしています。青いプレートで作った波の模様《もよう》で、さわやかな海のイメージに! キャビンの屋根を取りはずし、支柱《しちゅう》の穴を1× 1のスロープでふさいでもいいでしょう。

もくもくと出る煙は、
白かグレーのピースを重ねて

オーシャンライナー

底から順《じゅん》に赤、黒、白と重ねて作ったマイクロスケールの船——好《この》みに応《おう》じて、どんな色でもかまいません! 小さい船は細かい細工ができない分、全体のバランスがより大切です。

1×6のタイルは、穴あき
ブロックとレゴ®テクニック
ハーフピンで固定

窓は透明な1×1のラウンド
プレート。四角いプレートを
使ってもいい

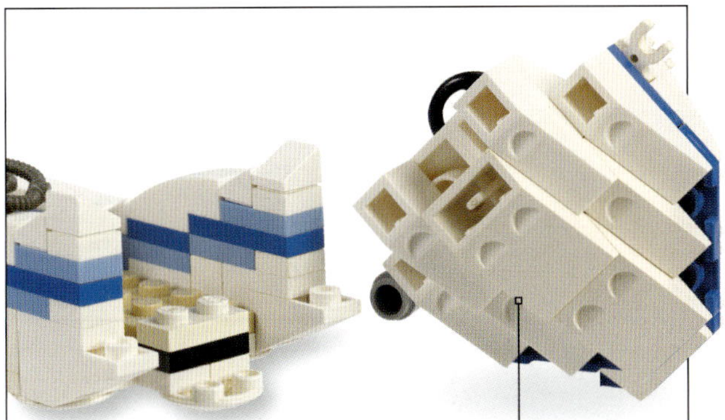

逆スロープ

船首部分のパーツ

スピードボートの底の形は逆スロープで作ります。船首部分は複数《ふくすう》の連結《れんけつ》点で本体としっかりつなぎましょう。

スロープ1×1

水しぶきがかからない
ように、制御装置は
ウィンドスクリーンの
かげの低い位置に!

プロペラはレゴ®テクニックの
歯車と消防士のホースノズル

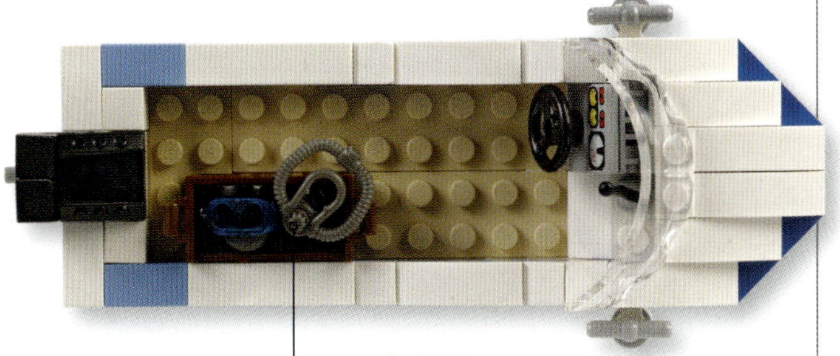

上面

ダイビング用具や備品を
保管する場所も作る

2×2のスライドプレートでボートの底を
つなぎ合わせる。こうすればテーブルの
上をすべらせることもできる!

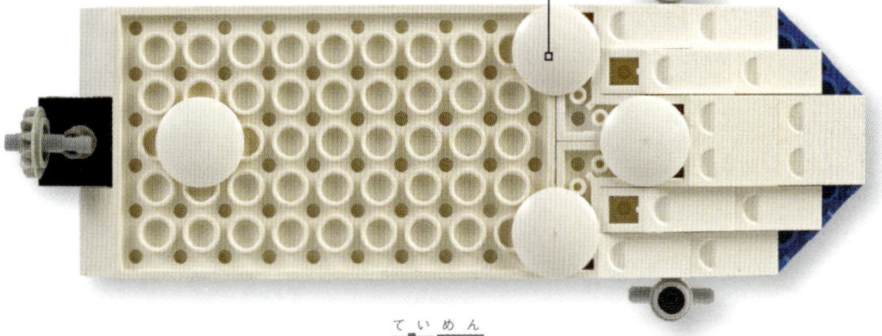

底面《ていめん》

漁船《ぎょせん》

漁船を作るのに、特殊《とくしゅ》なピースはそれほど必要《ひつよう》ありません。手持ちのブロックと豊富《ほうふ》な想像力《そうぞうりょく》で、申し分のない船が作れます。まずは船体とキャビン、それから索具《さくぐ》やいかり、無線装置《むせんそうち》など、船ならではのディテールを加《くわ》えていきましょう。船全体を作らなくとも――水面より上の部分だけでもいいんです！

組み立ての概要
目的: 漁船を作る
用途: 海で漁をする
基本要素: 頑丈な船体、網、操縦室、乗組員
その他の要素: 警告灯、追跡装置、救命ボート、クレーン、魚網

ちょっとそこまで魚釣《つ》りに

船体用のピースを使わずに船を作る場合、最《もっと》もむずかしいのは船らしい形にすることです。このモデルはヒンジ付《つ》きのピースで船体の形を作り、さまざまな工夫《くふう》をこらして組み立てられています。船首のマストは、らせん階段《かいだん》の軸《じく》！

魚じゃなく
風邪《かぜ》のウイルスを
つかまえちまったぜ。
ハクション！
双眼鏡、レバー、コーンで通信機器にディテールを加える
あざやかなストライプで、地味な船体ががらりと変わる
ドックやほかの船と衝突しても、タイヤがダメージを防いでくれる
船の両側にロボットの手としなやかなチューブを取り付けると、りっぱな欄干に
ハーフアーチで作ったカーブ付きの壁

カーブの付けかた

各《かく》セクションをヒンジブロックでつなぐと、先のとがった船首ができます。前甲板《ぜんかんぱん》は船体から横方向に壁《かべ》を組み立てる要領《ようりょう》で。船体のカーブに沿《そ》った形にするにはスロープが便利《べんり》です。

背の高いスロープで前甲板に角度を付ける

ヒンジブロック

船底《せんてい》

船体がくずれないようにしっかり連結《れんけつ》さえしていれば、船全体ではなく水面から上の部分だけで、船底がなくてもだいじょうぶ!

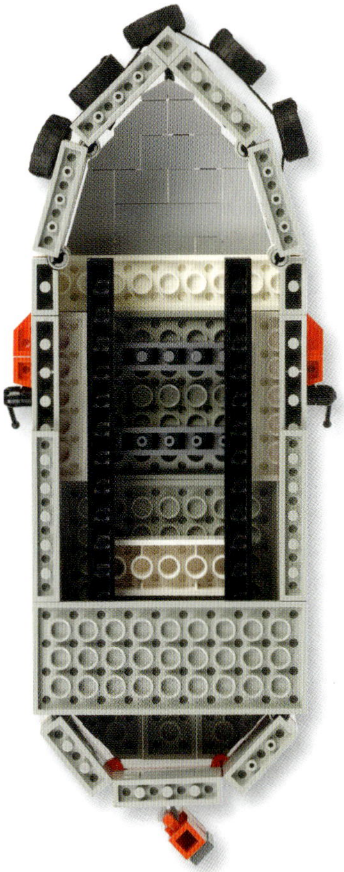

操縦室《そうじゅうしつ》

船の操縦室には、たいてい指《し》針盤《しんばん》やレバー、ライト、無線通《つう》信機器《しんきき》があります。テクニカルな感じのピースをできるだけたくさん盛《も》りこみましょう!

ポールに透明なコーンをかぶせた警告灯

レゴ®テクニックのピースとチェーンで作った実際に動く巻き上げ機

舵がないとうまく操縦できない!

樽や箱には魚やカニ、貝……好きなものを入れよう!

ビルダー紹介《しょうかい》

バーニー・メイン

BARNEY MAIN

所在: イギリス

年齢: 18

レゴの得意分野: 海賊、乗り物

レゴ®ブロックで遊びはじめたのは何歳《なんさい》のとき?

はじめてデュプロ®ブロックのセットを買ってもらったのが1歳半のとき。まもなくレゴ®ブロックのセットに移《うつ》って、それからずっと続《つづ》けているよ!

子どものころの、いちばんの自信作《じしんさく》は?

9歳のときに作った「怒《いか》りのイサク」というバイキング兵士《へいし》の頭像《とうぞう》。『レゴ®マガジン』でデザイナーズ・チョイスとして紹介された自慢《じまん》の作品なんだ!

この海賊船は空を駆けめぐり、後ろのネットで稲妻をとらえる。映画『スターダスト』をヒントに、稲光りするサメなど、独自のアイデアをたくさん盛りこんだ作品!

風車の羽根と木の壁は、"ステッピング"したプレートにタイルをかぶせて作る。応用がきく、とても便利なテクニックだ。

アイデアはどこから得《え》るの?

ありとあらゆるものから!　パーツのすてきな組み合わせを思いついたり、映画《えいが》や文学、実生活で目にしたものからアイデアが浮《う》かんだり。たとえば石垣《いしがき》のスタイルなど、再現《さいげん》してみたいと感じたものを、しばらくたってから作品に組みこむこともある。テーマが決まっているコンテストに出品するときには、かなり念《ねん》入りにリサーチをするよ。ドクター・スースの物語がテーマだったときには、スタイルをつかむために彼《かれ》の絵本を何冊《さつ》も読みなおした。できあがった作品が最初《さいしょ》のアイデアとぜんぜんちがうって言われるけど、ぼくは流れにまかせるだけ。どんな形になるかは、作品そのものが教えてくれるんだ!

これまでで最大の、または最《もっと》も複雑《ふくざつ》な作品は?

『ナルニア国物語／カスピアン王子の角笛《つのぶえ》』の壮大《そうだい》な戦闘《せんとう》シーン。山の中に墓《はか》を作れるように戦場を高い位置《いち》に作り、地面が陥没《かんぼつ》してできた穴《あな》も再現《さいげん》。ナルニアの伝説《でんせつ》の生き物（グリフォン、ケンタウロス、サテュロスなど）や割《わ》れた石舞台《ぶたい》、攻城兵器《こうじょうへいき》を作るのがとても楽しかった。

世界中のすべてのレゴ® ブロックと十分な時間があったら、何を作りたい?

むずかしい質問《しつもん》だな。リアルライフスケールで作るのが好《す》きだから、実物大の自分を作ろうかな! ミュージカル『レ・ミゼラブル』の大ファンなので、有名なバリケードのシーンを大きくて手の込《こ》んだ作品で再現してみたい。

色を少しだけ使ったモデルはスタイリッシュな印象になるが、色をたくさん使ったモデルも楽しい!

『クリスマス・キャロル』の各場面をひとつのモデルに凝縮し、ミニフィギュアで人物の特徴を出すのに苦労した! さまざまな色や質感で場面のちがいを表現。屋根はダイビングの足ひれ!

水面は、壁の要領でなめらかに仕上げてある。ボートを浮かべる場所には穴をあけておく。がけの内側は、柱やお城の塔、レゴ®テクニックのブロックなど、ごちゃまぜのパーツで支えているが、外側からは見えない!

お気に入りの作品は?

童謡《どうよう》『三匹《びき》の盲目《もうもく》のネズミ』をテーマにした実物大の作品。ネズミの表情《ひょうじょう》や、包丁《ほうちょう》などのむごたらしいディテールがうまく表現できていると思う! チーズは、1960年代に建物《たてもの》のモデルに使われたモジュレックスというミニチュア版《ばん》レゴ®ブロックで作ったんだ!

レゴ® ブロックに関《かん》する、とっておきの秘《ひ》けつは?

ブロックはずしは、信《しん》じられないほど便利《べんり》! 手近なところに3つ置《お》いてあるから、ブロックに歯を立てる必要《ひつよう》もないし、爪《つめ》が割《わ》れることもない。作品づくりは、手持ちのブロックを使ってクリエイティブに! どんなパーツがたくさんあるかを考えて——緑色のパーツなら、巨大《きょだい》なカエルを作ったらどうかな? 白いつののピースなら、それを背骨《せぼね》がわりに使ったドラゴンは?

作品づくりにどれくらい時間をかけるの?

たいてい、1日に1~2時間。

この海賊の隠れ家はディスプレイ用にデザインされたものだが、背景となるストーリーを考えておくと便利。兵士はなぜ板を歩かせられているのか? ここに宝をかくしたのはだれか? なぜ海賊どうしが戦っているのか?

お気に入りのテクニック、いちばんよく使うテクニックは?

ぼくは、屋根の新しい作りかたを考え出すのが大好《す》き。たとえば、ダイビングの足ひれはゴシック様式の瓦《かわら》屋根にぴったりで、そのためだけに、黒い足ひれを250個《こ》も買ったんだ!

レゴ®ブロックをいくつ持ってる?

まだまだたりない! 最後《さいご》に数えたときは、15000個くらいだった(もう何年も前だけど)。

Designer's Choice
"Infuriated Isaac"
Barney Main, 9

頭の作りかたは、目鼻やディテールが加わるだけで、気球(30ページ)の作りかたとよく似ている。キャラクターは目元の表情で決まることが多い。「怒りのイサク」は、とてもずるそうな顔をしている!

ぼくは流れにまかせるだけ。どんな形になるかは、作品そのものが教えてくれるんだ!

このお城でいちばんむずかしかったのは、ヒンジブロックとプレートで作った草の急斜面。胸壁には複雑なディテールが組みこまれ、お城にはトイレまである!

うまくいかなかったことは? どう解決《かいけつ》したの?

ぼくは色覚異常《しきかくいじょう》なので、そこがたいへん。色を見分けるのがむずかしいことがあるし、色どうしが調和するかどうかがわからない。それと、学生のおこづかいでは、ほしいブロックがなかなか買えないこと。モデルのサイズや色で妥協《だきょう》しなければいけないのはしょっちゅうだし、いつもモデルにグレーが多く使われているのは、そのせい。だけど、ブロックがたりないのも悪いことばかりじゃない。おかげで、新しい方法《ほうほう》を工夫《くふう》して考え出すしかないからね。

好《す》きなブロックやピースは?

むずかしいな! いつも決まって使うピースはたくさんあるけど、しいて言えばヘッドライトブロックかな。ブロックを横向きや逆《さか》さに連結《れんけつ》するのにとても便利《べんり》だし、ブロックでもバーでも連結できる。ただ、横にポッチが飛《と》び出ている分、ふつうのブロックよりも少し厚《あつ》めなので、ときどき組み立てにくいことがあるから要注意《ようちゅうい》。

何を作るときがいちばん楽しい?

ふだんは乗り物を作らないので、このプロジェクトは新しい分野への挑戦《ちょうせん》だった。大好きなのは海賊《かいぞく》とお城《しろ》だけど、グリーン、茶色、グレー、それにざらざらした素材《そざい》ならなんでも好き。都会の街《まち》も、色や素材がいろいろ使えるから楽しいよ。宇宙船《うちゅうせん》もうまく作れるようになりたいけど、ぼくはいつも帆《ほ》や胸壁《きょうへき》を付《つ》けたくなるから、組み立てがすごくたいへんなんだ!

組み立てる前にプランを立てる? どんなふうに?

プランはあまり立てない!　ざっとスケッチすることもあるけど、いつもはうまくいくことを期待しながらいきなり作りはじめる。組み立てていないときも次のステップを考えていて、いいアイデアが浮《う》かんで夜中にむっくり起き上がることもある!　当然《とうぜん》、そのあとすぐに実行……。

このミュージアムは、カフェコーナーなどのレゴ®モジュラービルディングと調和する大きさ。とはいえ、窓は割れ、通りはゴミだらけで、かなりすさんだ感じ。

ミニフィギュアは、作品に活気を与える!　ミニフィギュアは全身を使わなくてもだいじょうぶ——水に浮かぶ樽の中の男を見てごらん!

ふだん目にするものでも、このエアボートのように本や写真でしか見たことのないものでも、完全に想像の世界のものでも、なんでも作れる!

町や田舎《いなか》の建物《たてもの》

あなたのレゴ®ワールドに必要《ひつよう》なのは、どんな建物ですか？ ミニフィギュアたちのために作ってあげるのは、家、仕事場、それとも楽しい娯楽《ごらく》の場所？ さあ、さっそく作りはじめましょう！

ホーム・スウィート・ホーム——なつかしのわが家！ シンプルでも複雑でも、大きくても小さくてもいい。これは大きな一戸建ての家の二階部分。（48−49ページ）

ドア4×5

壁の部品1×2×3

ヒンジブロック1×1×2と
シャッター

タイル1×6

プレート2×4

タイル2×2

タイル2×2

プレート2×3

家に欠かせないもの

家づくりには、ドアや窓のピースが便利。同じピースがたくさんない場合は、いろいろな色やスタイルのものを組み合わせよう!

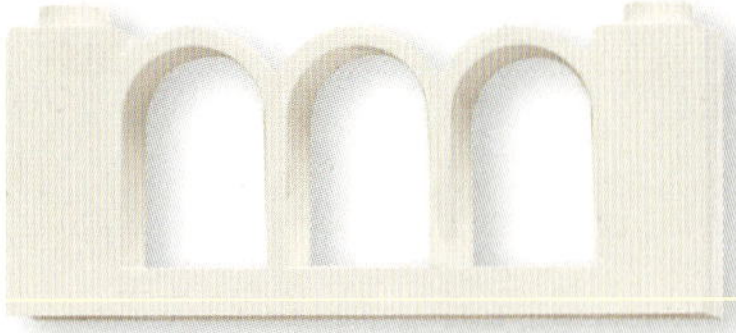

アーチ型フェンス1×6

窓枠1×2×2

タイル6×6

草

穴あきカーブプレート
2×3

花

花

手づくりに挑戦!

既製のピースがなければ自分で作ってみよう。

荷物用カート

ボールジョイント

実物の建物《たてもの》からヒントを得《え》て、イマジネーションをプラスしよう!

コーナーパネル
1×1

花
（穴あきポッチ付き）

小さな木

格子窓（2点連結）

ニンジン

サクランボ

竹

花と茎

大型の葉

蛇口

あるものを活用

ブロックで創造性を発揮しよう。はしごがなければ、上の格子窓を横向きにすればいい!
（49ページ「子どもの寝室」参照）

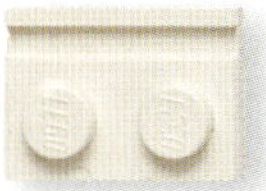

サイドレール付き
プレート1×2

グリルブロック1×2

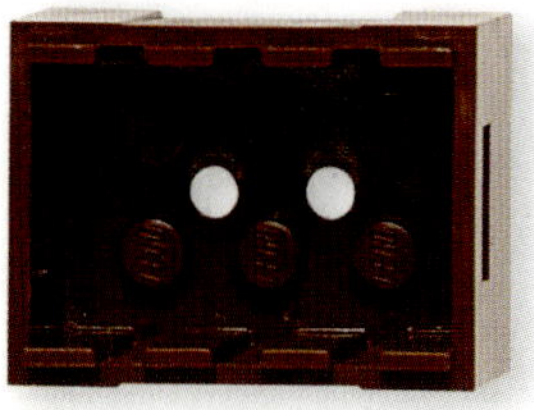

木箱

外も充実

できるだけリアルなシーンになるように、建物の中だけでなく外の部分も組み立てよう。

望遠鏡

装飾アーチ

格子フェンス1×4×1

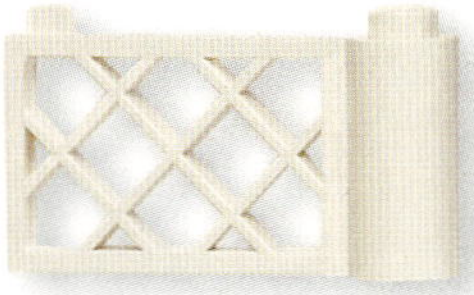

格子ゲート1×4×2

格子フェンス1×4×2

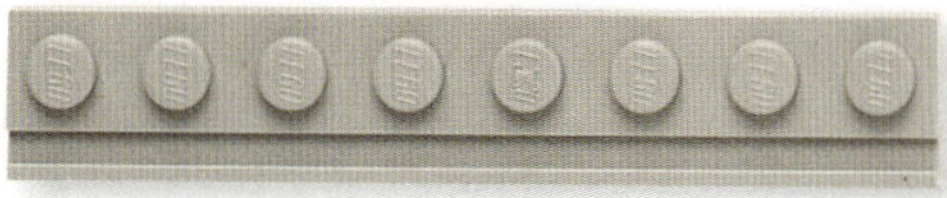

サイドレール付きプレート1×8

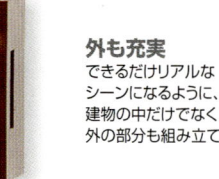

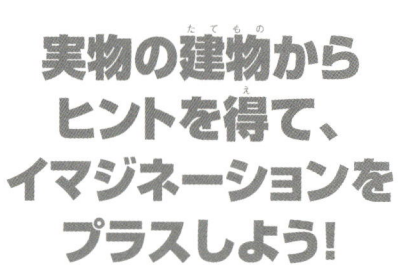

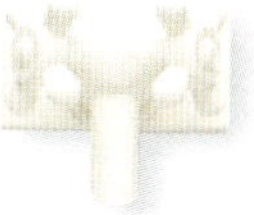
蛇口1×2

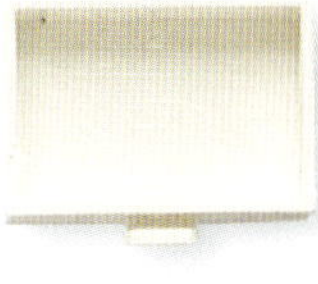
引き出し

ブタ

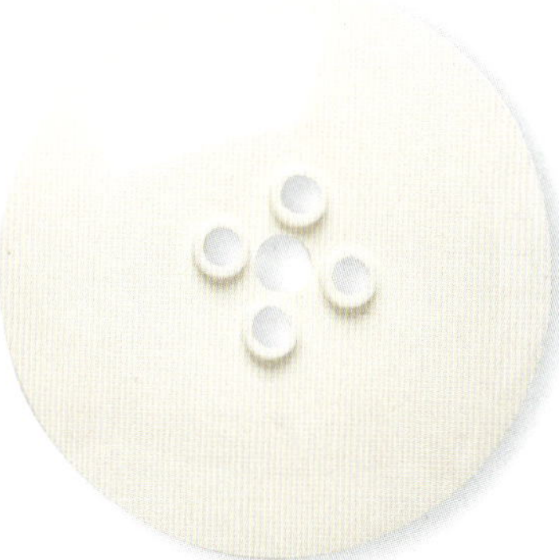
レーダーアンテナ6×6

長い
チェーン

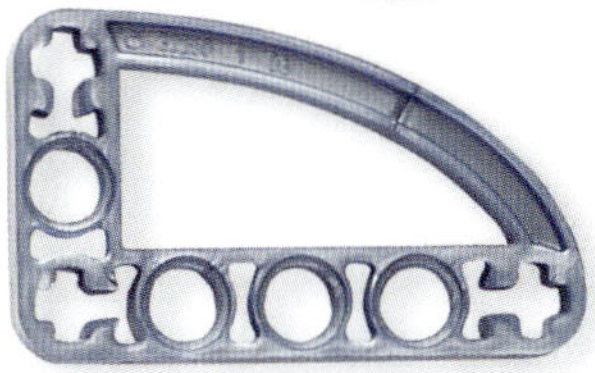
カーブ付きレゴ®テクニック
ハーフビーム3×5

本物らしく
蛇口やデッキブラシ、動物など既製のピースを使って、場面にディテールを加えよう。

シート

プリントタイル1×2

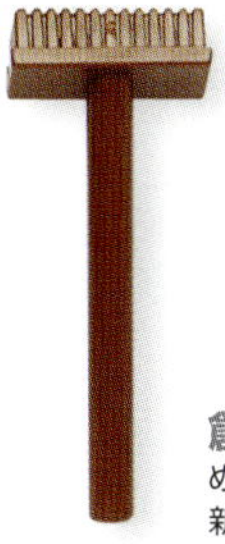
デッキ
ブラシ

創意工夫を
めずらしいピースの新たな使いみちを考えよう。上の大きなレーダーアンテナは、りっぱな時計の文字盤になりそうだ。
（54ページ「時計台」参照）

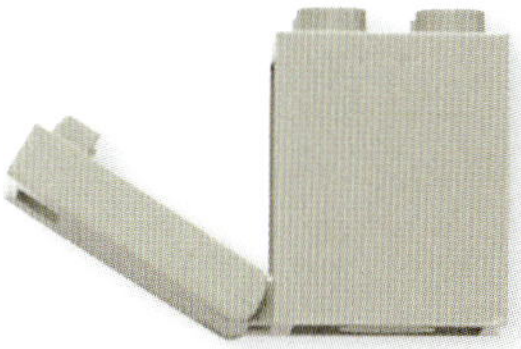
ふた付きの郵便受け

扉付き戸棚

ラウンドプレート2×2

ヤシの木の部品

コーン2×2

バー付きプレート1×2

ジャンパープレート1×2

建物用のブロック

町やのどかな田舎《いなか》のシーンには、組み立ての可能性《かのうせい》が無限《むげん》に広がっています。手持ちのレゴ®製品《せいひん》を総《そう》ざらいして、壁《かべ》やドア、窓《まど》、屋根、庭……あなたのレゴ®ブロックワールドを構築《こうちく》できそうなピースを見つけましょう！ ここでは組み立ての第一歩にふさわしいものをいくつか挙《あ》げていますが、使えるブロックに限《かぎ》りはありません。

ハーフアーチ
1×3×2

両側傾斜スロープ1×2
（コーナー）

2方向側面ポッチ付きブロック1×1

ヘッドライトブロック1×1

レゴ®テクニック
ハーフピン

タイル1×6

穴あきブロック1×2
（穴2個）

アングルブロック1×5

側面ポッチ付きブロック1×4

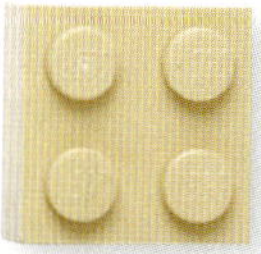
ブロック2×2

両側傾斜スロープ
2×4

ブロック1×2

ラインやカーブ
作品がいつも角ばったものにならないように、アーチやカーブ付きのものなど、おもしろい形のブロックを選んでみよう！

スロープ2×3

傾斜付きプレート3×8

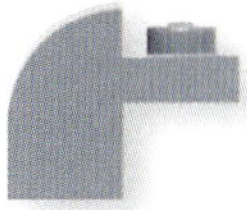
曲面ハーフアーチ
1×2

ランプ（傾斜路）6×8

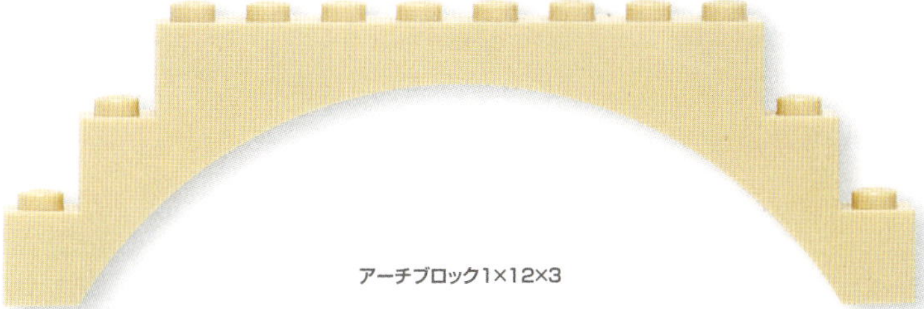
アーチブロック1×12×3

逆スロープ1×2×3

ファミリーハウス

町づくりの楽しみは、まるで本物のような建物《たてもの》を作ること。中でもいちばん楽しいのは、レゴ® ミニフィギュア ファミリーが住む家を作ることです。作りはじめる前に、まず何色のブロックがたくさんあるか調べましょう。ドアと窓《まど》はおそろいの色にする? 家は二階建《だ》て、それとも三階建て? これはあなたの家ですから、思いどおりにデザインしましょう!

組み立ての概要

目的: 大きなファミリーハウスを作る
用途: 寝る、料理する、住む、食事する
基本要素: 強くて頑丈、取りはずせる屋根
その他の要素: 家具、パラボラアンテナ、前庭と裏庭

屋根用のピースやスロープがたりないときは、プレートとヒンジを使ってオープンルーフを作ろう!
階ごとに壁の色を変えてもいい
パパにたのんでごらんなさい
わかった、こんどの土日に家を建《た》てなおすよ!
ねえ、もっと広いお部屋《へや》がほしいな。おねがーーーい!
庭——花や木、カラフルな1×1のプレートを使い、外の空間をデザインする
ドアや窓のスタイルはさまざま。家全体で統一する? それともいろいろ組み合わせる?
実際の芝生は真っ平らじゃない。ところどころプレートを重ねて高さを出そう
もっと庭を広くして物置きやブランコを作ってもいい——もちろんプールだって!

家を作る

まずおおよその枠《わく》組みを決め、ドアと窓の位置《いち》を決めたら、壁《かべ》を組み立てます。みんなが十分な広さの部屋を持てるように間取りを考えます。家具を置《お》けるスペースをあけておくのも忘《わす》れずに!

出入りが簡単《かんたん》

壁の上にタイルを並《なら》べて、階ごとに取りはずせるようにしましょう。ポッチ付《つ》きプレートをほんの少しだけ使って上の階を固定《こてい》します。

分解図《ぶんかいず》

上の階を支えるために、内側にも壁を作って補強する

間取りの前に階段の位置を決める

ルーフタイルの各列をブロックの層が下から支えている

各階の高さはブロック7、8個分

材質感があるブロックでディテールと装飾をプラス

格子フェンスで作ったバルコニーの手すり

玄関への通路はタイルで。ドアマットを敷いてもいい!

壁《かべ》のブロック

同じ色のブロックがたくさんなければ、ストライプや模様《もよう》入りの壁にしましょう。本物のレンガ壁のようにしたり、斬新《ざんしん》な色づかいにしてもすてきです!

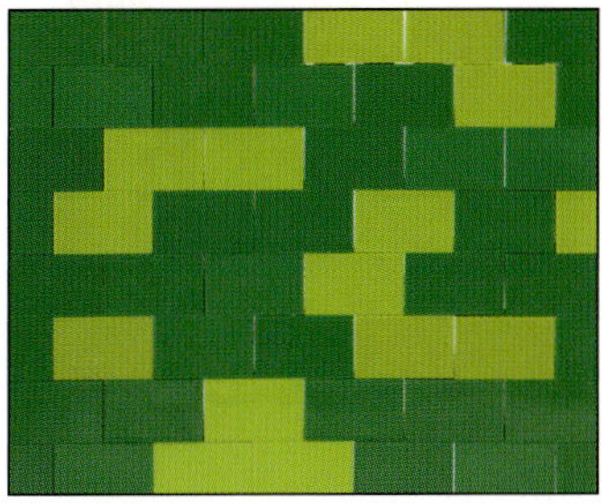

一階《かい》のフロア

ミニフィギュアのファミリーに必要《ひつよう》なものはなんでしょう? 実物の家を見て、どんな部屋《へや》や家具がほしいか決めましょう。たいてい一階には玄関《げんかん》やダイニングルーム、キッチンがありますが、遊び部屋や小ぢんまりした私室《ししつ》もほしいかもしれませんね。

本棚。両側はカーブの付いたレゴ®テクニック ハーフビーム

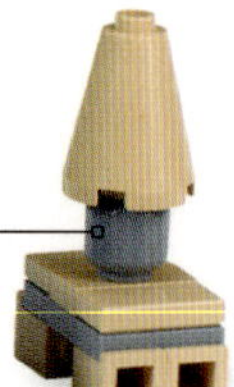

たった2個のピースで作った卓上ランプ

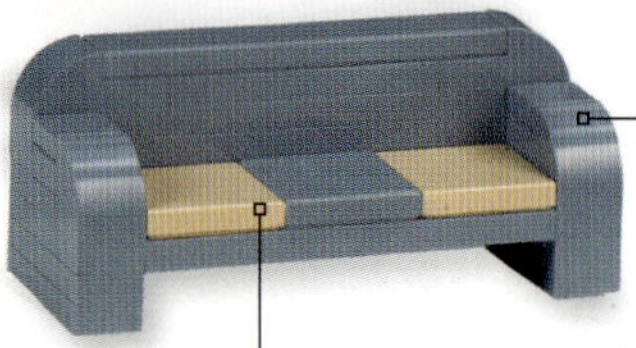

カーブ付きのピースは家具にやわらかみを与える

リビングルーム

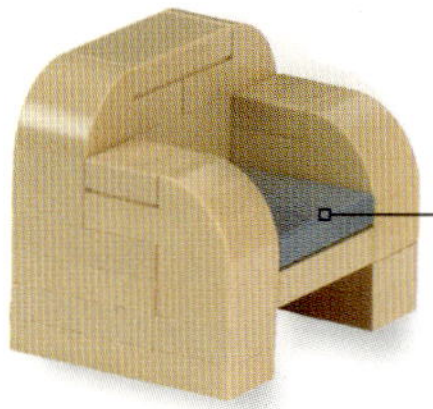

安楽椅子の座面を長くのばせば、家族みんなで座れるカウチに!

タイルで作ったつやのある木の床。カラータイルを使ったカーペットや、ポッチ付きのピースを使った毛足の長いじゅうたんを加えてもいい

ダイニングルーム

取っ手付きの引き出しはジャンパープレート

タイルで特別な日のための上等なテーブルクロスも作ろう

テーブルの脚は望遠鏡

キッチン

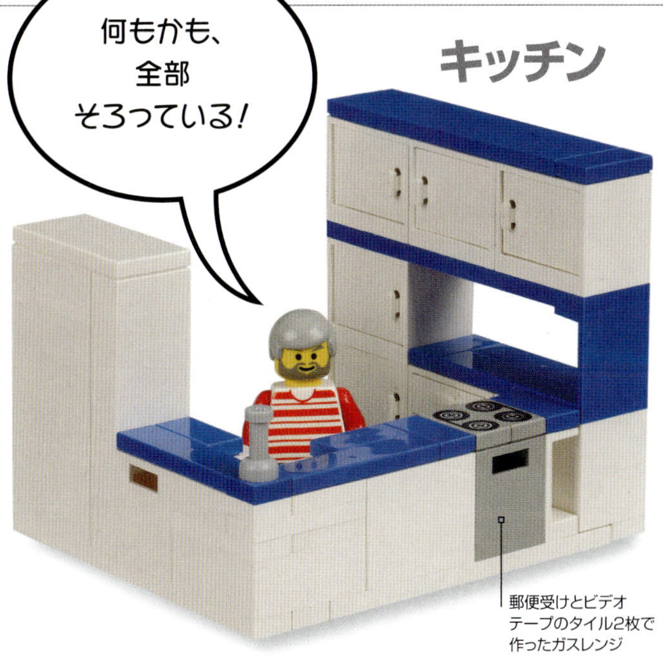
何もかも、
全部
そろっている!

郵便受けとビデオテープのタイル2枚で作ったガスレンジ

家具

家具を作るときには、手持ちのブロックを新しい視点《してん》で見てみましょう。回してみたり、逆《さか》さにしてみたりしながら、椅子《いす》や照明器具《しょうめいきぐ》、ソファーの一部に使えないか考えます。家具をミニフィギュアのサイズに合わせるのをお忘《わす》れなく!

階段《かいだん》

この家の階段には、長いゴムのピースをスケルトンアームで支《ささ》えた手すりが付《つ》いています。それと同じピースがなければ、色ちがいで交互《こうご》に並《なら》べた1× 1のブロックと1× 1のスロープで代用しましょう。

二階《かい》のフロア

家族のメンバーひとりひとりに個性《こせい》があるように、寝室《しんしつ》にもそれぞれちがいがあっていいはず。そこで眠《ねむ》る人の好《この》みや個性があらわれた部屋《へや》を作りましょう。客用の寝室や収納室《しゅうのうしつ》、娯楽室《ごらくしつ》を加《くわ》えてもいいでしょう!

バスルーム

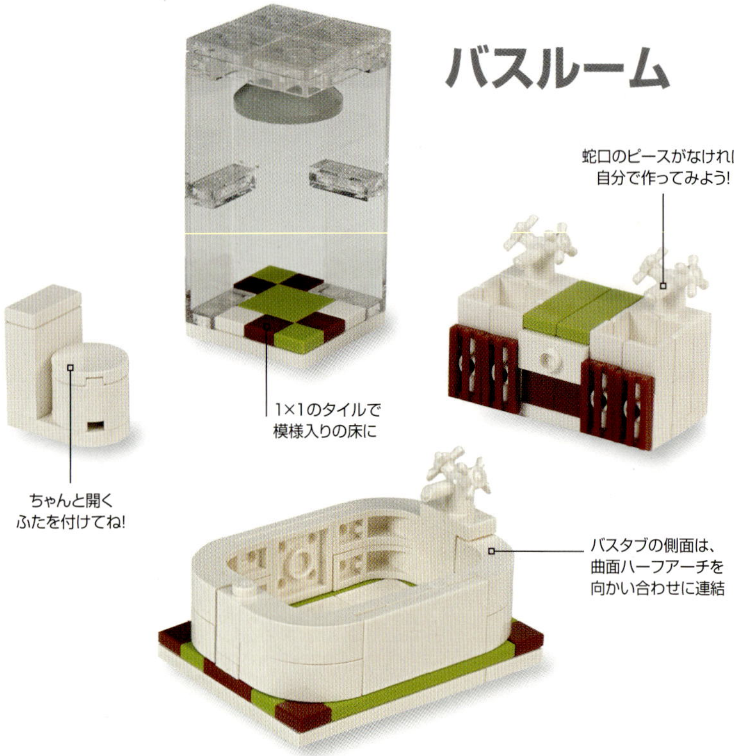
蛇口のピースがなければ
自分で作ってみよう!
1×1のタイルで
模様入りの床に
ちゃんと開く
ふたを付けてね!
バスタブの側面は、
曲面ハーフアーチを
向かい合わせに連結

主寝室のドアは
バルコニーに
向かって開く
細長いタイルを使うと
板張りの床らしくなる
安定性を考えて、
バルコニーは二階の
フロア内に組みこむ

二階の家具

同じ種類《しゅるい》の家具をいくつか作るなら、それぞれ別《べつ》のデザインにしてみましょう。子ども用と大人《おとな》用の家具のちがいも考えながら、多彩《たさい》なサイズや色、スタイルに挑戦《ちょうせん》しましょう!

照明器具《しょうめいきぐ》

レーダーアンテナ2枚と
アンテナで作ったモダン
なフロアランプ
クリスタルのランプ台は
透明なプレート製

カーペットは無地でも
模様入りでもいい
間取りには階段用の
空間をあけておく!
本物のレンガ壁と
同じように組み立てた
レゴ®ブロックの壁

主寝室《しゅしんしつ》

うす型テレビは、一階の
本棚とほぼ同じピースで
できている

幅がポッチ6個分
のダブルベッド
同じピースを使って、
チェストやサイドテーブル
などおそろいの家具を
作ってみよう!

子どもの寝室

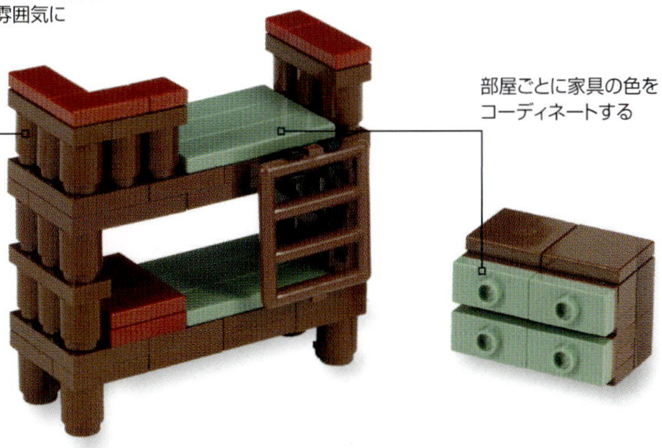
ラウンドブロックを
使った素朴な二段ベッド。
四角いブロックを使えば
モダンな雰囲気に
部屋ごとに家具の色を
コーディネートする

ティーンエイジャーの寝室

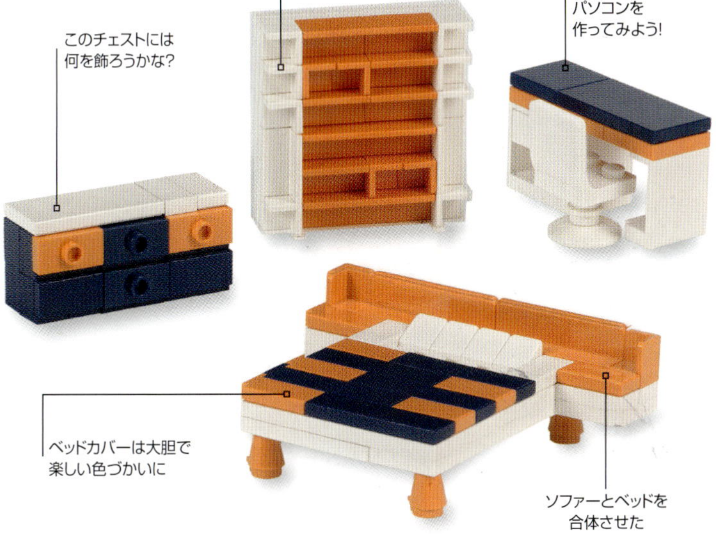
パネルとコーナーパネルを
次々に重ねていくと
本棚になる
この机に置く
パソコンを
作ってみよう!
このチェストには
何を飾ろうかな?
ベッドカバーは大胆で
楽しい色づかいに
ソファーとベッドを
合体させた
ソファーベッド

マイクロビルディング

町や都市をまるごと作りたいけど、スペースがない？　そんなときはマイクロビルディングにしましょう！　ひとにぎりの基本的なブロックと特殊《とくしゅ》なピースが少し、それにイマジネーションがたっぷりあれば、小さくても驚《おどろ》くほどすてきな風景《ふうけい》が作れます！

光と色

透明《とうめい》なプレートがまるでステンドグラス窓《まど》のよう。本物の繊《せん》細《さい》さは出せなくても、アイデアがキラリと輝《かがや》きます！

組み立ての概要
- **目的:** マイクロビルディングを作る
- **用途:** マイクロスケールの町や都市の一部
- **基本要素:** 小スケールで豊富なディテール
- **その他の要素:** 小さな人、車、まわりの物

屋根用の大きなピースよりも、1×1のスロープがちょうどいい
シンプルな配色
ディテールを加えて、ひと味ちがうファサードに
1×1の緑色のコーンがすてきな生け垣や木に

小さなアーチ窓が巨大な戸口に

壮大《そうだい》な建物《たてもの》

建物のスケールは、メインになるピースで決まることもあります。大聖堂《せいどう》からアイデアを得《え》たこの建物は、小さなアーチ窓に合わせたスケールで作られました。

屋根を作る

1×1のスロープを一列ずつ並《なら》べてシンプルな模様《もよう》付きの屋根にしています。各《かく》列は前の列よりプレート1枚《まい》分だけ高くなっています。

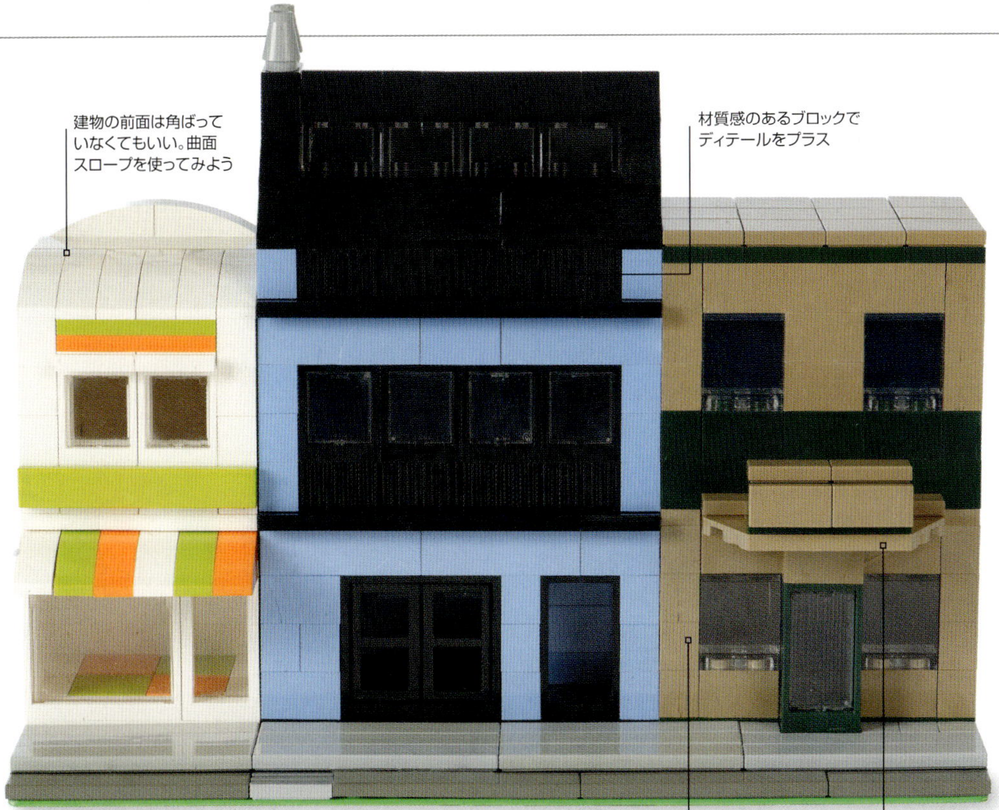

建物の前面は角ばっていなくてもいい。曲面スロープを使ってみよう

材質感のあるブロックでディテールをプラス

色の組み合わせを工夫する

入口に日よけや張り出しを付ける

商店街《しょうてんがい》

いくつか並《なら》んだ建物を作るには、まずプレートとタイルで通りのベースを作り、それから建物をひとつひとつ別個《べっこ》に作ってベースに固定《こてい》します。上のグリーンとオレンジのお店の丸みのある屋根のように、それぞれの建物に独自《どくじ》のラインを与《あた》えましょう。

カナルハウス

このオランダのカナルハウスなど、特定《とくてい》の時代や場所の建物をデザインするには写真がとても役立ちます。できるだけ本物に近い比率《ひりつ》で作りましょう。

建物本体と装飾部分は、コントラストのきいた配色で

やりすぎにならないよう、装飾はシンプルでおしゃれに

背面《はいめん》

マイクロハウス

マイクロスケールで家を作るときは、ただののっぺりした箱のようにならないように、さまざまな形やピースを試《ため》しましょう! まず窓やドアを選《えら》ぶと、ほかの部分をどれくらいの大きさに作ればいいかがわかります。

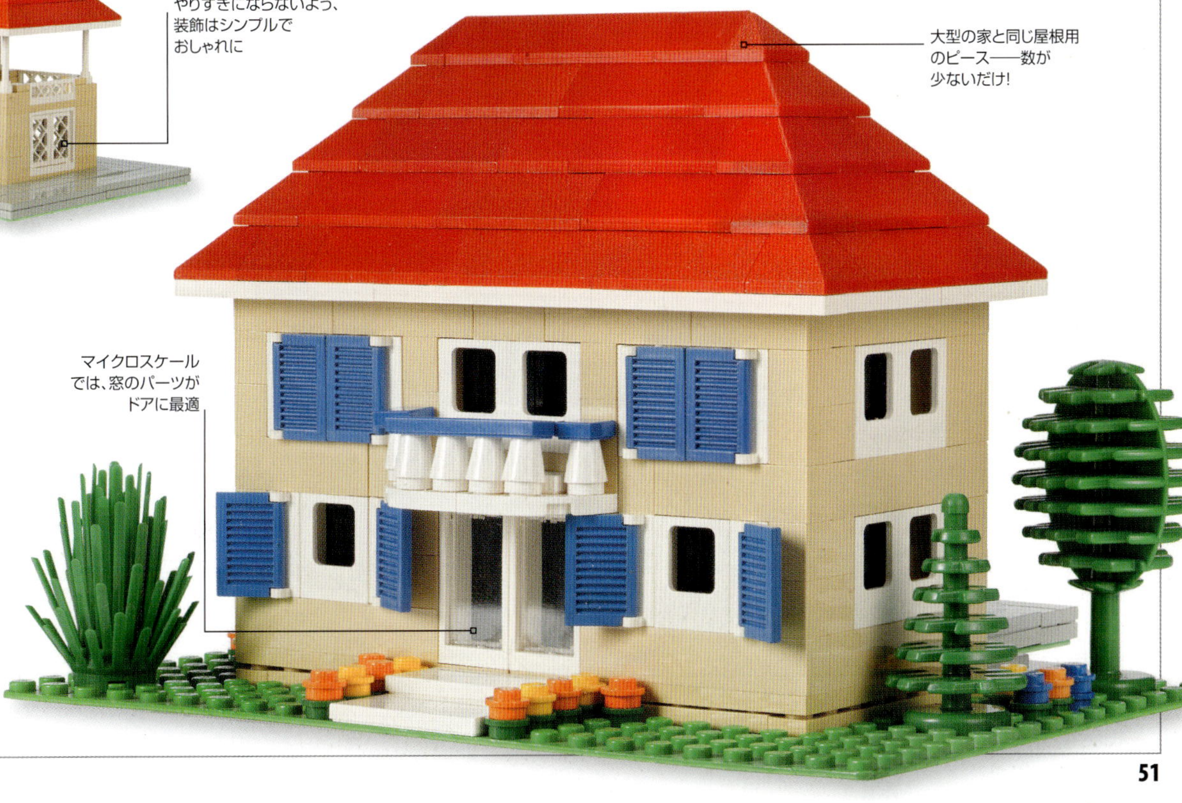

大型の家と同じ屋根用のピース——数が少ないだけ!

マイクロスケールでは、窓のパーツがドアに最適

鉄道の駅

駅は実用的な建物《たてもの》ですが、だからといって、おもしろみのない外観《がいかん》にする必要《ひつよう》はありません！ めずらしい形の駅をデザインして、アーチ型《がた》の入口やみごとなレンガ造《づく》りの壁《かべ》、ユニークな屋根など、おもしろい特徴《とくちょう》をプラスしましょう。内部を改装《かいそう》したり中で遊べるように、取りはずせる屋根にしてもいいでしょう。

組み立ての概要
目的: 鉄道の駅を作る
用途: 乗客が切符を買い、列車を待つ場所
基本要素: チケット窓口、屋内·屋外の待合所
その他の要素: 列車、信号、標識、線路

形を整える

変《か》わった形の屋根を作るのは、なかなか骨《ほね》の折《お》れる作業です。まずこの部分に集中して取り組みましょう。屋根が完成《かんせい》したら、それに合わせて壁を作ります。

長い六角形の屋根
遅刻《ちこく》しそうだ！
レゴ®トレインは時間
どおりに走って
くれるかな？
駅舎がきわだつように、
プラットホームより一段高くする

アーチ

ハーフアーチ2個《こ》で入口の上の部分がおしゃれな形に。このピースは単独《たんどく》で屋根の支《ささ》えにも使えます。

屋根の内側《うちがわ》

傾斜面《けいしゃめん》の端《はし》をほとんどすきまなくぴったり合わせるには、かなりの試行錯誤《しこうさくご》が必要です。

満足のいく形になるまで傾斜面の形を変えてみよう!

はずしやすいように、屋根はほんの数個のポッチで連結する

色のばらつきが本物のレンガ壁のよう

駅になくてはならないもの

駅舎《えきしゃ》の中があまり広くない場合は、最《もっと》もだいじな要素《ようそ》にしぼります。ほしいのはチケット窓口《まどぐち》、ベンチ、それとも売店?

花ではなやぐ

きれいな花は、公共《こうきょう》の建物をぐんと明るくしてくれます。プレート、タイル、あるいはパネルでプランターを作り、駅を美しく飾《かざ》りましょう!

駅にある建物《たてもの》

駅はひとつの建物だけでできているわけではありません! 実物を観察《かんさつ》し、どんな建物をプラスすればいいか考えましょう。別々《べつべつ》の建物でも、共通《きょうつう》の要素《ようそ》を組みこめば全体の調和がとれます。

組み立ての概要
目的: 駅に建物を追加する
用途: 列車を時間どおりに運行させる
基本要素: 調和のとれた色調、駅の便利な機能
その他の要素: 建物どうしの連結方法

時の流れ

このラウンドプレートのような円形のピースならなんでも文字盤《ばん》として使えます。数字がわりに1× 1のピースを加《くわ》えてもいい!

季節ごとに装飾用のコーン の色を変える
黒のスロープで作った屋根
時計の針はミニフィギュア用の工具。1×2と1×3のプレートでも代用できる!
きれいなアーチがシンプルな建物に表情を与える
あんな かっこうで仕事に 行くなんて、ぼくが ばかだったよ!
中が見えなくてもいいなら、黒いブロックで室内を暗くできる

時計台

この建物は、最初《さいしょ》はただの四角い形だったものに少しずつディテールを加えていったものです。一階の売店にはドアや窓《まど》もあり、もうどこから見ても同じに見えることはありません。

ハーフアーチ

遊びの幅が広がるように、
取りはずせる屋根にして
中に管理オフィスを
作ろう

修理《しゅうり》作業は
得意《とくい》じゃないけど、
このヘルメットは
大のお気に入り！

サイドレール付き
プレートで窓台を作る。
花を添えてもいい

表面を覆うタイルが、
柵をしっかり支えてくれる

側面ポッチ付き
ブロック

レゴ®テクニック
ハーフピン

信号塔《とう》

鉄道員が電車の動きや線路のようすを監視《かんし》・管理《かんり》するための建物です。二階のほうが大きい頭でっかちな構造《こうぞう》なので、階の継《つ》ぎ目をハーフアーチで支《ささ》えています。

階段《かいだん》の側面《そくめん》

プレートとタイルで柵《さく》を作り、側面ポッチ付《つ》きブロックとレゴ®テクニックハーフピンで階段に取り付けています。このような折《お》れ階段にすると、より安定性《あんていせい》が増《ま》します。

駅の中

何列にも並《なら》んだ座席《ざせき》、出発窓口《まどぐち》、チェックインカウンター、X線検査装置《けんさそうち》など、駅の中にはブロックで組み立てられるおもしろいものがたくさんあります。駅のほかに、バスターミナルや空港の待合所、機器類《ききるい》、チケット窓口などを作ってもよいでしょう。要《よう》は、ミニフィギュアが旅行できるようにしてあげればいいのです!

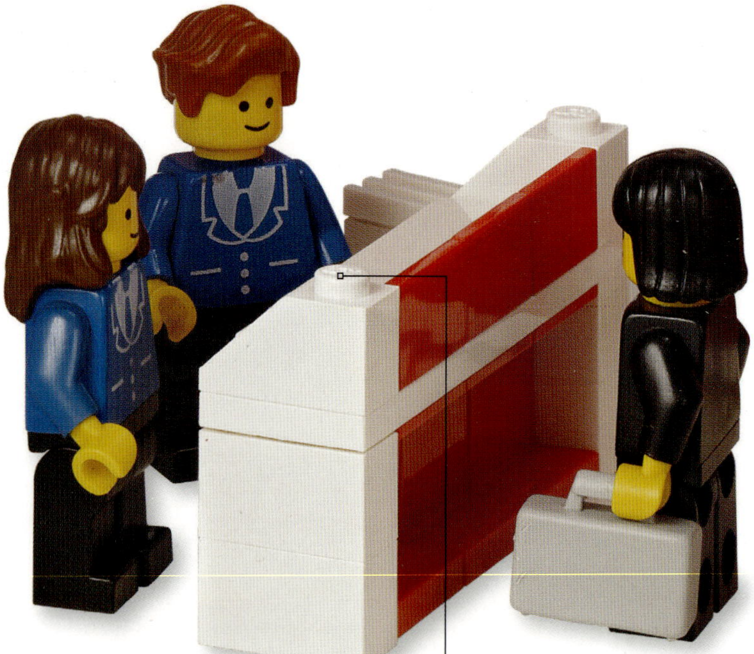

出発

ここは旅行客が列車に乗る前にチケットを渡《わた》す出発ゲートです。シンプルなデスクは白と赤のピースでできており、横方向の組み立てはありません。

透明なピースでポッチをかくし、卓上照明にしてもいい

あの女性の隣《となり》の席《せき》はいやよ。上半身のパーツが同じなんだもの!

チケットカウンター

白いブロックをタイルで覆《おお》ったチケットカウンターは、なめらかでハイテク感があります。コンピュータのディスプレイはジャンパープレートでななめの向きに、キーボードもななめに設置《せっち》できるように、クリップ&バー・ヒンジで連結《れんけつ》しています。

チケットカウンターは空港のチェックインカウンターにもなる!

コンピュータデスクの色を鉄道会社のシンボルカラーに変えてもいい

ミニフィギュアの胴のパーツを同じ色にすると制服らしく見える

椅子《いす》でのんびり

乗客のための待合所を作りましょう。座席《ざせき》の数はご自由に。この赤いシートは、2×12 のプレートに取り付けてあります。椅子の脚《あし》は1× 2のジャンパープレートに1× 1のラウンドプレートを乗せて作ります。小さなサイドテーブルも忘《わす》れずに。そういう細部へのこだわりがだいじです!

悪いね、満席《まんせき》だ。
ここには目に
見えない友だちが
3人座《すわ》ってるんだ。

テーブルの天板は
2×2のタイル

等間隔に並べた
ジャンパープレート

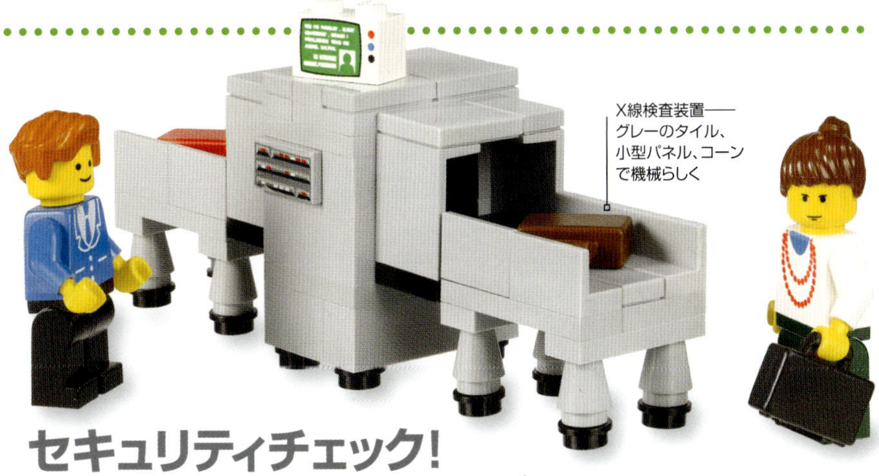

X線検査装置――
グレーのタイル、
小型パネル、コーン
で機械らしく

セキュリティチェック!

空港や一部の鉄道駅、バスターミナルに欠《か》かせないのがセキュリティチェックの装置です。X線検査装置はレゴ®ブロックの手荷物をスキャンできるサイズに、ボディスキャナーはミニフィギュアが(帽子をかぶったままで)くぐれる高さに作りましょう!

キーボードや
コンピュータの
画面は、いろいろな
レゴ®シティのセットに
入っているが、無地の
タイルやグリルでも
代用できる

アングル付きの専用
ピースで作ったX線
スキャナー。1×2の
ブロックを重ね、
てっぺんの角の部分に
スロープを使えば同じ
ようなものができる

田舎《いなか》の納屋《なや》

あわただしい都会を離《はな》れてひと息つきたい？　それなら田舎へ行って農場を作りましょう。まずは、昔ながらの納屋から。家畜《かちく》や農作物、用具類《るい》がゆったり入るように、大きく頑丈《がんじょう》に作ります。農業はたいへんな仕事ですが、農場づくりはとっても楽しい作業かもしれませんよ!

組み立ての概要
目的: 農場の納屋を作る
用途: 農作物、用具、家畜の保管
基本要素: 開く扉、広いスペース
その他の要素: 農具、穀物倉、家畜

納屋を建《た》てる

屋根はこのモデルで最《もっと》もむずかしい部分なので、最初《さいしょ》に作ります。納屋の壁《かべ》にしっかりはまり、取りはずしも簡単《かんたん》にできるように、屋根の内側《うちがわ》に細い溝《みぞ》を付《つ》けておきましょう。扉《とびら》と窓《まど》の枠《わく》は、屋根の色とおそろいに。

風向計――別の動物もためしてみて!
窓の形や大きさは自由にアレンジ
上半分に1×3のスロープ、下半分に1×2のスロープを使うと、納屋の屋根らしい形になる!
屋根用のスロープがたりなければ、かわりにプレートを使おう!
ウィンチのパーツを使えば、実際に動く干草用クレーンが作れる
んー・・・田舎の新鮮《しんせん》な空気って、ほんとにおいしい。

そうか、あの
においはそう
だったのか！
のっぺりした壁に
ならないように、
ディテールを加える
黄色のプレートを
重ねてタイルで
覆った干草の束
動物のピースを
使って納屋の外の
シーンを作る
ウシに食べさせる
干草は1×1の円柱
クリップ付き
プレートとバー
付きプレートで、
独自のヒンジを
作ろう
納屋の外の草地を広げて、
果樹園や池を作ったり、
ファームハウスを建ててもいい！

あっちへ
行ってよ、モー！
ここはあたしの
納屋なの！

納屋の扉

厚板《こうばん》をななめに渡《わた》した昔ながらの扉は、長いタイルをジャンパープレートのポッチにはめて作ります。タイルがみごとに木の扉の感じを出してくれます。

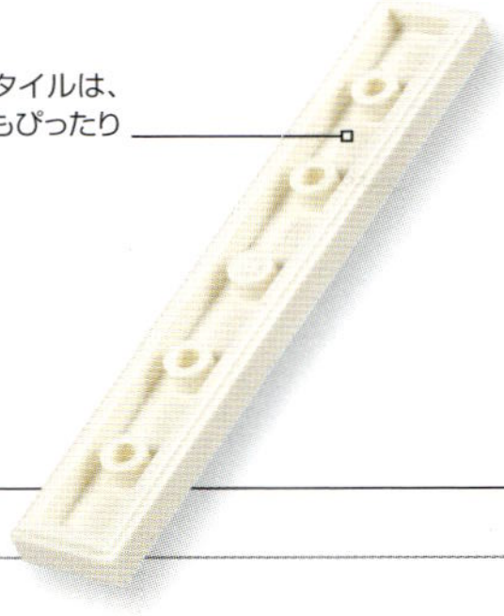
長い白のタイルは、
配色の点でもぴったり

ジャンパープレート

農場の動植物

ちょうどいいブロックやピースがあれば、働《はたら》き者のミニフィギュアたちのためのりっぱな農場が作れます。酪農場《らくのうじょう》、果樹園《かじゅえん》、牧場《ぼくじょう》 ——どんな農場にしたいのかを考えて、夢《ゆめ》を実現《じつげん》させましょう!

組み立ての概要
目的: 農場全体を作る
用途: 乳しぼり、種まき、飼育、収穫
基本要素: ニワトリのかご、家畜小屋、果樹、まわりの自然
その他の要素: トラクター、畑、馬小屋、農場主の家

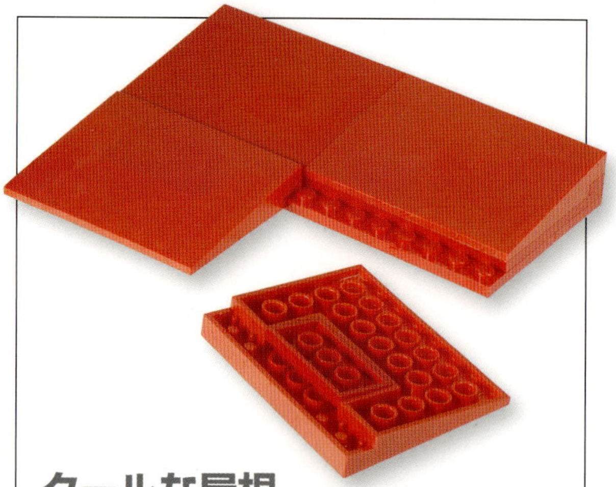

クールな屋根

傾斜《けいしゃ》の付《つ》いたアヒル小屋の屋根は、普通《ふつう》のプレートの上に重ねて連結《れんけつ》させた大きなランプ（傾斜路）でできています。クリップ&バー・ヒンジで屋根を取り付ければ、中で遊べます!

アヒル小屋は池のまんなかの島に。きみの家はどこに建てる?

ちょっと待て、おれの家よりアヒル小屋のほうがりっぱだぞ!

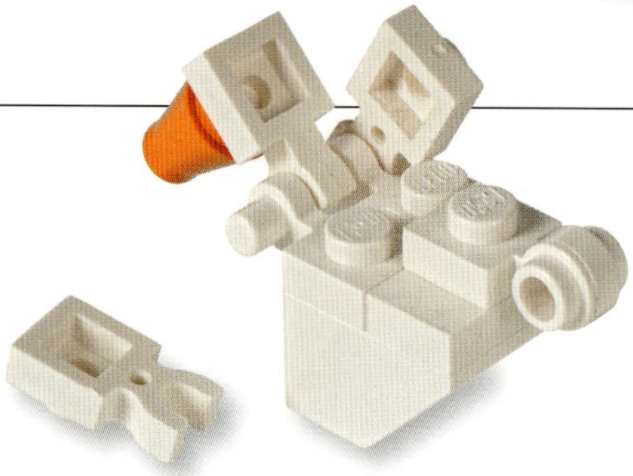

ブロックのアヒル

動物のピースがなければ、自分で作りましょう! このアヒルは、色も形もシンプルなほんの数個《こ》のピースでできています。翼《つばさ》はクリップ付きプレート、くちばしは1×1のコーン。

アヒル小屋

アヒル小屋は質素《しっそ》な白い小屋と決まっているわけではありません! 変《か》わった形の屋根をデザインしたり、格子《こうし》窓《まど》を付けたり、アヒルが下をくぐれる高床式《たかゆか》にしてもいいでしょう。

アヒルの池

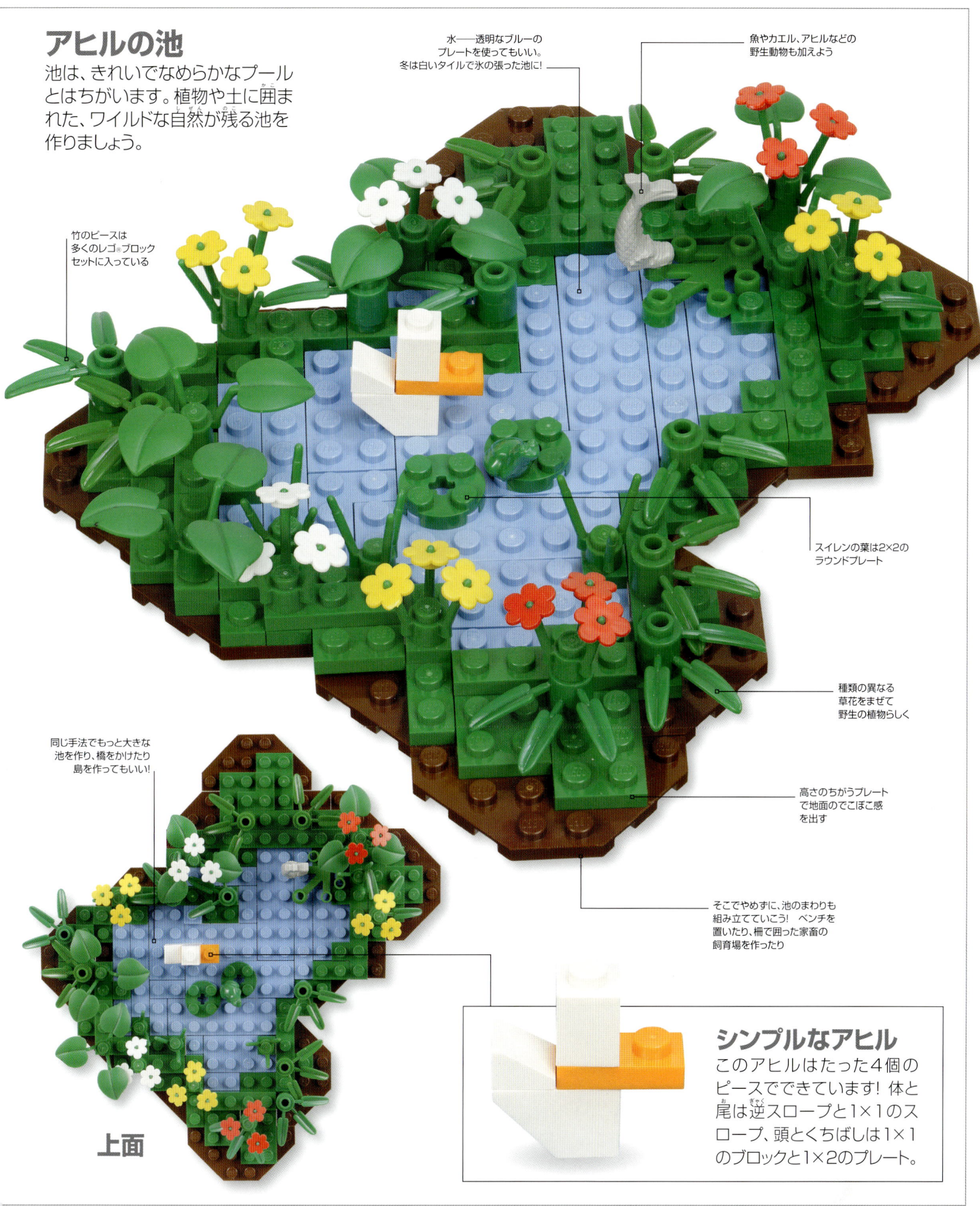

池は、きれいでなめらかなプールとはちがいます。植物や土に囲《かこ》まれた、ワイルドな自然《しぜん》が残《のこ》る池を作りましょう。

水――透明なブルーのプレートを使ってもいい。冬は白いタイルで氷の張った池に!
魚やカエル、アヒルなどの野生動物も加えよう
竹のピースは多くのレゴ®ブロックセットに入っている
スイレンの葉は2×2のラウンドプレート
種類の異なる草花をまぜて野生の植物らしく
高さのちがうプレートで地面のでこぼこ感を出す
そこでやめずに、池のまわりも組み立てていこう! ベンチを置いたり、柵で囲った家畜の飼育場を作ったり

同じ手法でもっと大きな池を作り、橋をかけたり島を作ってもいい!

上面

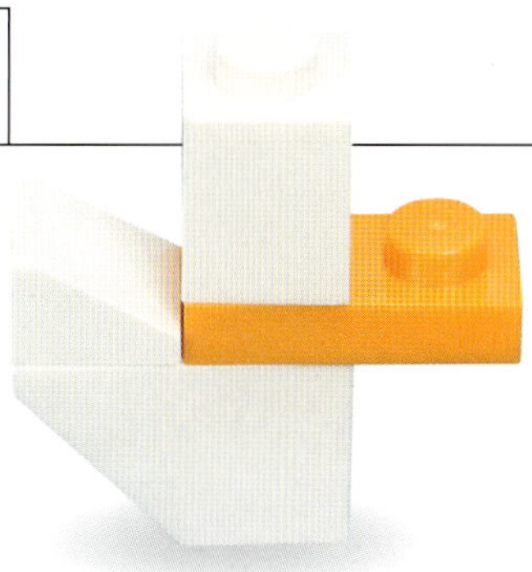

シンプルなアヒル

このアヒルはたった4個のピースでできています! 体と尾《お》は逆《ぎゃく》スロープと1×1のスロープ、頭とくちばしは1×1のブロックと1×2のプレート。

夢《ゆめ》の農場

本物らしい活気のある農場を作るには、細かいところに気を配りましょう。小屋の屋根ってどんな形? どうすればリアルな柵《さく》が作れる? 果樹園《かじゅえん》ではどんなフルーツを育てる? 心から満足《まんぞく》のいく作品ができるまで、じっくり練りあげましょう!

トタン屋根

グレーの長いサイドレール付《つ》きプレートを横に並《なら》べると、でこぼこしたトタン板のように見えます。

屋根は1×6のジャンパープレートで小屋に取り付けてある

プレートをななめに付けると装飾になる
広い畑に水をまくには、もっと大きいジョウロじゃなきゃ。

物置《ものおき》小屋

扉《とびら》(または窓《まど》)を実際《じっさい》よりも小さく見せるには、まず好《す》きな大きさに入口を作り、後ろから扉を付けて内側《うちがわ》に開くようにします。

ブタ小屋

家畜《かちく》を野放しにして農作物を食い荒《あ》らされないように、囲《かこ》いを作りましょう! このブタ小屋では、1枚《まい》の基《き》礎板《そばん》を使うかわりにプレートを重ね、地面に立体感を出しています。

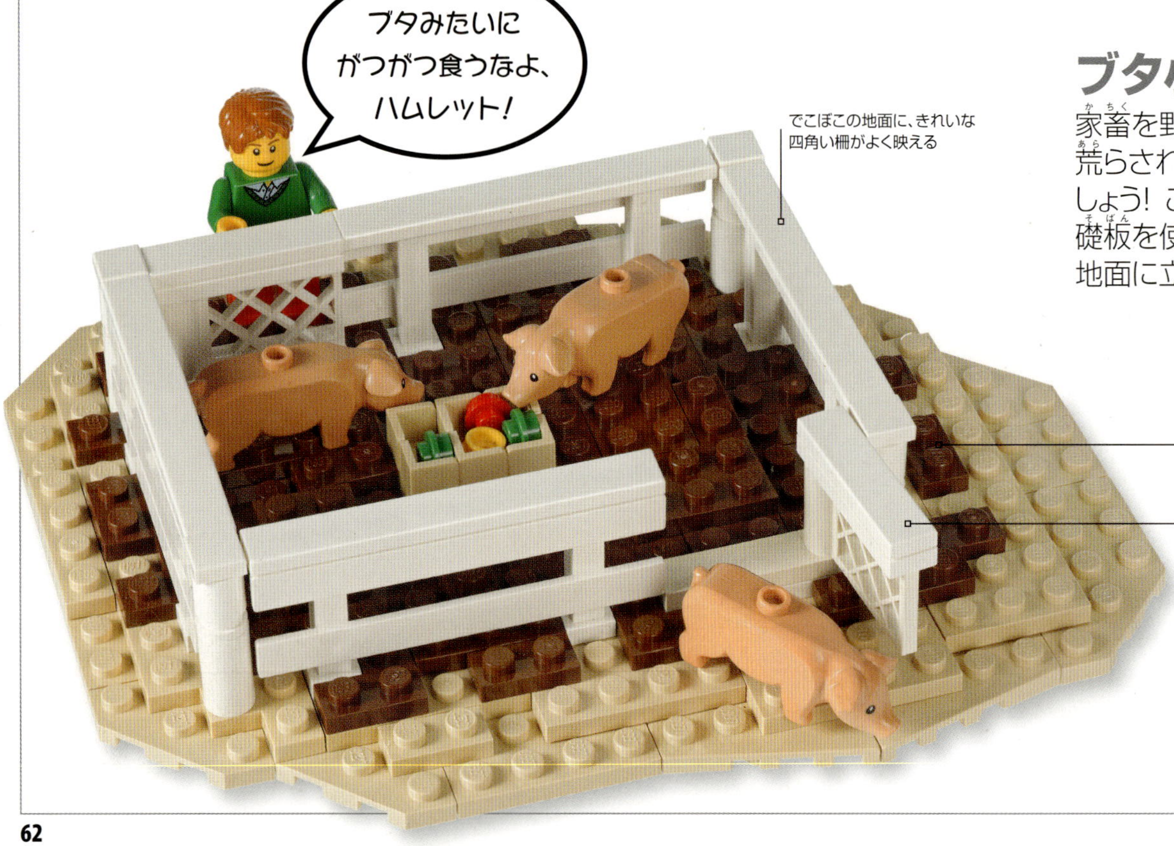
ブタみたいにがつがつ食うなよ、ハムレット!
でこぼこの地面に、きれいな四角い柵がよく映える
土はきれいに柵の中におさまらないので、ところどころはみ出させる
格子ゲートを逆さに付けた木戸

ブロックのフルーツ

フルーツのピースがなければ自分で作りましょう! 四角や丸の赤いブロックはリンゴにぴったり。黄色ならレモンに。ほかにも使えそうなピースが思い浮《う》かびますか?

木に花を
咲かせてもいい!
ヤシの木の部品は多くの
レゴ®ブロックセットに入っている。
ラウンドブロックを使ってもいい
高い木を支えられるように、
土台は大きく頑丈に

果樹園《かじゅえん》

まっすぐな同じ木を何列も並《なら》べれば、手入れのいきとどいた果樹園が作れます。でも、木の幹《みき》や枝《えだ》の形がそれぞれちがったほうが、より自然《しぜん》に見えます。

秋には葉っぱが少なく
なるかもしれない

レタスやニンジン、トマト
がずらりと並んだ野菜畑
を作ってみては?
土から顔を出した
ニンジンは、じつは
1×1のブロックに2×2の
プレートを乗せたもの!

ラウンドプレート
2×2
地面を草地にしたければ、
緑色のプレートを使う

ワン、ツー、ツリーで、できあがり!

木を作るのは簡単《かんたん》です! 丈夫《じょうぶ》な土台に茶色のラウンドブロックかラウンドプレートを重ねて幹を作り、あとは葉のピースか緑色のピースを加《くわ》えるだけ。

橋

プレートをいくつかつなぎ合わせて「橋」と呼《よ》ぶのは簡単《かんたん》です。でも、かっこよく川を渡《わた》りたければ、見た目も——そして機能《きのう》も——本物らしい橋を作ってみましょう。ここでは、公園や田舎《いなか》の川によく似合《にあ》う、のどかなアーチ橋の作りかたを紹介《しょうかい》します。

組み立ての概要
目的: 橋を作る
用途: 川や水路を渡る
基本要素: 頑丈さ、安定性、橋壁、欄干
その他の要素: 車、歩行者、料金所、街灯

アーチ橋

この美しい橋は、まず中央のアーチから作ります。それからアーチに沿《そ》って頑丈《がんじょう》な土台を固《かた》め、段《だん》を重ねて高さを出していきます。最後《さいご》にスロープやタイルで表面をなめらかに仕上げます。

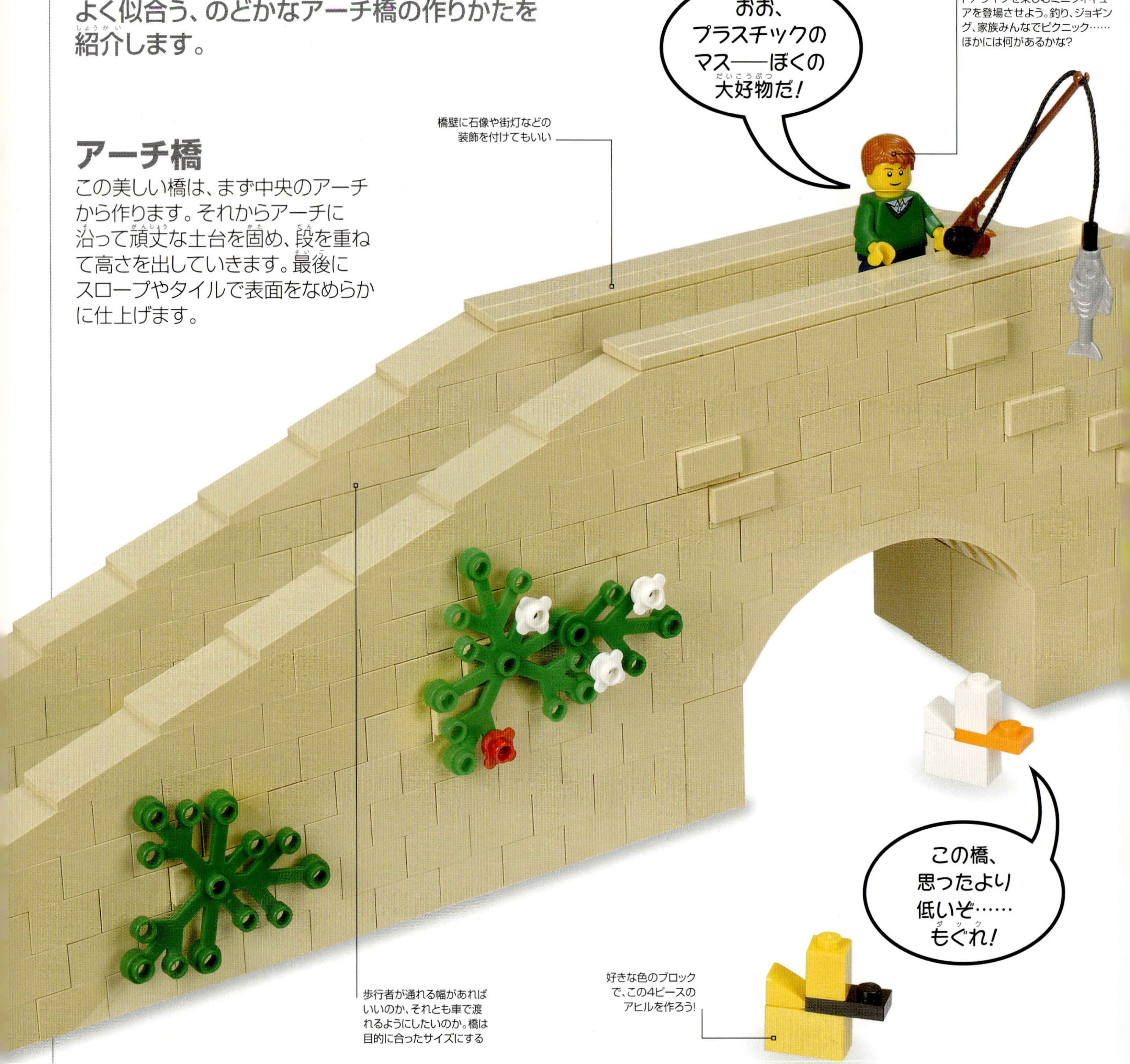

おお、プラスチックのマス——ぼくの大好物《だいこうぶつ》だ!
田舎ののどかなシーンに、アウトドアライフを楽しむミニフィギュアを登場させよう。釣り、ジョギング、家族みんなでピクニック……ほかには何があるかな?
橋壁に石像や街灯などの装飾を付けてもいい
歩行者が通れる幅があればいいのか、それとも車で渡れるようにしたいのか。橋は目的に合ったサイズにする
この橋、思ったより低いぞ……もぐれ《ダック》!
好きな色のブロックで、この4ピースのアヒルを作ろう!

ミニアーチ

このアーチ橋は、大きなモデルと同じ方法《ほうほう》で、より少ない数のブロックで作ったものです。もっと小さな橋なら、さらに小さなアーチを使います。

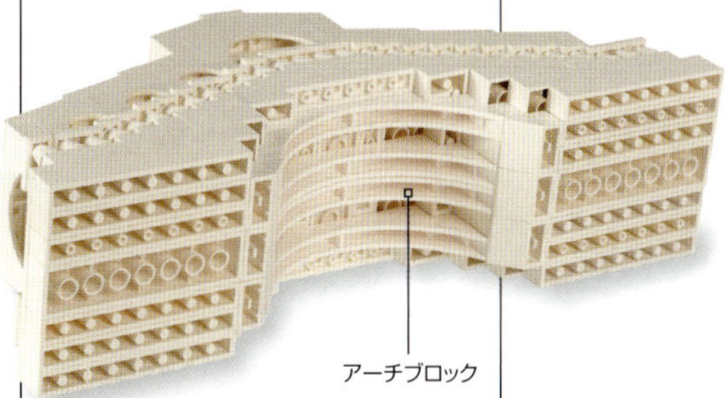

アーチブロック

マイクロブリッジ

橋はマイクロスケールでも作れます！ アーチや橋脚《きょうきゃく》、欄干《らんかん》、なめらかな路面など、大型《おおがた》モデルのおもな要素《ようそ》をすべて取り入れてみましょう。

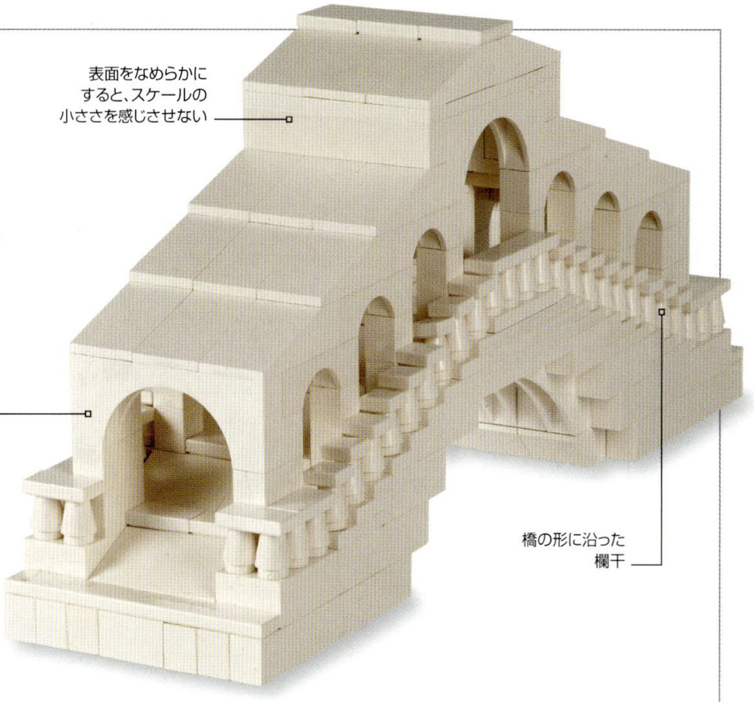

表面をなめらかにすると、スケールの小ささを感じさせない

白一色のブロックは、まるで光沢のある大理石のよう

橋の形に沿った欄干

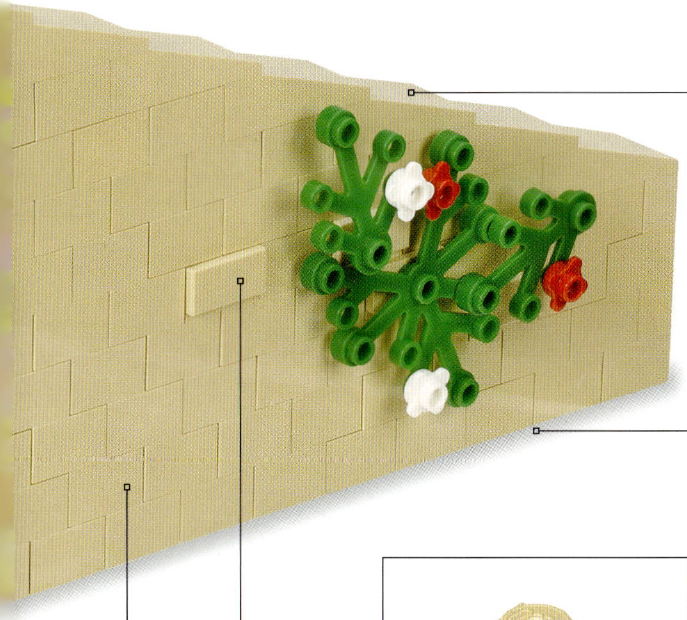

スロープを使い、なだらかなカーブを描いた橋壁を作る。プレートでゆるやかな段を付けてもいい

橋の土台を作ってもいい。草や木、花、川も盛りこもう

黄褐色のブロックで作る必要はない。素朴な木の橋には茶色のピースを、昔の石橋にはグレーのピースを使おう

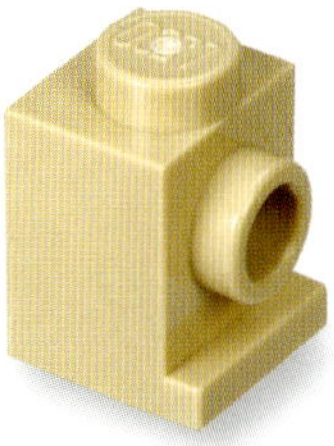

建築《けんちく》用ブロック

橋の壁面《へきめん》から石がいくつか飛《と》び出した感じにするには、1×2のブロックにヘッドライトブロックをまぜて、そこに1×2のタイルをかぶせます。

橋壁に組みこまれたジャンパープレートに、葉や花のピースを付ける

大きな橋

幅《はば》の広い川や水路には、大きな橋が必要《ひつよう》です！ 大型《おおがた》の橋の場合、長さや重量《じゅうりょう》を支《ささ》えるためにアーチの数が多くなり、建材《けんざい》も非常《ひじょう》に頑丈《がんじょう》なものが使われています。石造《せきぞう》の部分にはグレーのブロックをたくさん使い、金属《きんぞく》の橋桁《はしげた》はレゴ®テクニックの部品で再現《さいげん》しましょう。

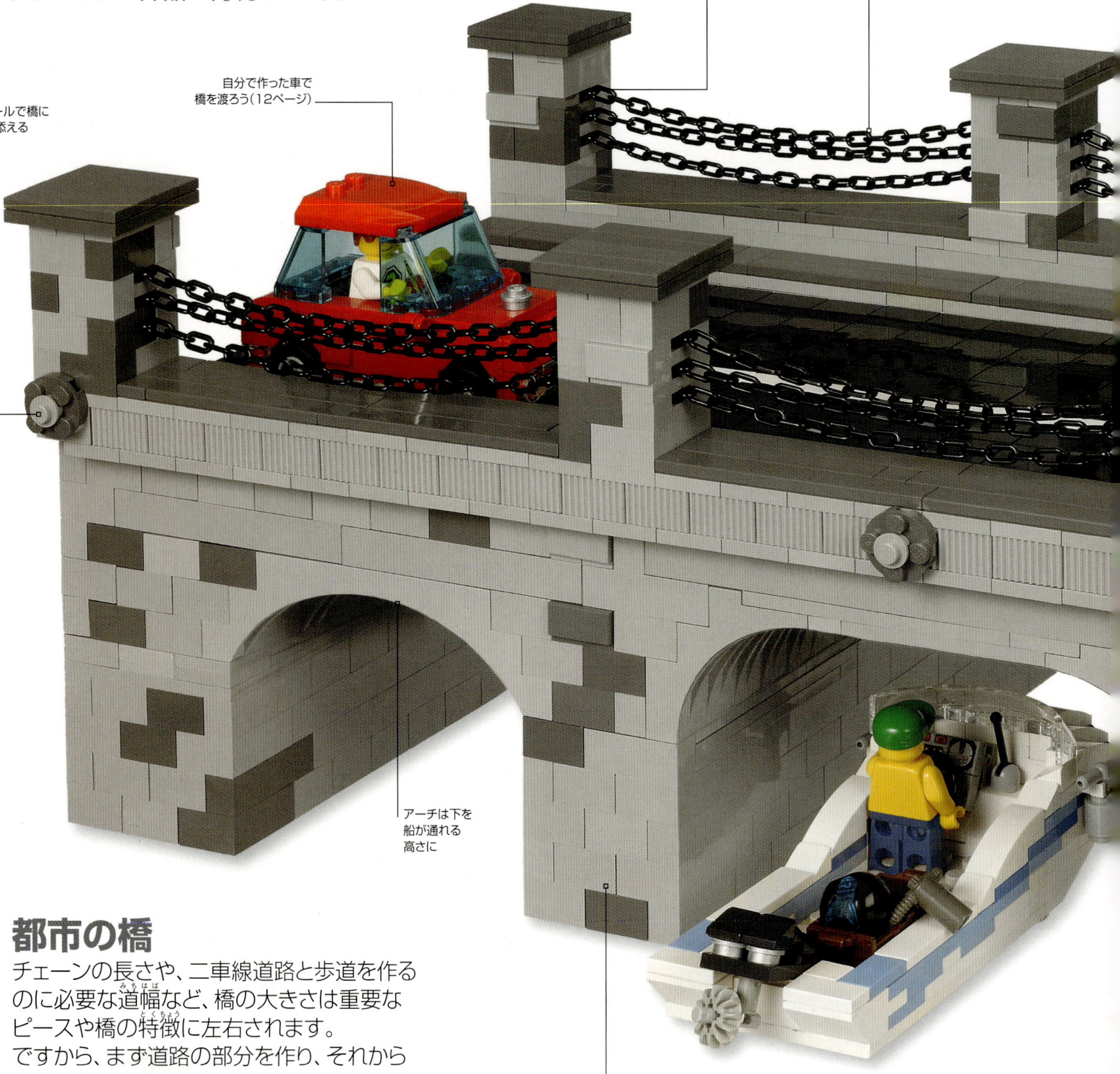
柱の側面に取り付けたチェーン
チェーンがなければ、かわりにポッチ付きストリングロープを使うか、バーで手すりを作る
自分で作った車で橋を渡ろう（12ページ）
ディテールで橋に装飾を添える
アーチは下を船が通れる高さに
橋脚を高くするには、ブロックを追加する

都市の橋

チェーンの長さや、二車線道路と歩道を作るのに必要な道幅《みちはば》など、橋の大きさは重要なピースや橋の特徴《とくちょう》に左右されます。
ですから、まず道路の部分を作り、それから下のアーチを作りましょう。

デコレーション

柱を彫像《ちょうぞう》やポール、ランプ、旗《はた》などで飾《かざ》ると、橋がよりおしゃれになる。黒くて細長いピースは、まるで錬鉄《れんてつ》のよう!

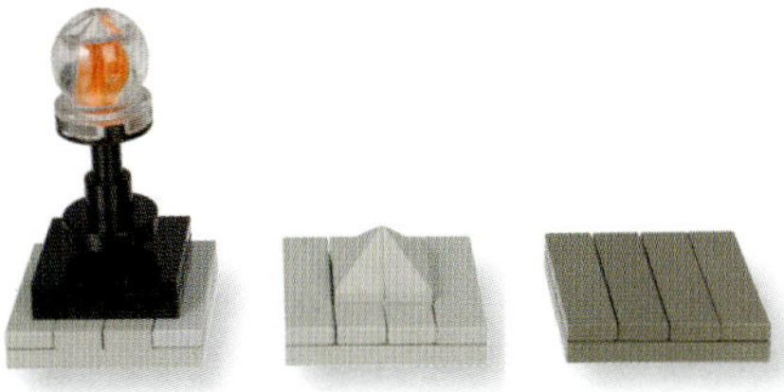

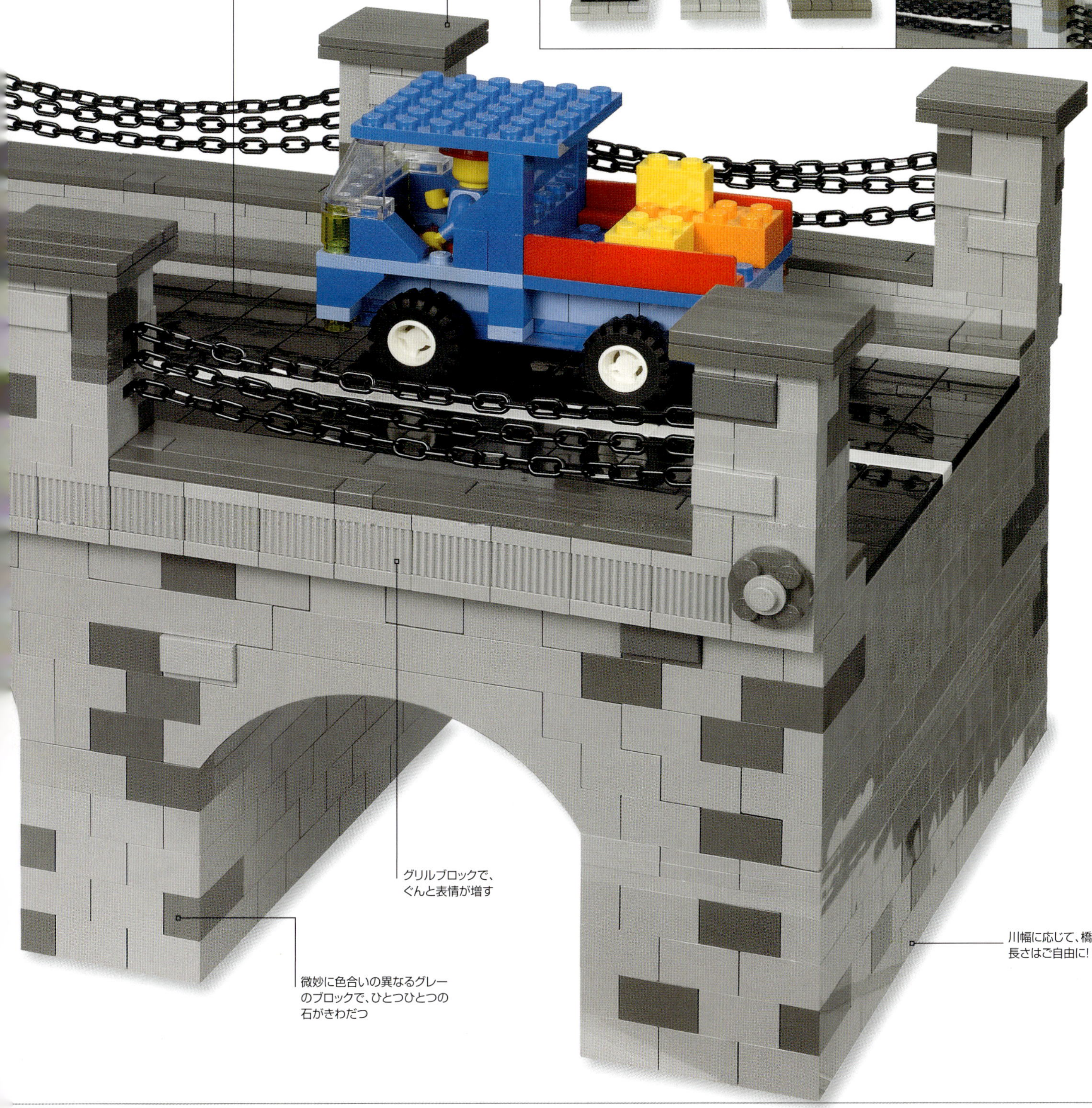
道路と歩道は、材質に合った
色のタイルを並べて作る
グリルブロックで、
ぐんと表情が増す
微妙に色合いの異なるグレー
のブロックで、ひとつひとつの
石がきわだつ
川幅に応じて、橋の
長さはご自由に!

ビルダー紹介《しょうかい》

デボラ・ヒグドン
DEBORAH HIGDON

所在: カナダ
年齢: 52
レゴの得意分野: 建物、家具

子どものころの、いちばんの自信作《じしんさく》は?

とくに自信作というわけじゃないけど、いろいろな家を作ったのをおぼえています。お気に入りは、屋根のピースとドアと窓《まど》。子どものころにお人形のために作った大きな暖炉《だんろ》のピース、それにろうそく立てと手《て》描《が》きの炎《ほのお》は、今でも箱にしまってとってあるの。お人形遊びよりも、人形たちのために家具や家を作るほうが好《す》きだったわ!

フランスのサン・ポール・ド・ヴァンスという町の建物。これは、レゴファンフェスティバルのコンペで優勝した、わたしのオリジナル作品第1号。

この小さなベンチは、オランダの博物館にあるベンチの写真を見たあとで作ったもの。色とスタイルが気に入り、レゴ® ブロックで作れると思った。

このオリジナル作品は、インターネットで見たモダンなデザインがベース。レゴ® ブロックで作れるように、色とデザインの一部を変えた。この時計は、実際に時をきざむ!

これまでで最大《さいだい》の、または最《もっと》も複雑《ふくざつ》な作品は?

メカニズムの面でいちばん複雑だったのは、スライディングハウス。かなりむずかしそうだったけど、土台部分にモーターをしのばせ、溝《みぞ》に乗せたスライド式の屋根を引っぱるようにすることで簡単《かんたん》に解決《かいけつ》。最初《さいしょ》は屋根をスライドさせる複雑な方法をいろいろ考えたけど、AFOL(Adult Fans of LEGO　大人《おとな》のレゴ®ファン)仲間《なかま》の助言でシンプルな解決方法《ほうほう》を思いついたの。いつも複雑な方法がいいとはかぎらないのね!

好《す》きなブロックやピースは?

むずかしい選択《せんたく》だけど、タイルがいちばん好きかな。あらゆる色、あらゆるサイズのタイルがあればいいのに!　タイルが好きなのは、家具の表面を本物みたいになめらかにしてくれるから。それに、家や家具づくりに重要《じゅうよう》な細かいディテールを加《くわ》えるのにも便利《べんり》。

世界中のすべてのレゴ® ブロックと十分な時間があったら、何を作りたい?

アイデアがありすぎて、どれから始めていいかわからない! ミニフィギュアのサイズに合わせてフランスのベルサイユの庭園を作って、建物《たてもの》や噴水《ふんすい》、花壇《かだん》をすべて再現《さいげん》したいし、以前《いぜん》マイクロスケールで作ったギリシャの山あいの漁村を、こんどはミニフィギュアスケールで作ってみたいわ。世界中のレゴ® ブロックと十分な時間よりも、わたしには広々したレゴ® ブロック専用《せんよう》の部屋のある新しい家と、レゴ® ブロックを組み立てるための世界一大きなテーブルが必要《ひつよう》!

失敗《しっぱい》した作品は? どう解決したの?

頑丈《がんじょう》に作れなくて、崩《くず》れてしまうこともあるわ(オリジナル作品を持って移動《いどう》しなければならないときは、とくに)。床《ゆか》の上でばらばらになった作品を組み立てなおすとき、どうやって問題を解決したか思い出せず一から考えなおすことも。根気がいるけど、どうしてもアイデアを形にしたいのでがんばって組み立てなおすと、そのかいあって、最初よりもいい作品ができることもあるの!

新しい建築様式を試すために、建物全体ではなく玄関部分だけ作った。グレーの石造りの玄関は、古い大きな石造の邸宅に似合いそう。

これも同じシリーズの玄関。お城かマナーハウス(荘園領主の邸宅)の玄関になりそう。

マイクロスケールで作った、イタリアのベネチアの運河にかかる有名なリアルト橋。こういうものを作ってみたかった。大理石か真っ白な石に見えるように、色は1色にした

独創的《どくそうてき》な家具を見て、どうやってレゴ® ブロックで作れるか考えるのが好き。

レゴ®ブロックに関《かん》する、とっておきの秘《ひ》けつは?

何も作らなくても、ブロックをつなぎ合わせて遊ぶことがだいじ。ピースを2つつなげると、急に見おぼえのある形に見えてきて、すばらしいアイデアが浮《う》かぶかも。2つのピースを連結《れんけつ》させるおもしろい方法《ほうほう》を探《さが》して、しっくりくる形を見つけましょう。もうひとつは、模型《もけい》やレプリカを作るなら、写真をたくさん見ること。それと、ブロックはずしを2つ使うと、扱《あつか》いにくいブロックも簡単《かんたん》にはずれます――これは、みんなに役立つ秘けつ!

家や家具のほかに、何を作るのが好《す》き?

小さな彫像《ちょうぞう》や、レゴ®ブロックのブックエンド、時計、巣箱《すばこ》といった実用的なアイテムを作りはじめました。はじめて作った立体像《ぞう》は、バレンタインデー用のハートで、きれいなハート型《がた》を作るのはむずかしかったけど、とても楽しかった。

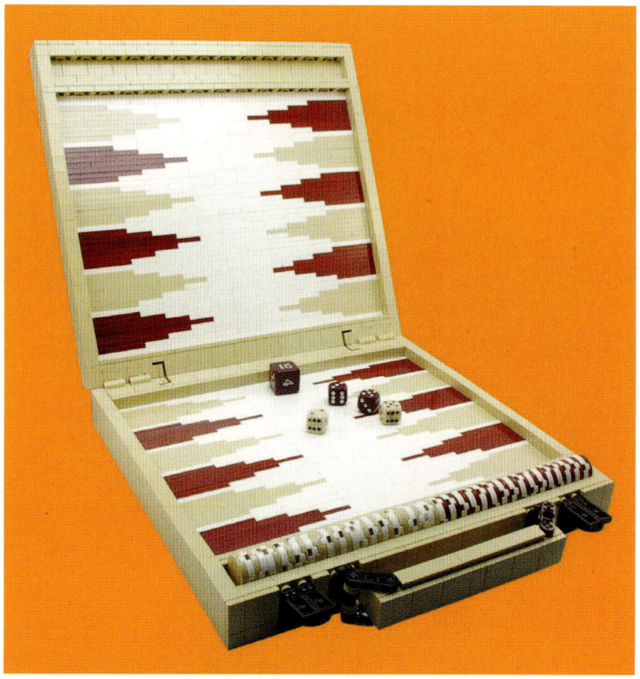

家や家具ではなく、実用的なものを作ってみようと思った。
レゴ製のバックギャモン盤は見たことがないので、
持ち運んで遊べるように、こんなボードを作った。

作品づくりにどれくらい時間をかけるの?

製作《せいさく》中でアイデアがいっぱいのときは、夜と週末《しゅうまつ》はほとんどモデルづくりについやします。週に10~14時間か、それ以上のときも。でも、何週間も何も作らずにいることもあるわ。

この本のために作ったモデル。
時計の針になりそうなピースを
念入りに選んだ。時計台は少し
古風な感じにしたかった

組み立てる前にプランを立てる?どんなふうに?

プランは頭で考えるだけ! 最近《さいきん》作ったオリジナル作品のおもなもの(たとえば、プール、広い階段《かいだん》、屋根のライン)を思い浮かべて、それを中心にモデルを組み立てていきます。作りながら考えるという感じ。目にした建物《たてもの》の細部をその場でスケッチして、それにプラスする要素《ようそ》を考えたり、再現《さいげん》してみたいすてきな階段やポーチ、窓《まど》などを写真にとっておくこともあるわ。

お気に入りのテクニック、いちばんよく使うテクニックは?

ヒンジ、とくに昔のフィンガーヒンジをたくさん使います。レゴ®テクニックのピースを使って、おもしろい家具を作るのも好き。それと、SNOT(Studs Not On Top レゴファンが使う言葉で、ポッチを上向きにしない組み立てかた)も大好き。

アイデアはどこから得《え》るの?

たいていは建物やデザインから。すてきな建築様式を見ると、レゴ®ブロックで作ってみたくなります。個性豊《こせいゆた》かな家具をながめて、どうやってモデルにしようか考えるのが好き。

わたしのレゴ®クラブでは、よくビルディング・チャレンジがある。バレンタインデーのチャレンジでは、濃い赤のブロックで立体的なものを作りたかったので、それにはハートがぴったり。レースのフリルを付けたり、ふちを丸くするのに、歯プレートとヒンジが大活躍。

このブックエンドも、だれでもどこでも楽しく使える実用的なオリジナル作品のアイデア。“本”を作るのも楽しく、タイトルは透明なステッカーに印刷した。建物の中に、だいじなものをかくせる。

お気に入りの作品は?

お気に入りはいつも変《か》わるし、大作を完成《かんせい》させたあとはとくにそう。でも、いちばんはやっぱり、ずっと前に訪《おとづ》れたフランスのサンポール・ド・ヴァンスという町。そこの建物をレゴ®ブロックで作ろうと思ったの。建物は7つほどあり、壁《かべ》付きの土台も作りました。建物は全部ばらばらなので、動かせば景観《けいかん》が変わるの。建物はそれぞれむずかしかったけど、そのぶんだけ組み立てが楽しかったわ。

レゴ®ブロックで遊びはじめたのは何歳《なんさい》のとき?

はじめてレゴ®ブロックを知ったのは、7~8歳のとき。途《と》中《ちゅう》でやめてしまったけど、大人になって姪《めい》や甥《おい》たちにレゴ®ブロックのセットを買ってあげたときに再開。本格的《ほんかくてき》にブロックを買って作るようになったのは40歳のときで、それからオンライン・コミュニティーや地元の大人《おとな》向けレゴ®クラブに入り、出展《しゅってん》したり、インターネットに作品をアップするようになりました。

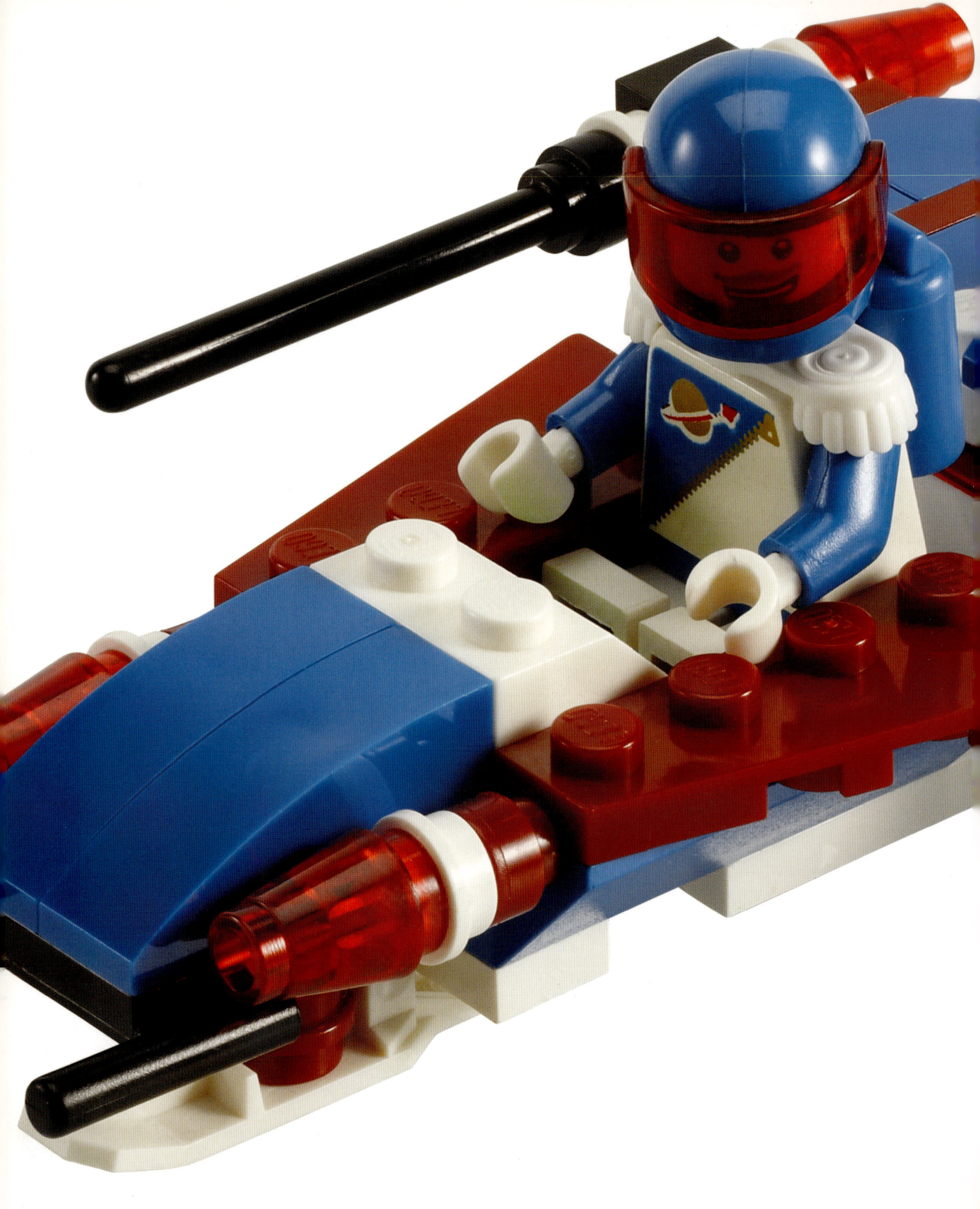

敵の攻撃だ!　ミニフィギュアがひとり乗れるこの宇宙船は、激しい接近戦に最適。
（82ページ）

地球の外へ

さあ、銀河《ぎんが》の世界へ出発!　でも、どうやって行くの?ロケットやかっこいい宇宙船《うちゅうせん》、月面車……宇宙への旅には、さまざまな乗り物が必要《ひつよう》です。

スター級のピース

華々《はなばな》しい宇宙《うちゅう》の乗り物を作るには、どんなブロックが必要《ひつよう》でしょうか。曲線形のピース、動くパーツ、精巧《せいこう》にできたメタリックな部品やアンテナは、作品にスマートな宇宙時代の雰囲気《ふんいき》を与《あた》えます。ここでは、あると便利《べんり》なレゴ®ブロックのピースを紹介《しょうかい》しますが、手持ちのブロックを調べれば、まだまだたくさん見つかるはずです!

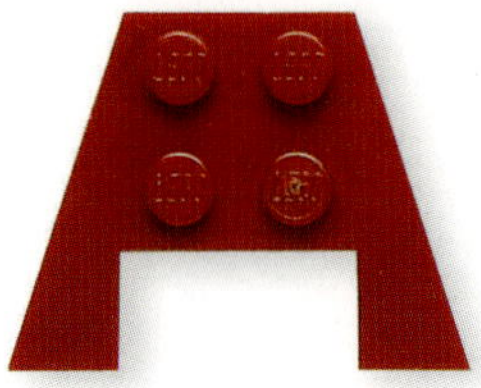
両側傾斜付きプレート3×4

傾斜付きプレート2×4

あらゆる角度から見て……
アングル(角度)付きのプレートやスロープは、翼を作ったりなめらかなラインを出すのに最適!

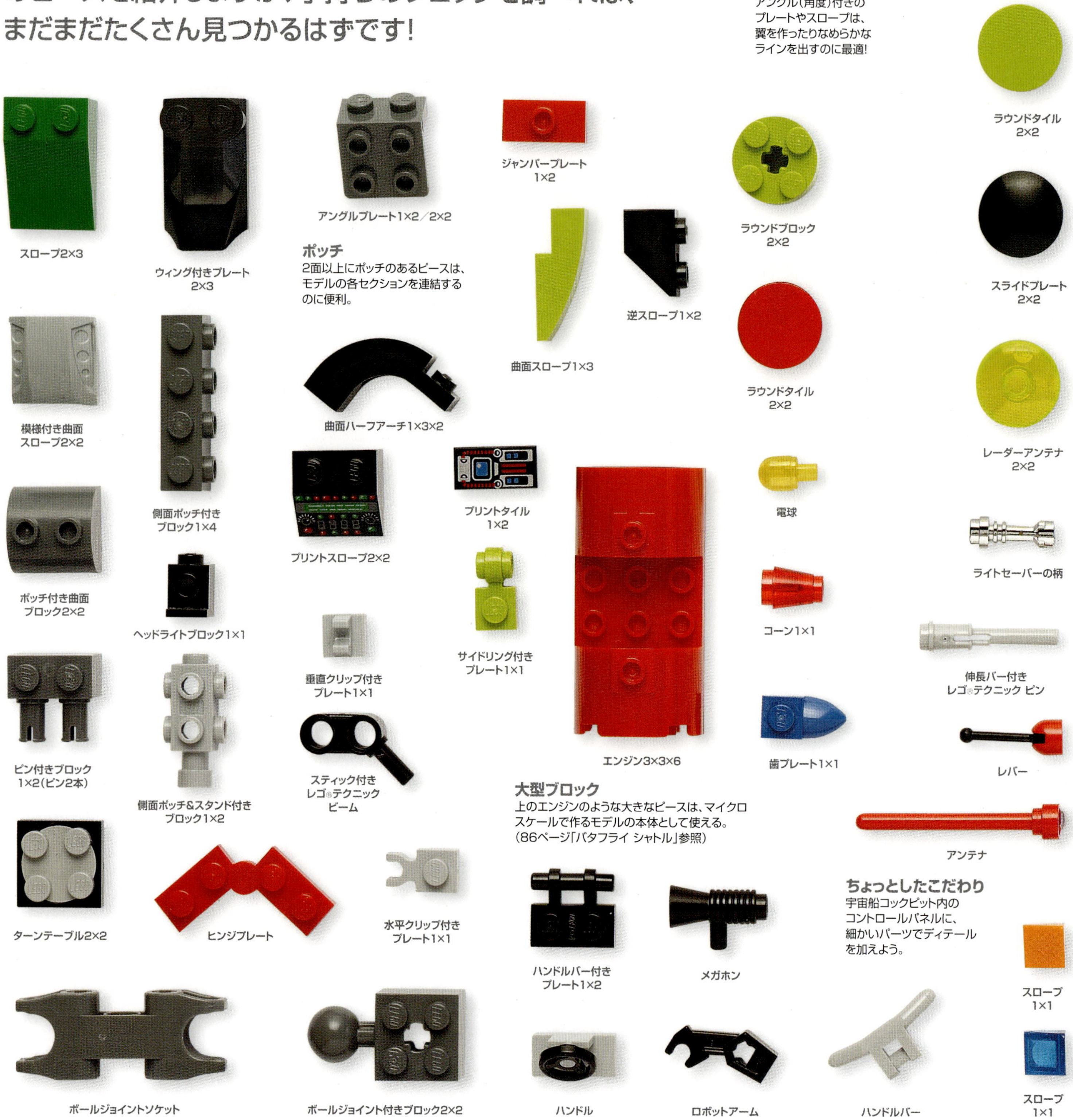

ラウンドタイル
2×2

スロープ2×3

ウィング付きプレート
2×3

アングルプレート1×2/2×2

ポッチ
2面以上にポッチのあるピースは、モデルの各セクションを連結するのに便利。

ジャンパープレート
1×2

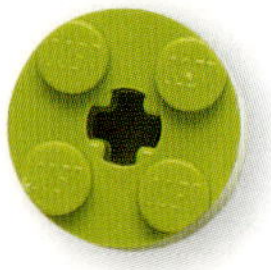
ラウンドブロック
2×2

スライドプレート
2×2

曲面スロープ1×3

逆スロープ1×2

ラウンドタイル
2×2

レーダーアンテナ
2×2

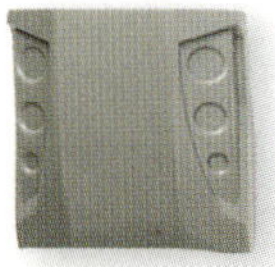
模様付き曲面
スロープ2×2

側面ポッチ付き
ブロック1×4

曲面ハーフアーチ1×3×2

プリントスロープ2×2

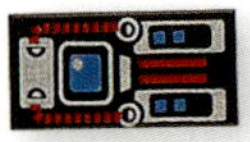
プリントタイル
1×2

エンジン3×3×6

電球

ライトセーバーの柄

ポッチ付き曲面
ブロック2×2

ヘッドライトブロック1×1

サイドリング付き
プレート1×1

垂直クリップ付き
プレート1×1

コーン1×1

伸長バー付き
レゴ®テクニック ピン

ピン付きブロック
1×2(ピン2本)

側面ポッチ&スタンド付き
ブロック1×2

スティック付き
レゴ®テクニック
ビーム

歯プレート1×1

レバー

アンテナ

大型ブロック
上のエンジンのような大きなピースは、マイクロスケールで作るモデルの本体として使える。
(86ページ「バタフライ シャトル」参照)

ちょっとしたこだわり
宇宙船コックピット内のコントロールパネルに、細かいパーツでディテールを加えよう。

ターンテーブル2×2
ヒンジプレート

水平クリップ付き
プレート1×1

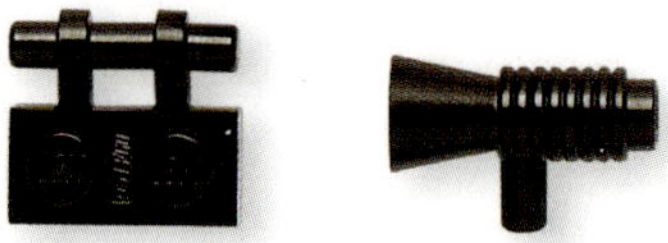
ハンドルバー付き
プレート1×2
メガホン

スロープ
1×1

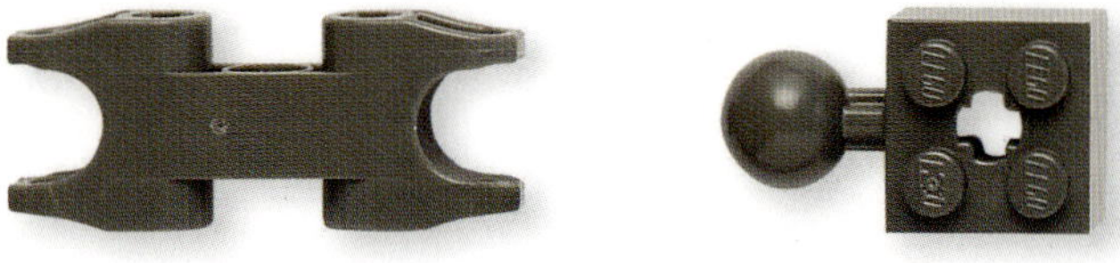
ボールジョイントソケット
ボールジョイント付きブロック2×2

ハンドル
ロボットアーム
ハンドルバー

スロープ
1×1

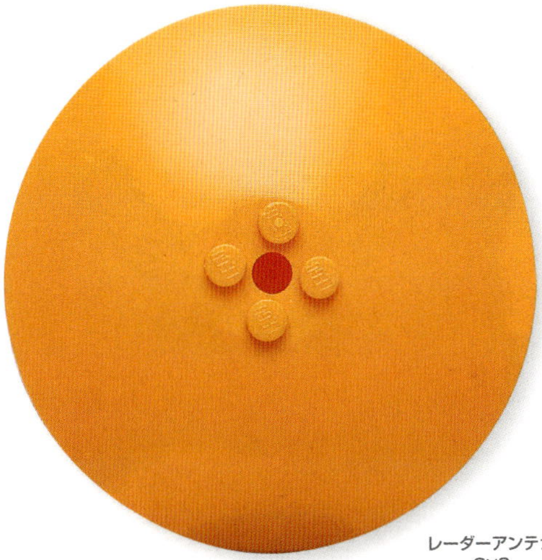

レーダーアンテナ
8×8

タイル1×4

新発想
あるピースから乗り物の
アイデアが浮かんだら、
さっそく作ってみよう!
このオレンジ色のレーダー
アンテナは、すてきな空飛ぶ
円盤になりそうだ。
(87ページ「空飛ぶ円盤」参照)

ウィンドスクリーン6×10×2

翼の形
長いプレートと短いプレート
を組み合わせて、翼を望み
どおりの形に仕上げよう。

傾斜付きプレート3×12

スパイク付きホイール

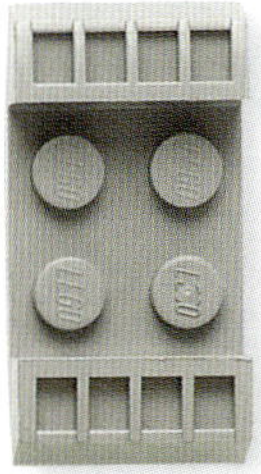

サイドベント(通気口)
付きプレート2×4

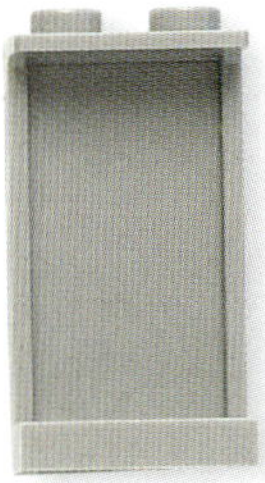

壁の部品
1×2×3

コックピット用に
目新しいウィンド
スクリーンを選《えら》ぶのが、
宇宙船づくりの第一歩

アンテナ

グリルスロープ
1×2

グリル1×2

グリル1×2

グリル1×2

プレート1×2

アイデアを生むパーツ
上のスパイク付きホイールや
下の曲面アーチブロックのような
大型のピースやめずらしい形の
ピースから、モデルのデザインが
生まれることがある。
(96–97ページ「ロケット」
参照)

コックピット6×4×2

曲面アーチブロック8×8×2

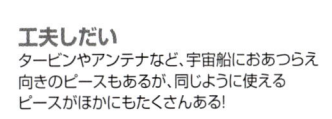

あとは着々と
ウィンドスクリーンを
選んだら、あとはそれに
合わせてほかの部分を
組み立てる。(85ページ
「ノヴァ ネメシス」参照)

旗

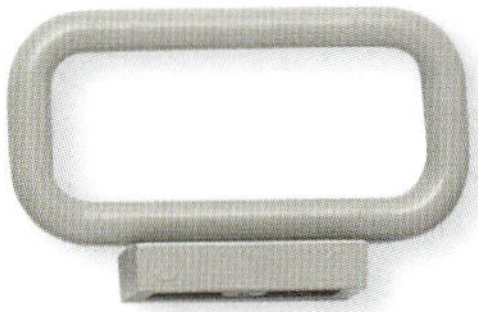

ハンドル1×4

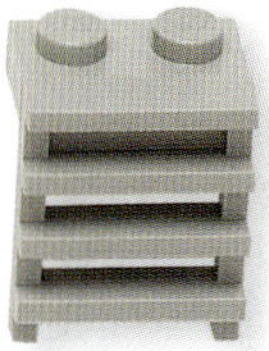

はしご1×2×2

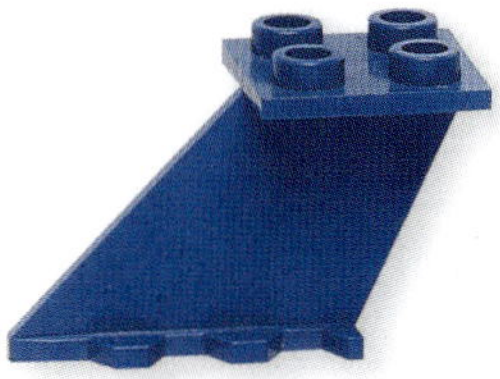

方向舵2×2

工夫しだい
タービンやアンテナなど、宇宙船におあつらえ
向きのピースもあるが、同じように使える
ピースがほかにもたくさんある!

ジェットエンジン付きプレート1×2

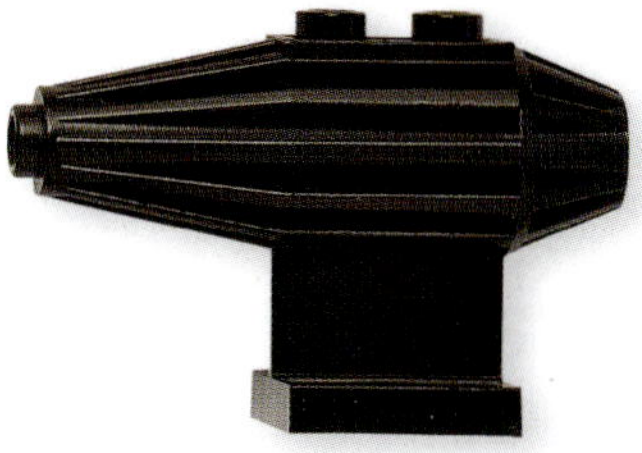

タービン付きプレート2×2

ホバースクーター

宇宙《うちゅう》の探検《たんけん》に乗り出すミニフィギュアには、小型《こがた》の乗り物が必要《ひつよう》かもしれません。でも、 作りはじめる前に、ちょっとだけ自問してみましょう。その乗り物の移動方法《いどうほうほう》はどうする? タイヤで走る、ブースターで飛《と》び回る、それともジェットエンジン付《つ》きのそりで突《つ》っ走る? その乗り物で何がしたい? 宇宙を探検して、基地《きち》を作って、おなかをすかせたロケットクルーにピザを届《とど》けて……。なんだってできちゃいます!

組み立ての概要
目的: 宇宙の乗り物を作る
用途: 探検、輸送
基本要素: 空中に浮かぶ
その他の要素: レーダー、その他の通信装置

どこまでもなめらかに

カーブ付きのピースがあれば、それを使ってフロント部分をすっきりなめらかに仕上げましょう。コントラストのきいた色づかい——とくに赤と黒が、いかにも宇宙時代らしくて印象的《いんしょうてき》!

前面

シートベルトも
付ければ
よかったかな!

透明なレーダーアンテナのかわりに、旗や電球でもいい

本体の下に搭載されたスラスター。かわりにタイヤを付けるか、平らなままでもいい

グリルでハイテクな印象に。タイルでも代用できる

地上に浮《う》かぶ

この一人乗り用のホバー スクーターは、前半分はオープンコックピット、後ろ半部は荷物を入れるトランクです。それぞれ別《べつ》に組み立ててから連結《れんけつ》させます。前面に使うカーブ付きのピースが手元にないかもしれませんが、自動車のフロント部分と同じと考えて独自《どくじ》の工夫《くふう》をこらしましょう!

安全に運ぶ

ヒンジはとても便利《べんり》なピースです。乗り物の場合、ヒンジを使うと、ドアの開閉《かいへい》や翼《つばさ》の上げ下げのほか、このようにトランクを開けることもできます。あとは宇宙へ運ぶ荷物を入れるだけ!

レバーがあれば、ミニフィギュアのパイロットが操縦できる
ピザのパーツがなければ、工具やスペアのパーツ、月の石を積みこもう
30光年
以内《いない》に
お届けします!
小型ロケットブースター――このピースは翼を取り付けるクリップにもなる
赤いランプは透明なラウンドプレート。1×1のコーンやプレートでもいい

宇宙《うちゅう》空間にポッチなし

側面《そくめん》ポッチ付きブロックやアングルプレートを使うと、この赤いサイドパネルのように組み立てられます。これを横方向に連結させれば、外からポッチは見えません。

宇宙テーマのミニフィギュアでなくてもいい。未知の惑星にも地球のように空気があって呼吸できるかもしれない

背面《はいめん》

スペースウォーカー

はるか遠い惑星《わくせい》に到着《とうちゃく》したら、ミニフィギュアたちはきっと探検《たんけん》がしたくなるでしょう。未知《みち》の土地を探検するなら、ウォーカーが最適《さいてき》！　支《ささ》える脚《あし》に対してコックピットが大きく重くなりすぎないように注意し、安定感のあるバランスのとれたウォーカーを作りましょう。

組み立ての概要
目的: マルチレッグのスペースウォーカーを作る
用途: 惑星のでこぼこ地面を歩く
基本要素: 関節のある脚、回転するコックピット
その他の要素: レーダー、護身用ブラスター

ZZT QXT LKD
FFG KKOJH FJFJ! *
*翻訳：このウォーカーに乗ると、地表のクレーターがハエみたいにちっちゃく見える！
スティック付きレゴ®テクニックビームで作ったロボットミサイル・ランチャー
1×1のラウンドプレートを2個使った“足首”で、簡単にディテールが加わる！
つま先はバー付きプレート。ピースのさまざまな使いみちを考えよう！

アングルプレートで連結したロケットスラスター
ブラスターのかわりに翼を付ければ、歩いて……飛べる！

背面《はいめん》

ロボットミサイルは、後ろから指ではじいて発射！

側面《そくめん》

脚《あし》のてっぺん

ヒンジと2×6の平らなピースを使って、脚の上にコックピットを取り付《つ》けることができます。ターンテーブルがあればコックピットが回転し、パイロットの視野《しや》がぐんと広がります。

シンプルウォーカー

このシンプルなモデルでは、ベーシックなヒンジを使って脚を屈曲《くっきょく》させています。ヒンジがない場合はさらにシンプルに、まっすぐな脚にしてもいいでしょう。あるいは、脚を3本、4本……と増《ふ》やしてみてはいかが？

プリントタイルを使った
コントロールパネル。
無地のタイルでもいい

上面

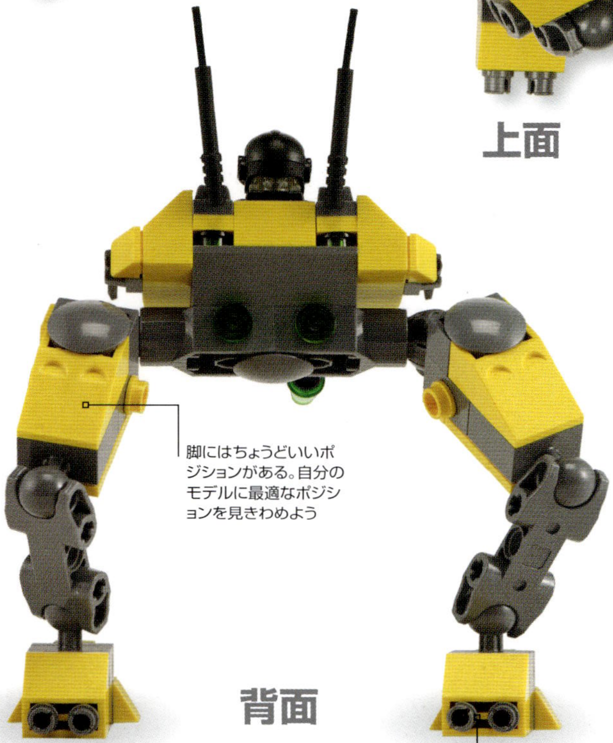
脚にはちょうどいいポ
ジションがある。自分の
モデルに最適なポジシ
ョンを見きわめよう

背面

上級者向けのウォーカー

もっと腕《うで》が上がり、ピースの種類《しゅるい》も豊富《ほうふ》なら、より屈曲性《くっきょくせい》にすぐれた精巧《せいこう》なウォーカーが作れます。コックピットは、ミニフィギュアが乗れさえすれば、シンプルなものでも手のこんだものでもかまいません。アンテナや武器《ぶき》、ステアリングパネル、コントロールパネルなど、ディテールを加《くわ》えていくのはほんとうに楽しい作業です!

アンテナがあると便利。
これはハープーン銃——
クリエイティブにいこう!
いちばん近い
月のコロニーまで
競走《きょうそう》だ!
バー、アンテナ、ドライ
バーのピースがロケット
やブラスターになる
ブラスターの先端は透明な
グリーンのコーン。1×1の
丸い透明なピースやレーダー
アンテナ、スピーカーの
ピースを使ってもいい!
ウォーカーの脚の形を
作るには、ボール&
ソケット・ジョイントが
便利

全力前進!

つま先のあるクールな足を作るのは、意外に簡単《かんたん》(岩だらけの惑星《わくせい》を歩くには、つま先があったほうが安定する)。つま先になる1×1のスロープをヘッドライトブロックに取り付けます。

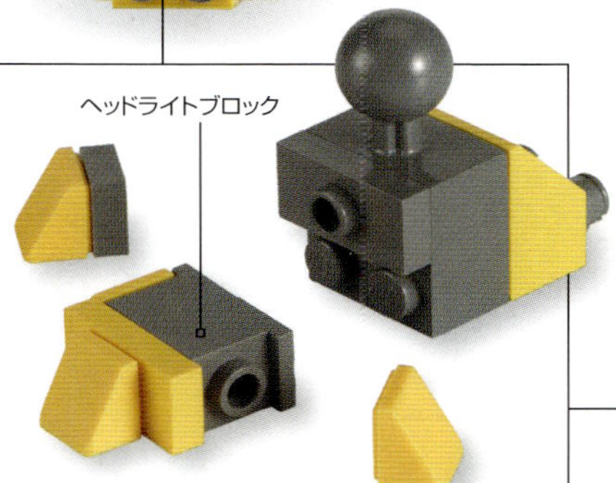
ヘッドライトブロック

スペースファイター

スペースファイターを作るときには、ミニフィギュア一人乗り用のコックピット、先のとがった大きな翼《つばさ》、リアエンジン、ハイスピードなスペースバトルにそなえた大型《おおがた》ブラスターから着手するといいでしょう。好《す》きな映画《えいが》やテレビ番組から作品のヒントを得《え》ます――でも、そこで終わりにしないで! イマジネーションを働《はたら》かせ、世界にひとつしかない独創的《どくそうてき》なモデルを作りましょう。

組み立ての概要

目的: スペースファイターを作る
用途: 宇宙での戦闘や追跡
基本要素: 軽量で抜群のスピードと威力
その他の要素: フォースフィールド・ジェネレーター、ライフポッド、ハイパースピードエンジン

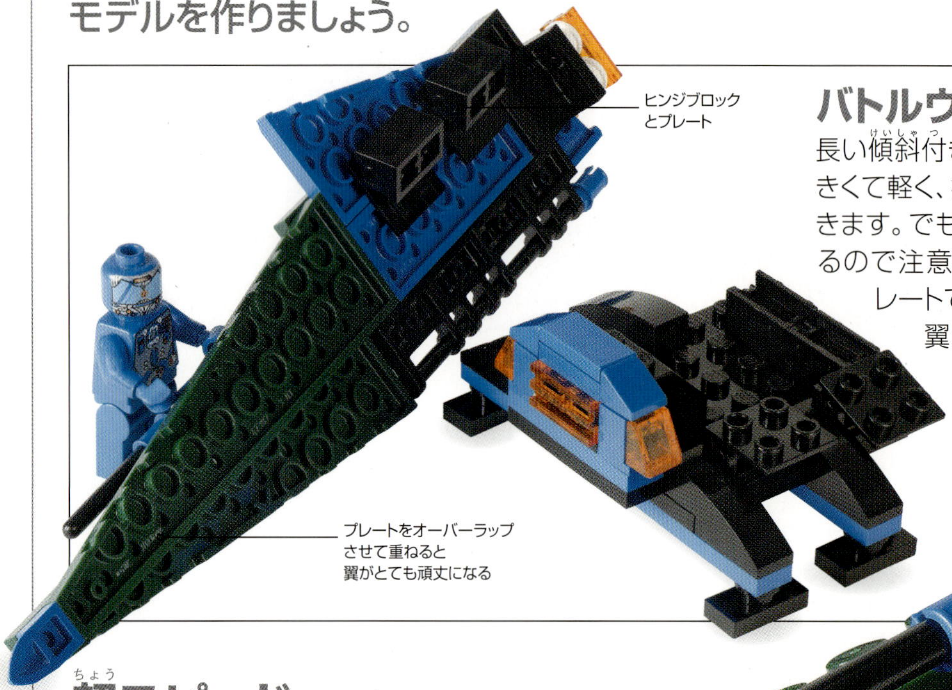

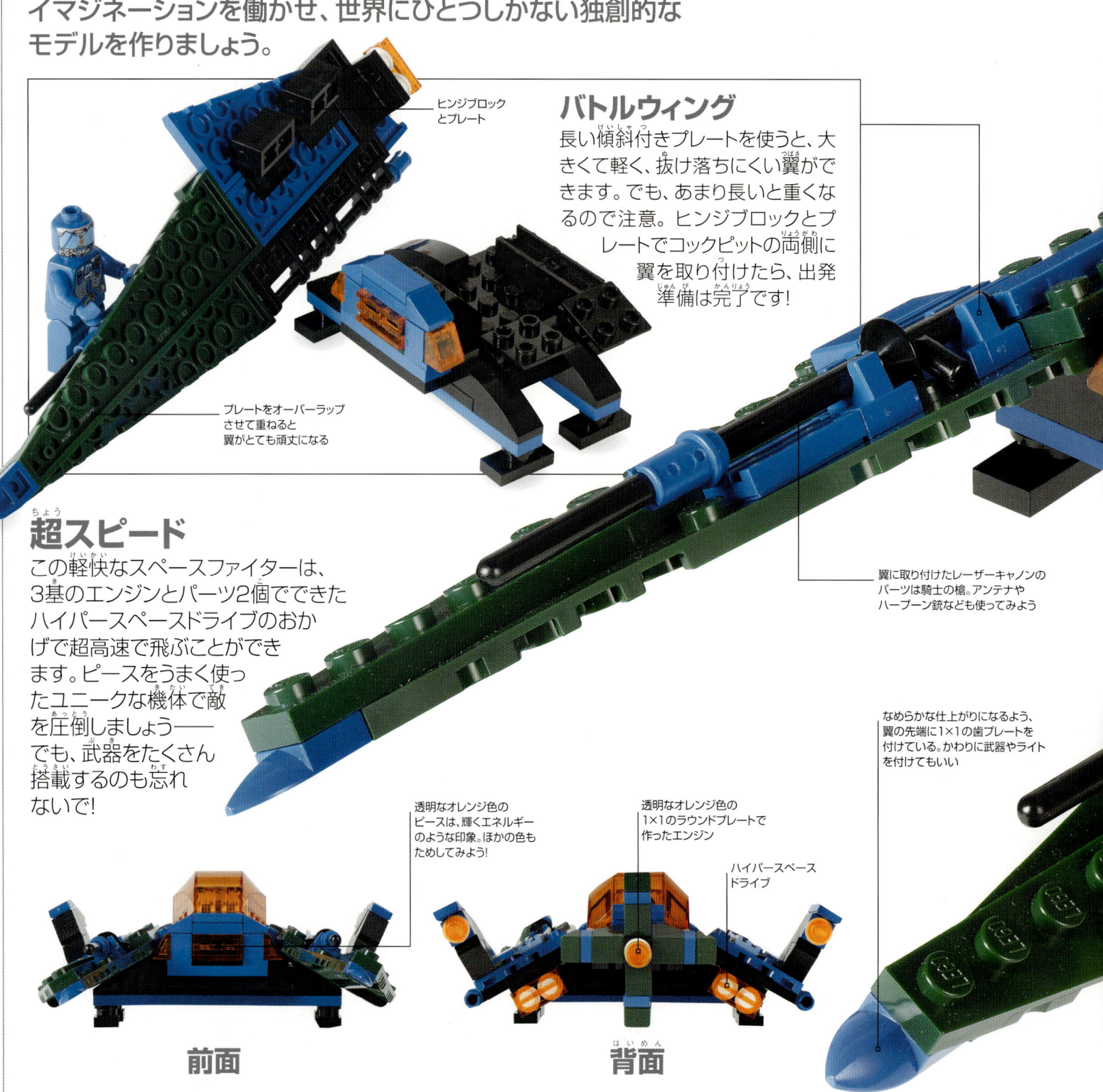

ヒンジブロックとプレート

プレートをオーバーラップさせて重ねると翼がとても頑丈になる

バトルウィング

長い傾斜《けいしゃ》付《つ》きプレートを使うと、大きくて軽く、抜《ぬ》け落ちにくい翼《つばさ》ができます。でも、あまり長いと重くなるので注意。ヒンジブロックとプレートでコックピットの両側《りょうがわ》に翼を取り付《つ》けたら、出発準備《じゅんび》は完了《かんりょう》です!

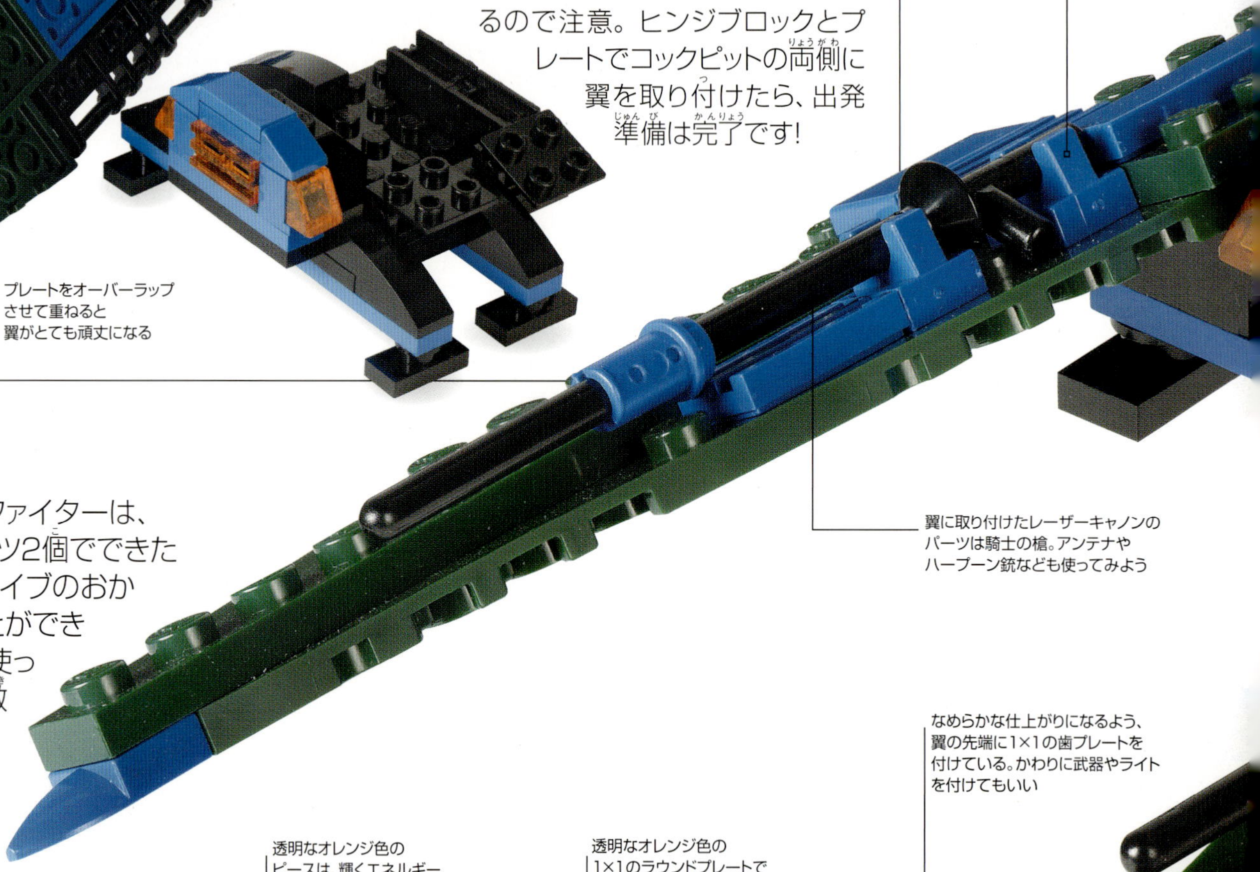

翼に取り付けたレーザーキャノンのパーツは騎士の槍。アンテナやハープーン銃なども使ってみよう

超《ちょう》スピード

この軽快《けいかい》なスペースファイターは、3基《き》のエンジンとパーツ2個《こ》でできたハイパースペースドライブのおかげで超高速で飛ぶことができます。ピースをうまく使ったユニークな機体《きたい》で敵《てき》を圧倒《あっとう》しましょう――でも、武器《ぶき》をたくさん搭載《とうさい》するのも忘《わす》れないで!

なめらかな仕上がりになるよう、翼の先端に1×1の歯プレートを付けている。かわりに武器やライトを付けてもいい

透明なオレンジ色のピースは、輝くエネルギーのような印象。ほかの色もためしてみよう!

前面

透明なオレンジ色の1×1のラウンドプレートで作ったエンジン

ハイパースペースドライブ

背面《はいめん》

コックピットが先

まずコックピットを作り、それから周辺《しゅうへん》部分を組み立てるとうまくいくかもしれません。コックピットを囲《かこ》む曲面スロープが翼《つばさ》をななめに固定《こてい》してくれます。

曲面スロープ

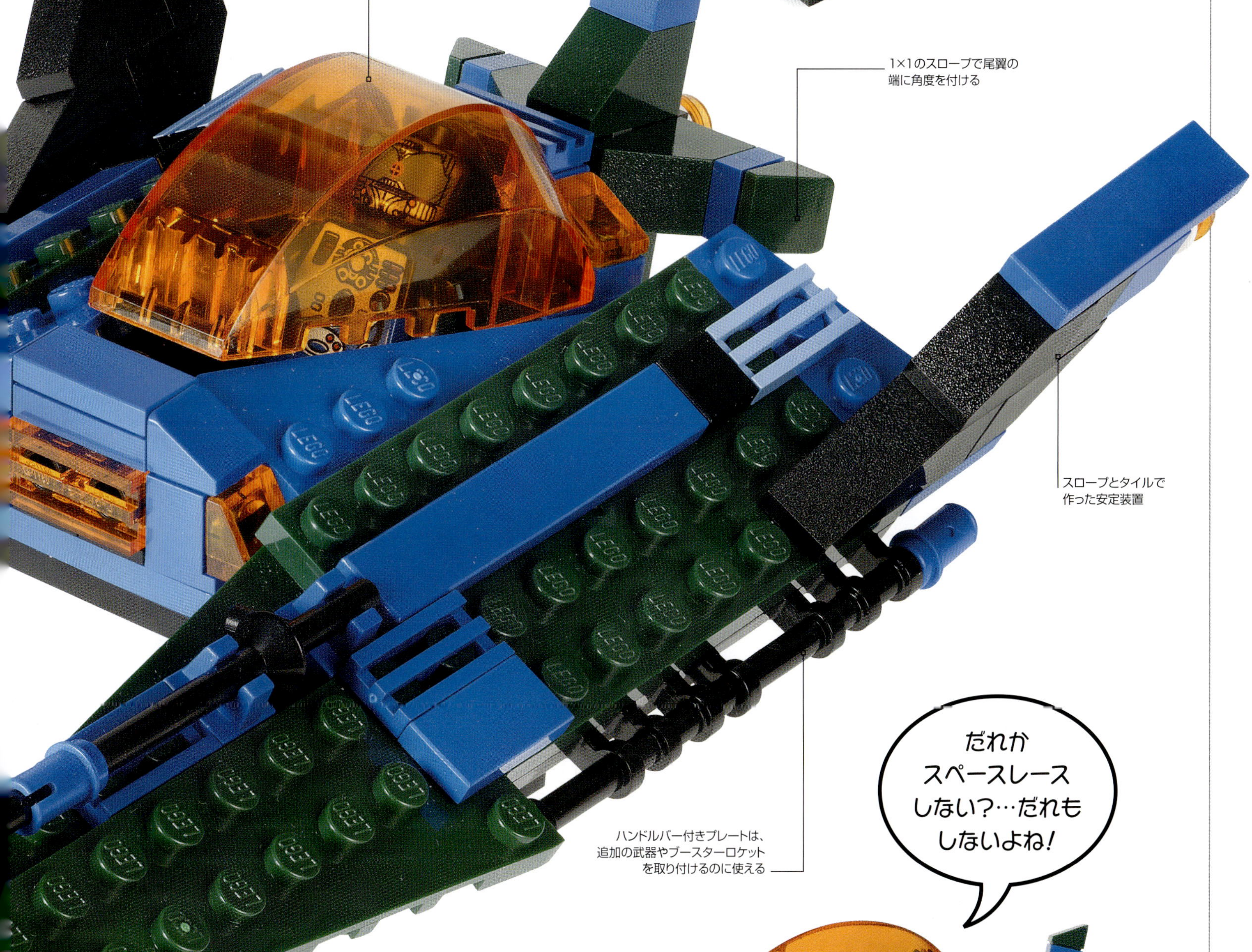
タイルで流線型に
1×1のスロープで尾翼の端に角度を付ける
スロープとタイルで作った安定装置
ハンドルバー付きプレートは、追加の武器やブースターロケットを取り付けるのに使える
だれかスペースレースしない？…だれもしないよね！

側面《そくめん》

小型宇宙船

コックピット、翼、それにエンジンが1、2基あれば、宇宙の大冒険にちょうどいいサイズの小型宇宙船が作れます。めずらしい形のピースを見つけ、作品を仕上げましょう。宇宙船はこういう形じゃなきゃ、なんていうルールはありません！ここでは、作りはじめるヒントになりそうなアイデアを紹介します。

> **組み立ての概要**
> **目的：** 小型宇宙船を作る
> **用途：** 宇宙旅行、冒険
> **基本要素：** レーザーキャノン、尾翼、操縦装置
> **種類：** スペースファイター、偵察機、脱出ポッド、競争用の宇宙船

司令官の迎撃機

司令官は、かっこいい迎撃機で宇宙のバトルに乗りこみます。土台の部分はポッチを上に向けますが、翼はポッチが見えないように横方向に連結します。着陸スキッドや武器、操縦パッドが宇宙船にディテールを加えます。

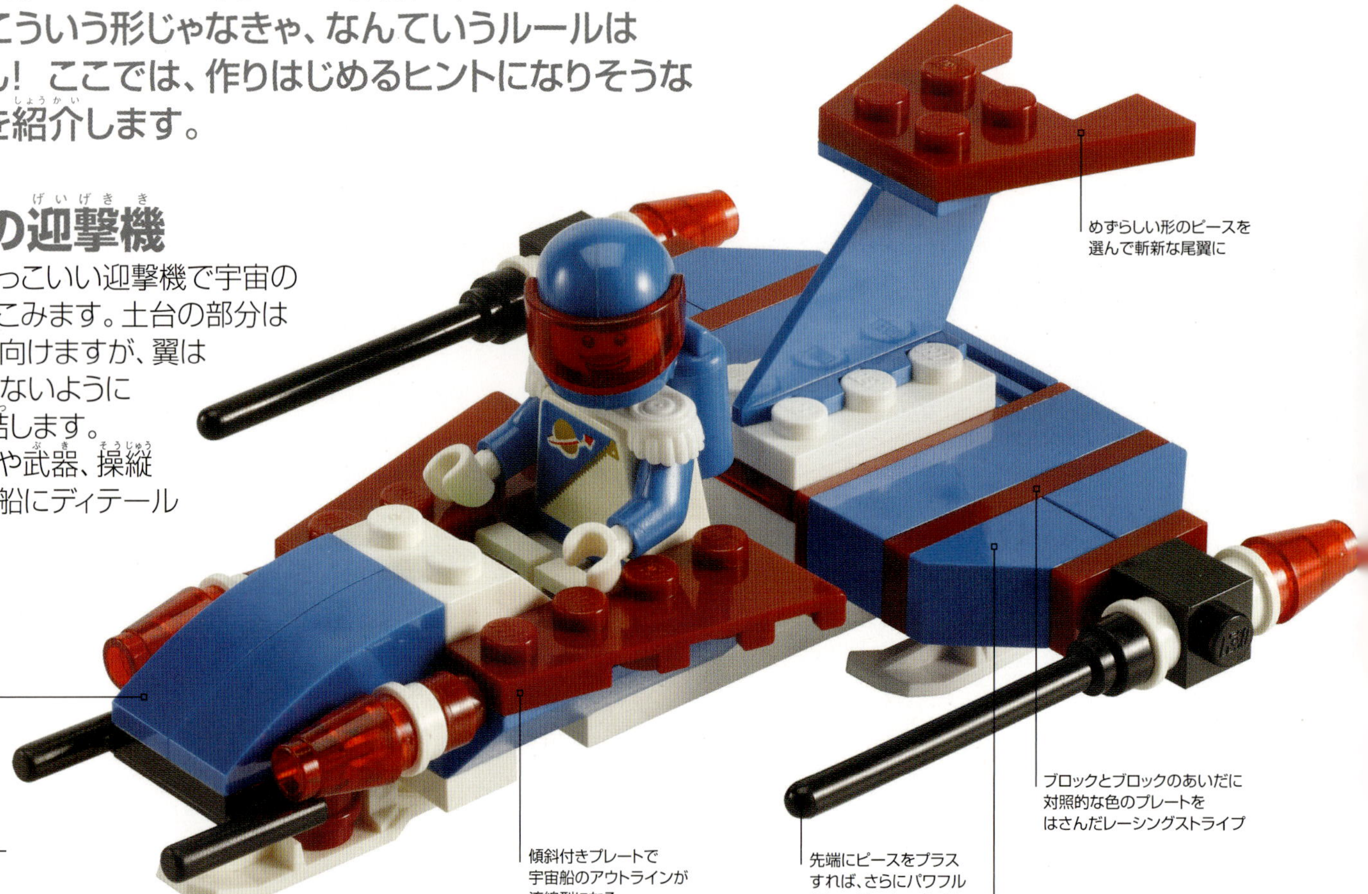

- めずらしい形のピースを選んで斬新な尾翼に
- ブロックとブロックのあいだに対照的な色のプレートをはさんだレーシングストライプ
- 先端にピースをプラスすれば、さらにパワフルなレーザーキャノンに
- 傾斜付きプレートで宇宙船のアウトラインが流線型になる
- フロント部分に曲面スロープを使い、なめらかでスピーディーな感じに

こんな迎撃機も

このシンプルバージョンの迎撃機には、ポッチを上にして組み立てた翼が付いています。

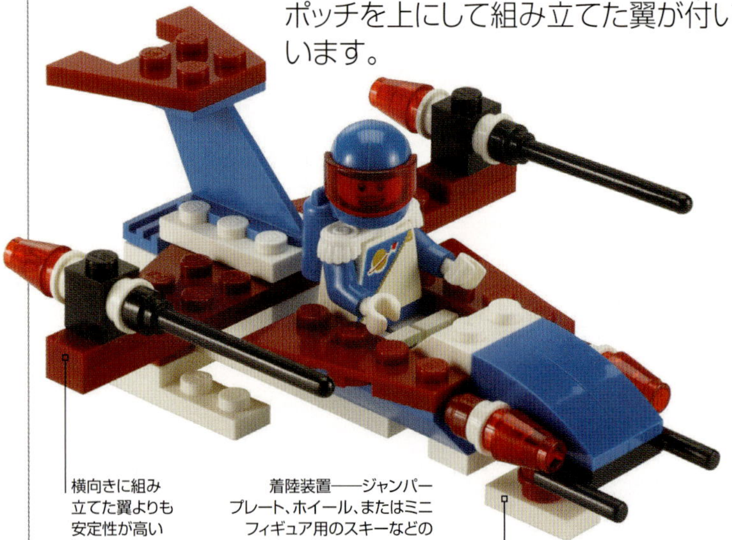

- 横向きに組み立てた翼よりも安定性が高い
- 着陸装置——ジャンパープレート、ホイール、またはミニフィギュア用のスキーなどの特殊ピースを使う

翼もひと工夫

なめらかな翼に仕上げるには、ブロックを重ねた小さなかたまりを2個作り、アングルプレートで本体に横向きに連結します。スロープや曲面ブロックを使えば、エキサイティングな形の翼に！

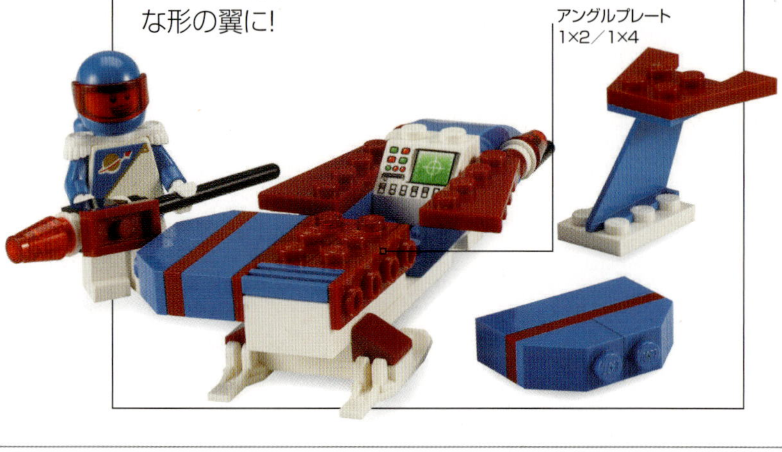

アングルプレート 1×2／1×4

ロケットシャトル MK-I

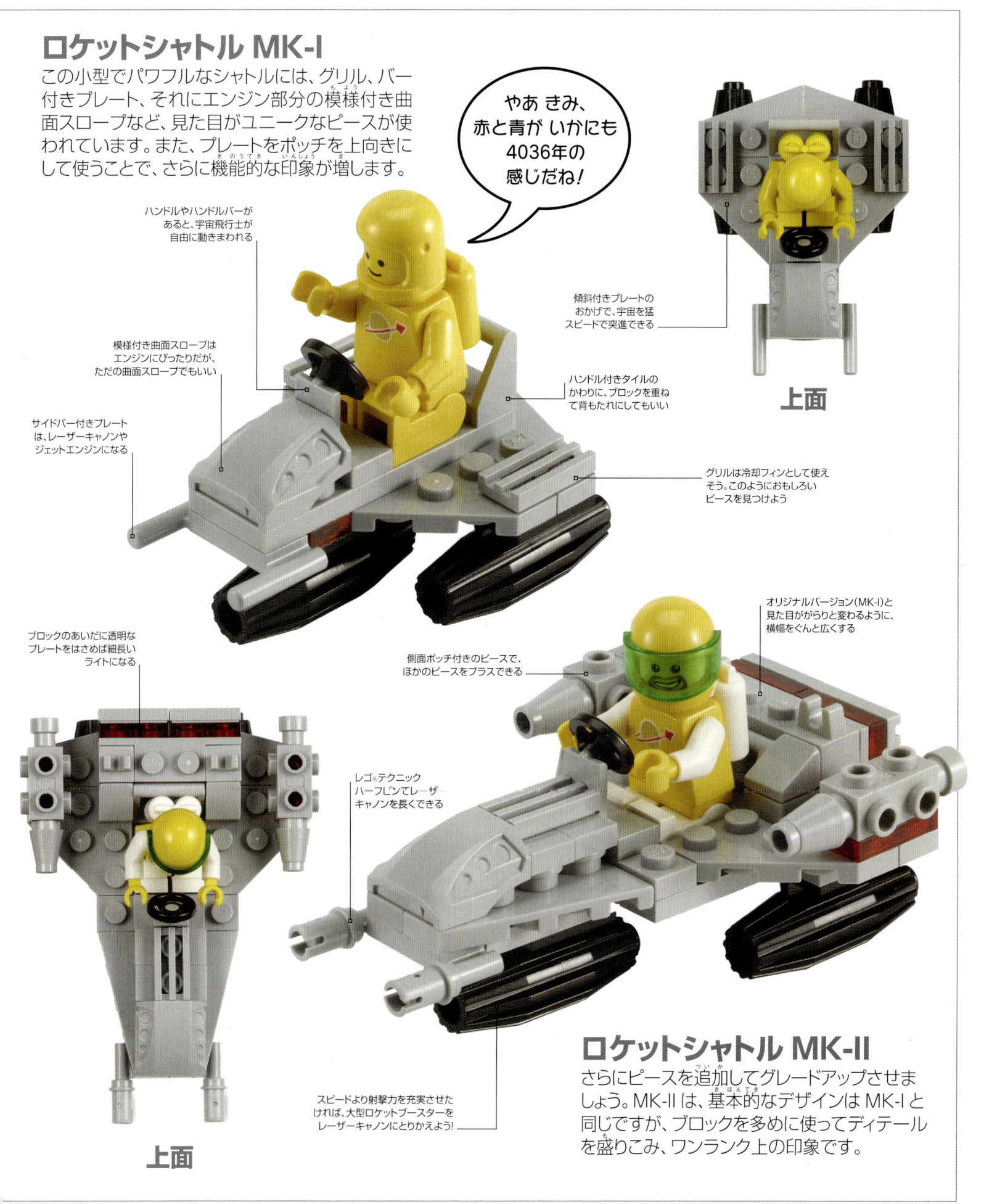

この小型でパワフルなシャトルには、グリル、バー付きプレート、それにエンジン部分の模様《もよう》付き曲面スロープなど、見た目がユニークなピースが使われています。また、プレートをポッチを上向きにして使うことで、さらに機能的《きのうてき》な印象《いんしょう》が増《ま》します。

やあ きみ、
赤と青が いかにも
4036年の
感じだね!
ハンドルやハンドルバーがあると、宇宙飛行士が自由に動きまわれる
模様付き曲面スロープはエンジンにぴったりだが、ただの曲面スロープでもいい
サイドバー付きプレートは、レーザーキャノンやジェットエンジンになる
ハンドル付きタイルのかわりに、ブロックを重ねて背もたれにしてもいい
グリルは冷却フィンとして使えそう。このようにおもしろいピースを見つけよう

傾斜付きプレートのおかげで、宇宙を猛スピードで突進できる

上面

ブロックのあいだに透明なプレートをはさめば細長いライトになる

上面

オリジナルバージョン(MK-I)と見た目ががらりと変わるように、横幅をぐんと広くする
側面ポッチ付きのピースで、ほかのピースをプラスできる
レゴ®テクニックハーフピンでレーザーキャノンを長くできる
スピードより射撃力を充実させたければ、大型ロケットブースターをレーザーキャノンにとりかえよう!

ロケットシャトル MK-II

さらにピースを追加《ついか》してグレードアップさせましょう。MK-II は、基本的《きほんてき》なデザインは MK-I と同じですが、ブロックを多めに使ってディテールを盛《も》りこみ、ワンランク上の印象です。

そのほかの小型宇宙船《こがたうちゅうせん》

小さな宇宙の乗り物を作る方法《ほうほう》は、まだまだたくさんあります。適当《てきとう》にブロックをひとつかみ選《えら》んで、何ができるかためしてみてもいいでしょう。あっと驚《おどろ》く作品ができるかもしれません! また、まわりを見回して、毎日目にふれる物の形を観察《かんさつ》しましょう。いいアイデアが浮《う》かぶかもしれません。さあ、さっそく作ってみましょう!

プレートで作った土台
ヘッドライトブロック

サイドは別々《べつべつ》に

サイド部分は別々に組み立て、宇宙船本体の側面《そくめん》にある2個《こ》のヘッドライトブロックに横からはめこみます。

パープル パトローラー

この小型パトローラーは、何をヒントに生まれたと思いますか? 蛍光《けいこう》ペンです! この宇宙船は、2×8のプレートのまわりにカーブ付きの紫《むらさき》色のピースを横から連結《れんけつ》して作ったものです。蛍光《けいこう》ペンの先端《せんたん》部分はセンサー装置《そうち》——または、ここから光のビームを発射《はっしゃ》してもいいでしょう!

触角《しょっかく》が太陽風になびく感じがたまらないぜ!
紫色のグリルが、エンジン冷却用の通気口にぴったり
側面ポッチ付きブロック1×2
黒とグリーンのプレートとスロープでフロント部分を組み立て、側面ポッチ付きブロックに横向きに連結する
1×2のジャンパープレートと1×1の黒いラウンドプレート2枚で側面にディテールを加える
グリルのあいだから透明なブルーのピースがちらりと見える
前方のライトは2×3の穴あきカーブプレートでできており、裏側に透明なブルーのピースがある

エイリアンだって自由に動きまわりたい!
背面の2個のヘッドライトブロックに透明な1×2のグリルを横方向にはめた排気口

背面《はいめん》

操縦レバーのかわりにハンドルやハンドルバーを付けてもいい

側面《そくめん》

側面

ノヴァ ネメシス

この不吉《ふきつ》なステルスシップは、とびきりクールなコックピット用ウィンドスクリーンのピースに合わせてコックピットと船体をデザインしたものです。カーブやスロープ付きのピースを使い、ユニークな形の宇宙船に仕上げましょう。コックピットにミニフィギュアと操縦装置《そうじゅうそうち》用のスペースをあけておくのを忘《わす》れずに!

横方向の連結のポイント

横方向に連結させるセクションを作る場合、あまり大きくなったり重くなったりしないように注意しましょう。かみ合わせて安定性《あんていせい》を高めないかぎり、連結部は重いものを支《ささ》えることはできません。

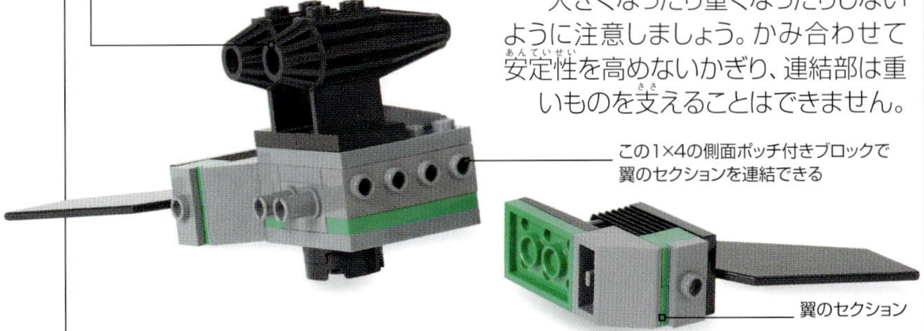

追加するアクセサリも
重すぎないように
この1×4の側面ポッチ付きブロックで
翼のセクションを連結できる
翼のセクション

これは翼の専用ピース。手持ちの
ブロックの中から、かっこいい翼に
なりそうなピースを探し出そう
不吉な感じを
出すために、
グレーや黒などの
ダークな
色調にする
ウィンドスクリーンには
さまざまな色や形、サイズ
のものがある。どれを選ぶ
かが、できあがる宇宙船を
左右する!
レーダーアンテナ2枚で
作ったブラスターの照準器
透明なコーンで作った
フォトンレーザー。まるで
光っているように見える!

ツインタービンが宇宙船
を推進させる。この専用
ピースは、ただ宇宙船の
上にクリップで留めるだけ

前面

サイドピンで宇宙船の
後ろのセクションを
前のセクションに接続
穴あきブロック
(穴2個)

瞬時《しゅんじ》に脱出《だっしゅつ》!

サイドピン付きブロックが1× 2の穴《あな》あきブロック(穴2個)と連結し、2つのセクションが合体します。このしくみは、脱出ポッドなどの着脱可能《ちゃくだつかのう》な部分にも応用《おうよう》できます。

マイクロシップ

手持ちのブロックの数が少ない。作りたい宇宙船《うちゅうせん》は、ミニフィギュアスケールだと複雑《ふくざつ》すぎる。宇宙艦隊《かんたい》をまるごと作って、大規《き》模《ぼ》なスペースバトルを展開《てんかい》したい。そんなときは、マイクロビルディングをためしてみてはいかが? 組み立てかたはミニフィギュアスケールとほとんど変《か》わりませんが、より小さなスケールで、とてもすてきな——そしてとびきり小さい——宇宙船が作れます!

組み立ての概要
- **目的:** マイクロスケールの宇宙船を作る
- **用途:** 大型の宇宙船と同じ……ただ小さいだけ!
- **基本要素:** 宇宙船らしい特徴
- **その他の要素:** 護衛戦闘機、マザーシップ、宇宙基地

穴《あな》を使った組み立て

この1×2の十字穴あきブロックのように、穴のあいたピースがいくつかあります。穴はブラスターやアンテナ、その他のアクセサリがちょうどはまる大きさです。

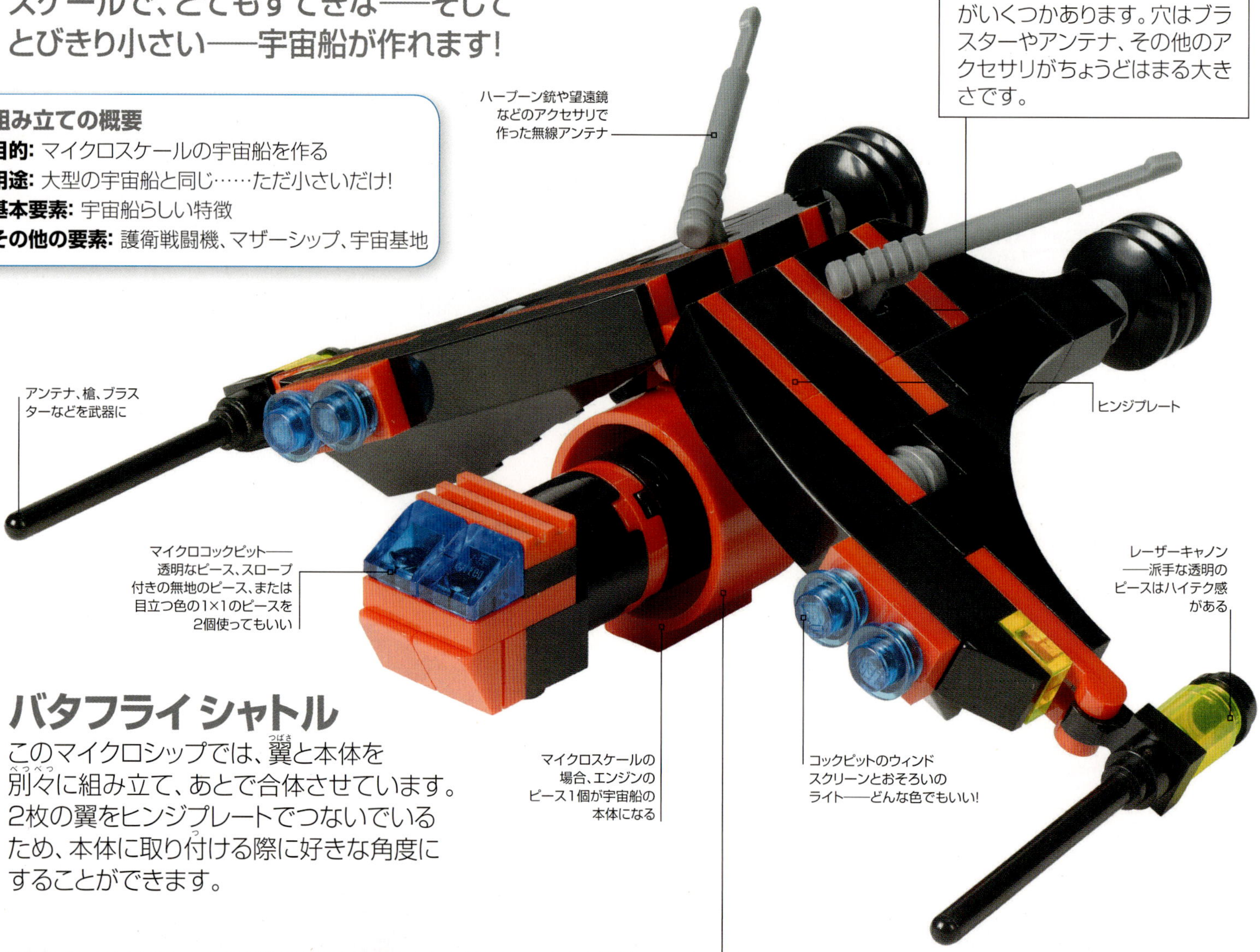

ハーブーン銃や望遠鏡などのアクセサリで作った無線アンテナ
アンテナ、槍、ブラスターなどを武器に
ヒンジプレート
マイクロコックピット——透明なピース、スロープ付きの無地のピース、または目立つ色の1×1のピースを2個使ってもいい
レーザーキャノン——派手な透明のピースはハイテク感がある
マイクロスケールの場合、エンジンのピース1個が宇宙船の本体になる
コックピットのウィンドスクリーンとおそろいのライト——どんな色でもいい!

バタフライシャトル

このマイクロシップでは、翼《つばさ》と本体を別々《べつべつ》に組み立て、あとで合体させています。2枚の翼をヒンジプレートでつないでいるため、本体に取り付《つ》ける際に好きな角度にすることができます。

クリップ
ハンドルバー

クリップ式の翼《つばさ》

翼は裏側《うらがわ》にクリップがくるように組み立てられています。そのクリップを船体の側面《そくめん》に突《つ》き出たバーと連結《れんけつ》させます。翼の取り付けがむずかしいかもしれませんが、いったん付けてしまえば、ふわりと浮《う》かんで見えます!

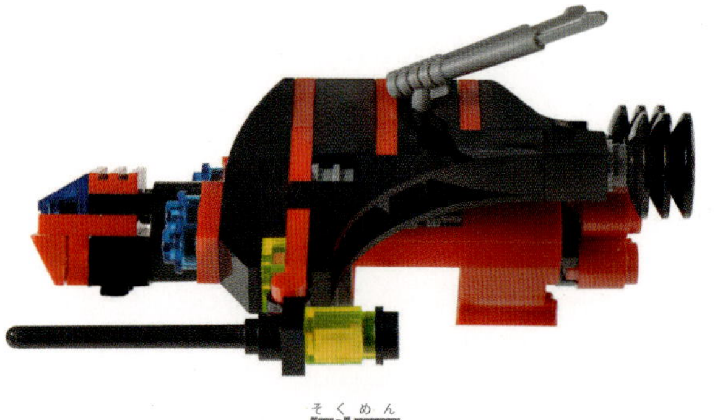

側面《そくめん》

上面

スペースホーラー

このスペースホーラーは、銀河系《ぎんがけい》のかなたへ重たい貨物《かもつ》を運びます。中身がいっぱいつまった円形のコンテナは、本体とクリップで連結しています。 コンテナはしょっちゅうおろしたり積《つ》みかえたりするので、色がふぞろいなのは当然《とうぜん》!

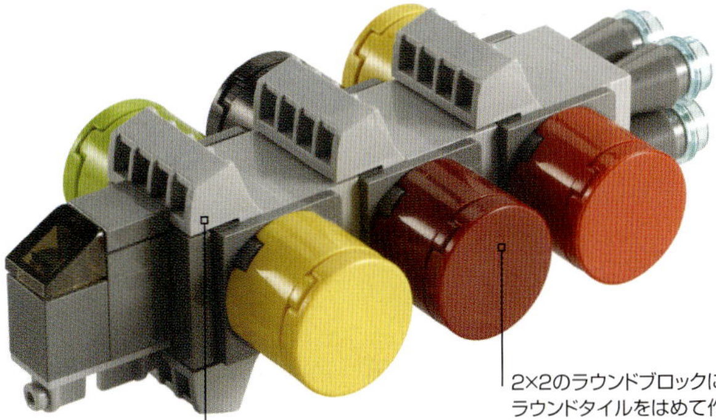
2×2のラウンドブロックに2×2のラウンドタイルをはめて作ったコンテナ。2×2のブロックとタイルでも代用できる
上下の通気口は、ひとつのサイドベント付きプレートの一部

アングルプレート

荷物を支《ささ》える柱

スペースホーラーの中心部分は、ブロックとプレートを積み重ねたものを横に倒《たお》しただけのシンプルな柱です。アングルプレートが貨物コンテナの連結部になっています。

側面ポッチ付きブロック

中のからくり

見た目はシンプルでも、中に高度なビルディングテクニックがかくれているかもしれません。ここでは、側面ポッチ付きブロックが白い曲面スロープを支《ささ》え、レゴ®テクニック ハーフピンが上下の円盤をつなぎ合わせています。

色ちがいのパーツを使って同じ形の円盤をいくつか作れば、マイクロスケールの侵略隊ができる!
まんなかのリングは、曲面スロープを円形につなぎ合わせたもの

空飛《と》ぶ円盤《えんばん》

ときどき、マイクロシップを作るのに最適《さいてき》なピースが見つかることがあります。このクラシックなUFOのデザインは、2つの大きなオレンジ色のレーダーアンテナから思いついたものです。

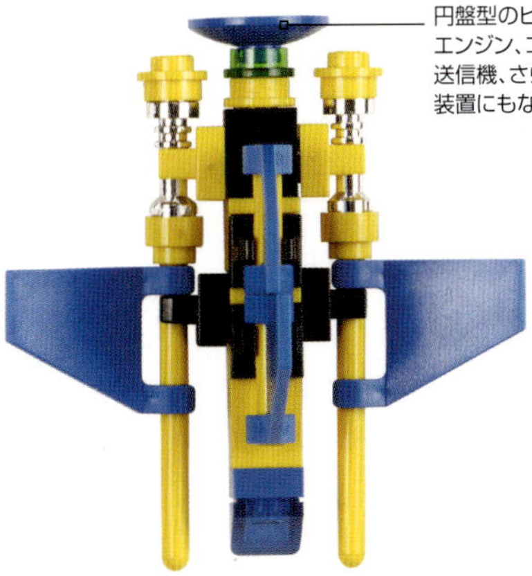
円盤型のピースは、エンジン、コックピット、送信機、さらに着陸装置にもなる!

上面

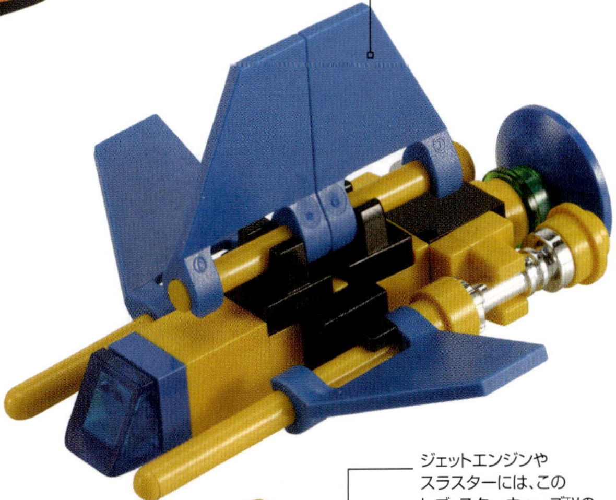
旗のピース2個で作った翼。方向舵のピースでも同じように作れる

シャトルと護衛機《ごえいき》

宇宙でミッションを果《は》たすマイクロスケールの宇宙船を作ったら、同じようなデザインでさらに小さい護衛機も作ってみましょう!

ジェットエンジンやスラスターには、このレゴ®スターウォーズ™のライトセーバーの柄のような、クロムめっきのピースを使ってもいい

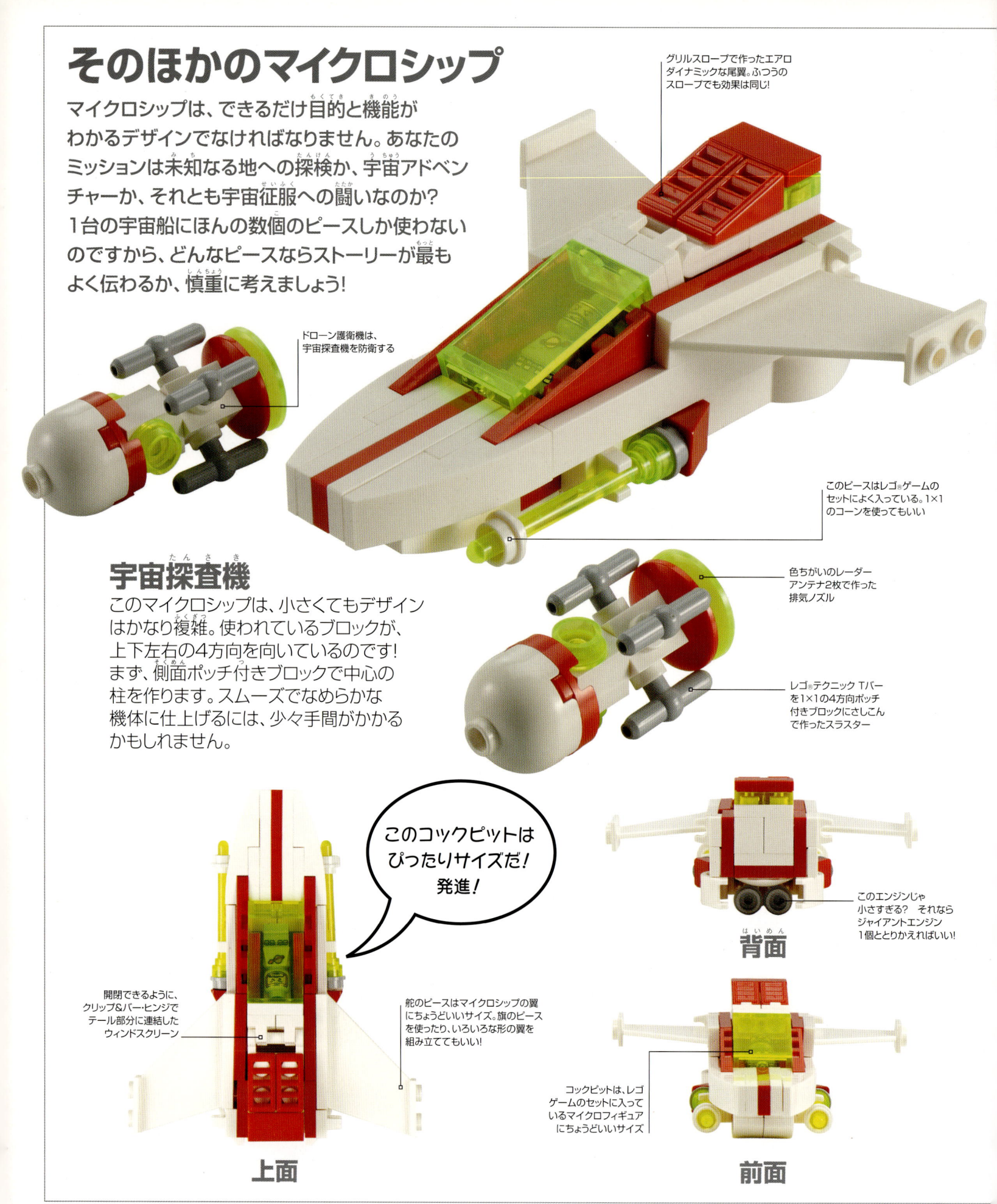

そのほかのマイクロシップ

マイクロシップは、できるだけ目的《もくてき》と機能《きのう》がわかるデザインでなければなりません。あなたのミッションは未知《みち》なる地への探検《たんけん》か、宇宙《うちゅう》アドベンチャーか、それとも宇宙征服《せいふく》への闘《たたか》いなのか? 1台の宇宙船にほんの数個《こ》のピースしか使わないのですから、どんなピースならストーリーが最《もっと》もよく伝わるか、慎重《しんちょう》に考えましょう!

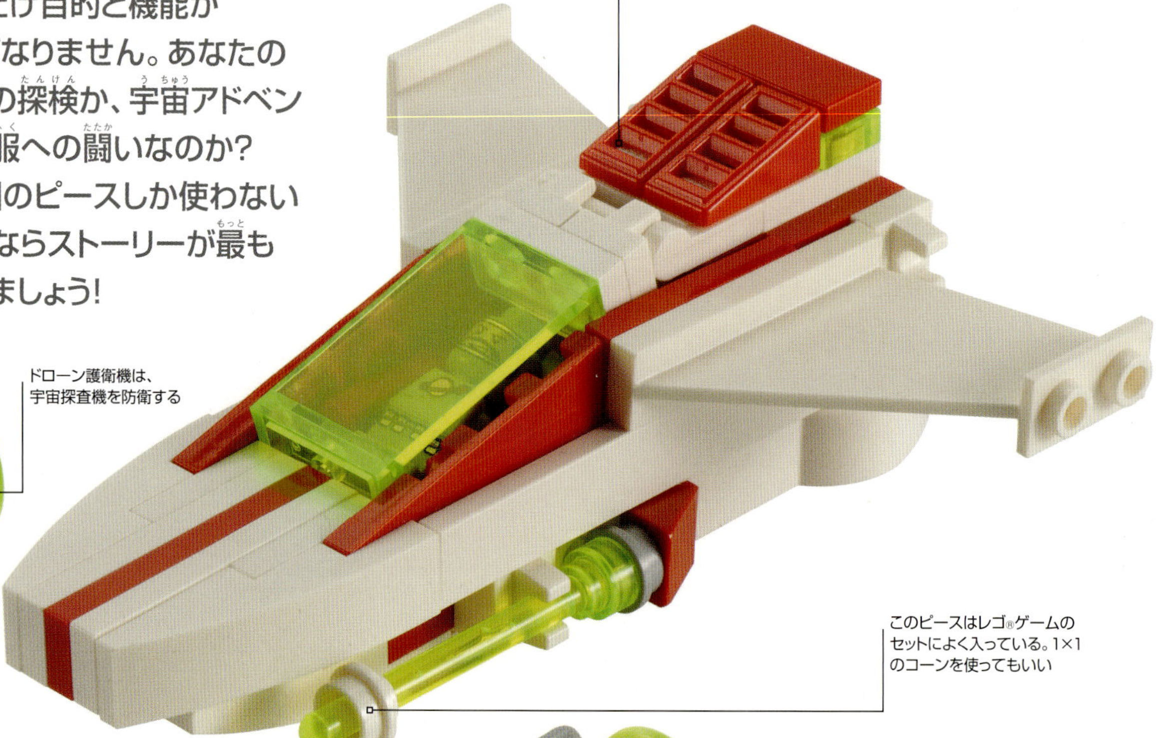

グリルスロープで作ったエアロダイナミックな尾翼。ふつうのスロープでも効果は同じ!

このピースはレゴ®ゲームのセットによく入っている。1×1のコーンを使ってもいい

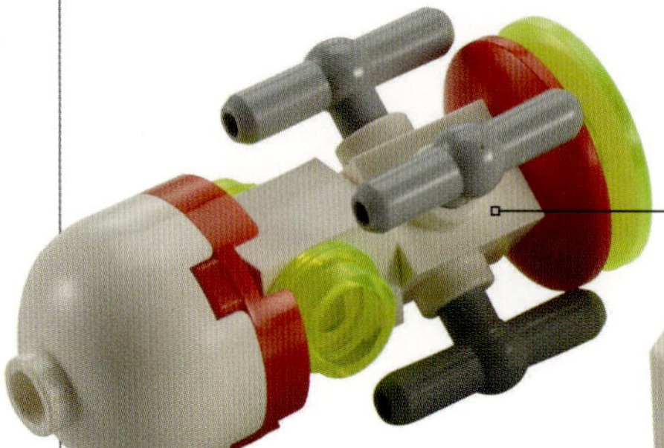

ドローン護衛機は、宇宙探査機を防衛する

宇宙探査機《たんさき》

このマイクロシップは、小さくてもデザインはかなり複雑《ふくざつ》。使われているブロックが、上下左右の4方向を向いているのです! まず、側面《そくめん》ポッチ付《つ》きブロックで中心の柱を作ります。スムーズでなめらかな機体に仕上げるには、少々手間がかかるかもしれません。

色ちがいのレーダーアンテナ2枚で作った排気ノズル

レゴ®テクニック Tバーを1×1の4方向ポッチ付きブロックにさしこんで作ったスラスター

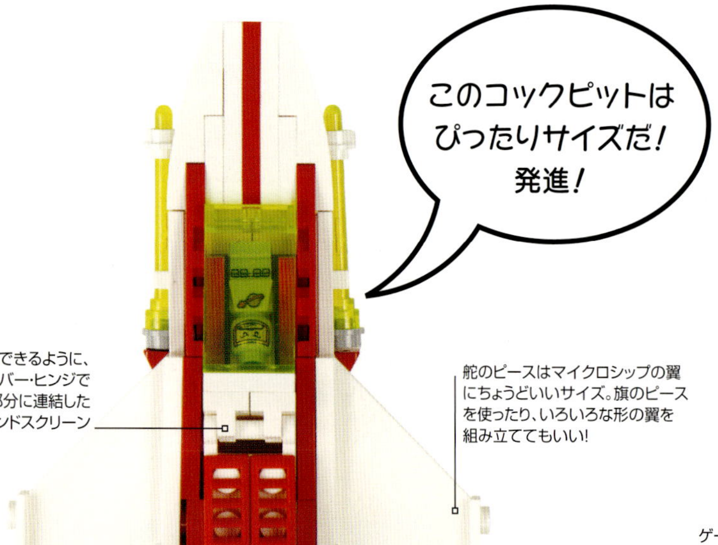
このコックピットはぴったりサイズだ! 発進!

開閉できるように、クリップ&バー・ヒンジでテール部分に連結したウィンドスクリーン

舵のピースはマイクロシップの翼にちょうどいいサイズ。旗のピースを使ったり、いろいろな形の翼を組み立ててもいい!

上面

このエンジンじゃ小さすぎる?　それならジャイアントエンジン1個ととりかえればいい!

背面《はいめん》

コックピットは、レゴゲームのセットに入っているマイクロフィギュアにちょうどいいサイズ

前面

スターキャリアー

このスターキャリアーは、形はかなりベーシックですが、戦闘《せんとう》用の人員や乗り物を宇宙の果《は》てまで運んでくれます！ 水平クリップ付きプレートが武器《ぶき》をしっかり固定《こてい》し、タイルが表面をなめらかに仕上げます。

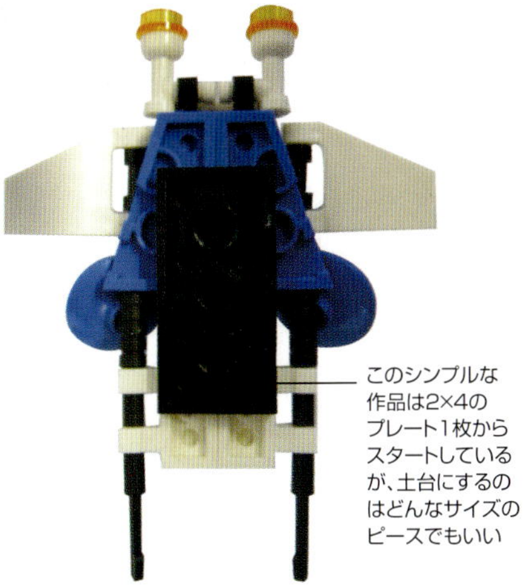

このシンプルな作品は2×4のプレート1枚からスタートしているが、土台にするのはどんなサイズのピースでもいい

底面《ていめん》

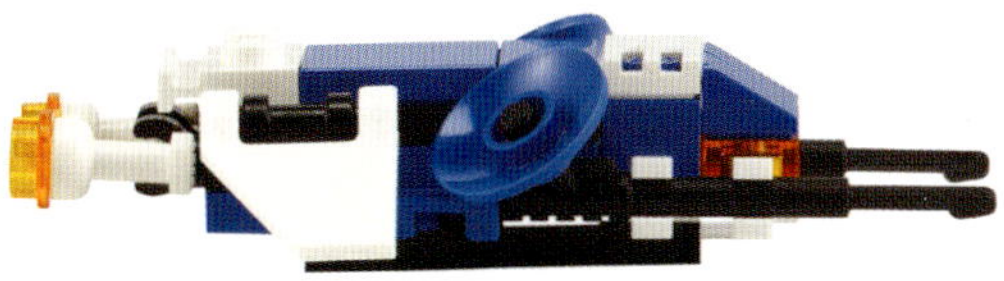

側面《そくめん》

マイクロ作戦《さくせん》のターゲットに接近《せっきん》中！

ハープーン銃にレーダーアンテナを取り付けるのは、斬新なやりかた

先端《せんたん》をゆく

スライドプレートは、フロント部分のバッテリングラムになると同時に、中の空洞《くうどう》をかくしてくれます。かわりに逆《ぎゃく》スロープを使えば、先がとがった形のクルーザーになります。

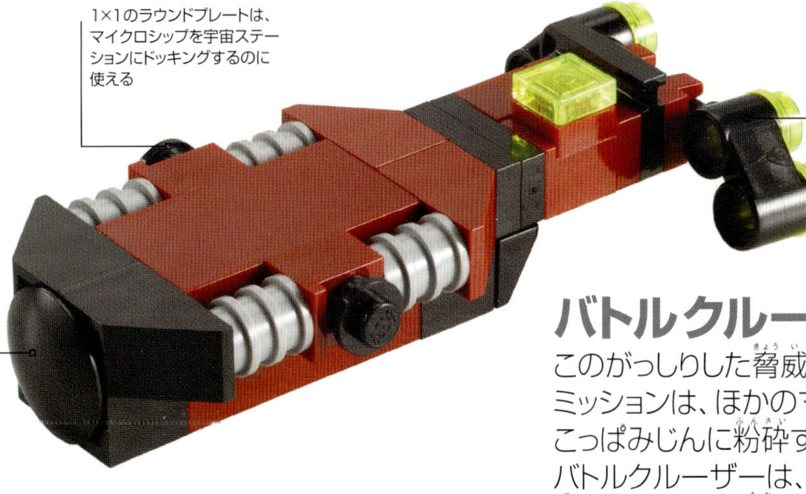

1×1のラウンドプレートは、マイクロシップを宇宙ステーションにドッキングするのに使える

スティック付きレゴ®テクニック ビームで作ったエンジンハウジング。透明なパーツの部分を、指ではじいて発射する宇宙魚雷に変えてもいい！

バトルクルーザー

このがっしりした脅威的《きょういてき》な宇宙船のミッションは、ほかのマイクロシップをこっぱみじんに粉砕《ふんさい》すること！ このバトルクルーザーは、ブロックを縦《たて》に積《つ》み上げて横に倒《たお》したものです。

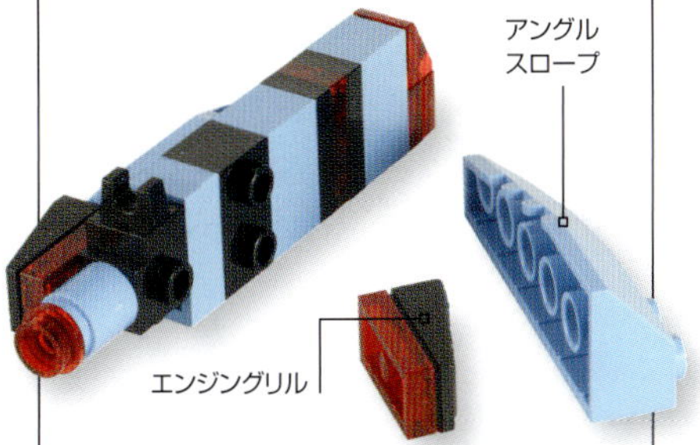

アングルスロープ

エンジングリル

組み立てのヒント

側面ポッチ付きブロックがアングルスロープとエンジングリルを固《こ》定《てい》します。グリルスロープの下に透明《とうめい》の赤いピースを入れると、すきまからエネルギーが光を放っているように見えます。

スペースアンバサダー

親しみのもてる色と曲線、しかも武器が搭載《とうさい》されていないこのマイクロシップは、平和を愛《あい》する生物が所有するもののようです。組み立てはとてもシンプルですが、随所《ずいしょ》にディテールが加《くわ》えられています。

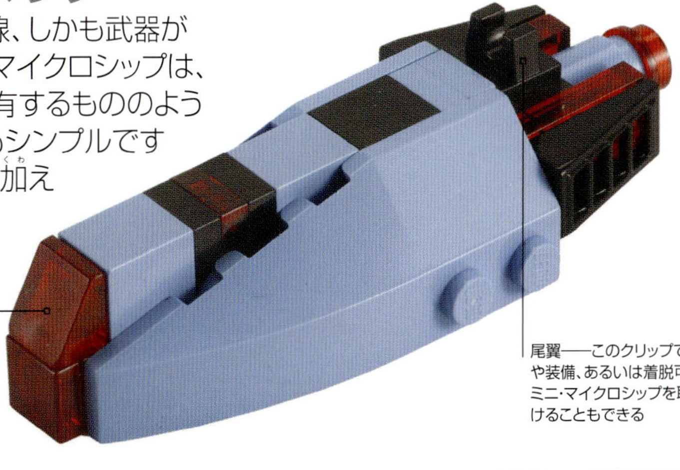

1×1のスロープで作ったマイクロコックピット。1×1のプレートまたはグリルを使えば、装甲付きコックピットになる！

尾翼——このクリップで武器や装備、あるいは着脱可能なミニ・マイクロシップを取り付けることもできる

小型《こがた》トランスポーター

物資《ぶっし》でもクルーでも、トランスポーターがどんな場所へも運んでくれます！ 組み立てる前に、何を運ぶのか、荷物はどれくらいの大きさか、運搬《うんぱん》中に荷物を固定《こてい》するために何が必要《ひつよう》かを考えましょう。広い宇宙《うちゅう》には星の数ほど物があふれていて、だれかがそれを運ばなければなりません！

組み立ての概要
目的: 小型トランスポーターを作る
用途: 人や物資を移動させる
基本要素: ドライバーと荷物を乗せられる
その他の要素: ヘッドライト、ロケットブースター

ロケットを
積《つ》んであるから、
パンクしても
だいじょうぶ！
水平クリップで
スペアの道具や
器材を固定できる
ゴブレットなどの専用
パーツは、すてきな
ヘッドライトになる

カーゴ ホーラー

カーゴホーラー（貨物運搬車《かもつうんぱんしゃ》）は、運転席《せき》と貨物用トレーラーの2つのセクションでできています。どちらのセクションも、まずブロックを長方形に組み立てた土台を作り、そこにタイヤガードやその他のディテールを加《くわ》えていきます。それからボール&ソケット・ジョイントで2つのセクションを連結《れんけつ》させます。

タイヤが主役

ホイールアーチを作る前に、まずタイヤを選《えら》びましょう。タイヤがアーチに入らなかったら最悪《さいあく》です！

側面ポッチ付きブロック

タイヤがなくてもだいじょうぶ

側面《そくめん》ポッチ付《つ》きブロックで、ホーラーの土台にロケットを取り付けます。ハイテク感を出すなら、グリルなどのディテールをプラスして。

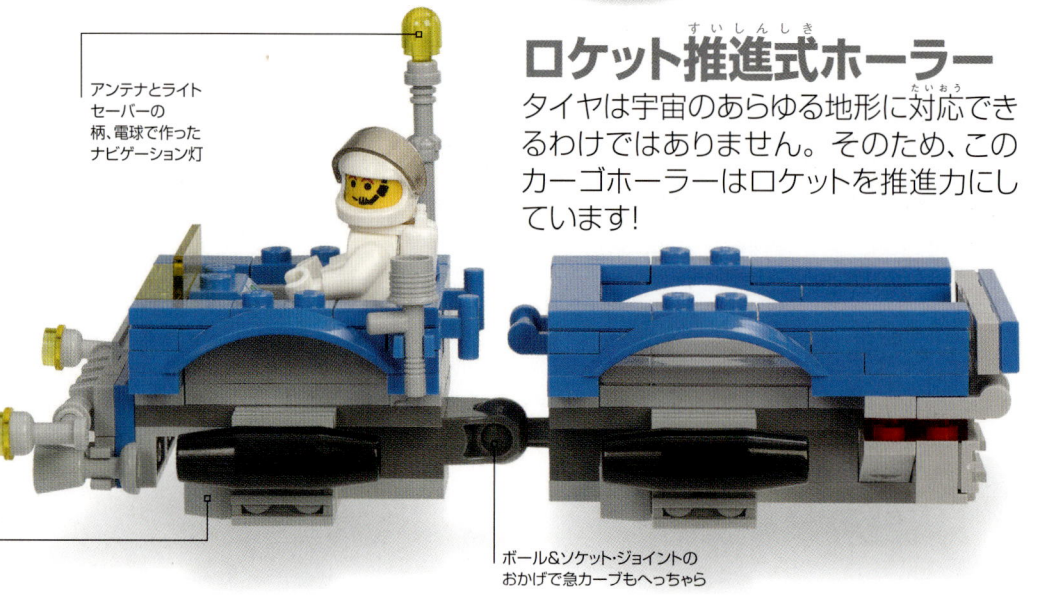

ロケット推進式《すいしんしき》ホーラー

タイヤは宇宙のあらゆる地形に対応《たいおう》できるわけではありません。そのため、このカーゴホーラーはロケットを推進力にしています！

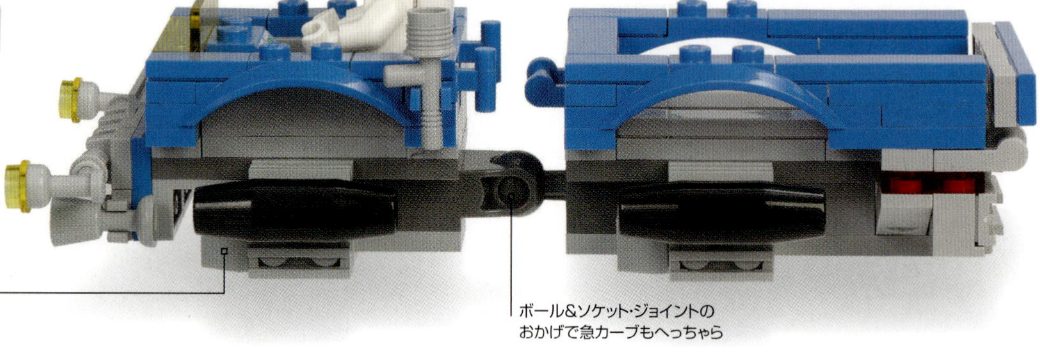
アンテナとライト
セーバーの
柄、電球で作った
ナビゲーション灯
ボール&ソケット・ジョイントの
おかげで急カーブもへっちゃら

ヘッドライトブロックもディテールを加えるのに便利

四方八方

土台の部分は、レゴ®ブロックの自動車と同じように組み立てて、くるりとひっくり返します。それからブロックを積み上げて中心と上の部分をそれぞれ組み立て、横に倒《たお》します。各《かく》セクションを合体させるために、かならず側面ポッチ付きブロックを組みこんでおきましょう!

運転席と後部座席をアーチで区切る

マイクロスケールの乗り物では、グリルなどの小さなピースでかなりのディテールが加わる

小さな護衛機はほんの数個のブロックでできている。傾斜の付いた先端部分は1×1のスロープ1個

前面

マイクロスケールだと、ふつうのタイヤがかなり巨大に見える

背面《はいめん》

このピースはレゴ®ゲーム セットに入っている

このリアスラスターのベースは、レゴ スター・ウォーズのR2-D2の脚!

体が
こんなに小さいと、
未知《みち》の宇宙が
ますます
広がる!

マイクロ ローラー

この6輪《りん》ローラーと仲間《なかま》の護衛機《ごえいき》は、レゴ®ゲーム セットのマイクロフィギュアを運ぶために作られました。このスタイルは、ミニフィギュアにも簡単《かんたん》に応用《おうよう》できます。

ムーン マイナー

新たな月のコロニーを建設《けんせつ》したり、貴重《きちょう》な宇宙《うちゅう》の鉱石《こうせき》を採掘《さいくつ》するときにほしいのが、大型《おおがた》の採掘車です。いかつい採掘マシンを組み立てたら、加《くわ》えるべきディテールがたくさんあります。ショベル、ソーブレード、回転ドリルやプラズマドリルなど、作業に必要《ひつよう》な装備《そうび》を整えていきましょう!

組み立ての概要
目的: 宇宙の採掘車を作る
用途: 地球以外の惑星で土や岩を掘り起こす
基本要素: どんな地面でも掘れるパワーと道具
その他の要素: 偵察車、ヘルパーロボット、貯蔵コンテナ

採掘車のベース部分には、鉱石コンテナや小型偵察車がおさまる

上面

おーい! ここから 月面基地《きち》が 見えるぞ!
望遠鏡と透明なプレートで作った非常灯
コントロールタワーは高い位置にあるので、操縦士はドリルの動きをしっかり監視できる
クルーが登りやすいように、忘れずにはしごと手すりを付けよう!
レーザードリル
けたはずれに大きなタイヤは、岩だらけの未知の土地にもってこい。超強力な採掘車にするために、持っている中でいちばん大きいタイヤを使おう!
ベース——もう少し高くすれば、下に鉱石コンテナをもっと入れられる
ベースの四隅にある2×2のピン付きブロックでタイヤを固定する。戦車のキャタピラーやウォーカーの脚を取り付けることもできる

眺《なが》めのいいマシン

ムーン マイナーは、ベースとコントロールタワーの2つの部分でできています。ベースはレーザードリルをはめこむのに十分な大きさに、タワーは土台の後ろにクリップで連結《れんけつ》できる幅《はば》に作りましょう。

ヒンジ付きのふたがあると、
掘り出したばかりの宇宙の
クリスタルを出し入れしやすい

鉱石《こうせき》コンテナ

鉱石コンテナを作るには、ヒンジ付《つ》きのふたのピースがとても便利《べんり》。クリップ&バー・ヒンジで箱にふたを取り付けたり、ふたと箱を一から作ってもかまいません!

コンテナの箱の部分は、
ふたの形と大きさに
合わせて作る

おや、
あれは基地じゃ
ないぞ……
海王星だ!

論《ろん》より証拠《しょうこ》

あらゆるピースに使いみちが見つかる証拠に、このレーザードリルのヘッド部分は、レゴ ゲームのサイコロのピース! 2×2のブロック、あるいはプレートを重ねて作ることもできます。

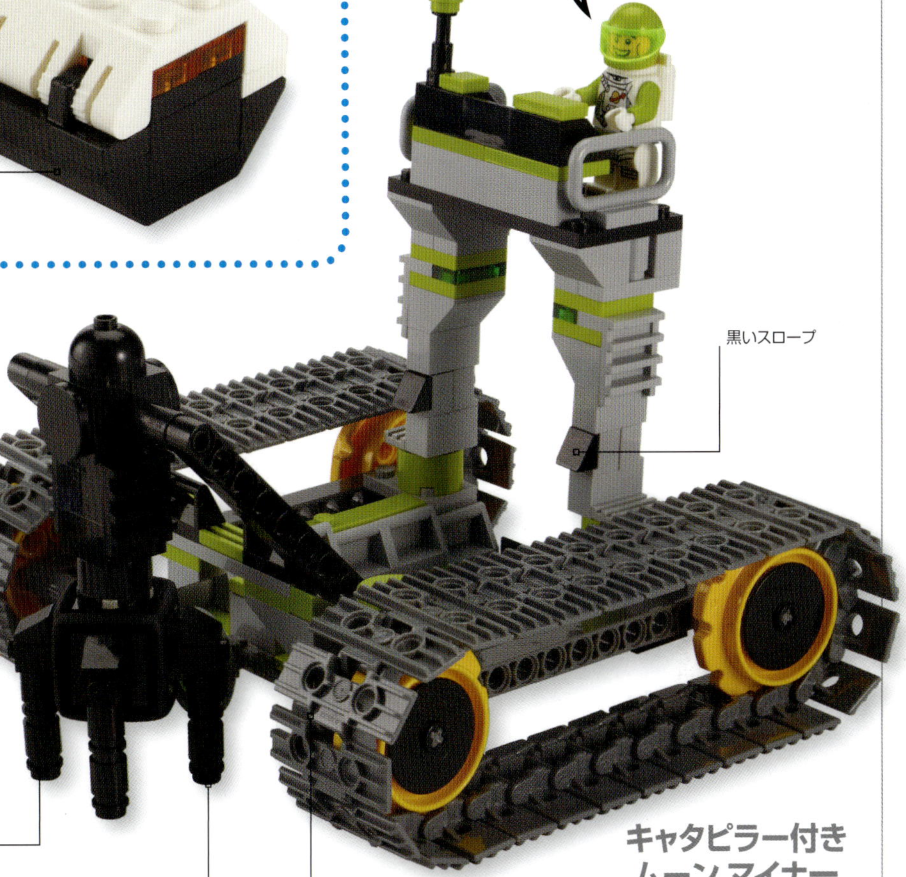

黒いスロープ

キャタピラー付き ムーン マイナー

キャタピラーは、レゴの建設車両の一部に
入っている。ピースをひとつひとつつなぎ
合わせているので、好きな長さに調節できる

採掘ロボットは、コントロール
タワーの支柱の後ろに
取り付けて運べる

ヤシの木の先端のピースで
作った、ムーン マイナーのドリル
とおそろいのミニチュアドリル

地下のクリスタルを感知したときの
グリーンライト。掘り起こしたくない
ものを発見したときには赤いライトと
交換しよう

スパナーで作ったハイテク
採掘装置。ドライバーや
ブラスターに変えて、ほかの
機能を持たせることもできる

位置《いち》について、よーい、ドリル!

レゴ®テクニックのパーツで作ったアームがムーン マイナーのレーザードリルを支《ささ》えています。アームは2カ所が回転し、ドリルを正しい位置につけたり、きちんと収納《しゅうのう》することができます。アームを支えるのは、コントロールタワーの支柱《しちゅう》に付いている一対の黒い1×1のスロープ。

レゴ®テクニック ビーム

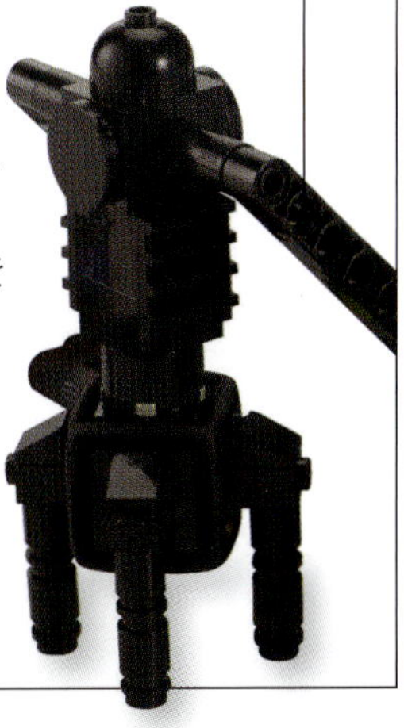

無人《むじん》の乗り物

宇宙《うちゅう》の乗り物すべてに操縦士《そうじゅうし》が必要《ひつよう》なわけではありません！現在《げんざい》の火星探査《たんさ》ミッションのように、未来《みらい》の銀河《ぎんが》間空間の探検《たんけん》にもロボットが使われるかもしれません。この地質《ちしつ》探査ローバーは、ブロックを積《つ》み重ねて横に倒《たお》し、タイヤを4個《こ》付《つ》けただけのシンプルな構造《こうぞう》ですが、細かい表情《ひょうじょう》のあるブロックと数々のツールで、機能的《きのうてき》な外観《がいかん》に仕上がっています！

組み立ての概要
目的: 無人ローバーを作る
用途: 新たな惑星の探査
基本要素: 採掘、採集、分析用器材
その他の要素: 電子頭脳、カメラ、車載ラボ

アイスピックがなければ、虫めがね、ハンマー、透明なチェーンソーなど、別のミニフィギュア用ツールを使おう

2本のアンテナ――ローバーは情報の受信と送信が同時にできる！

ポッチをあえて露出させ、工業的な外観に

クリップヒンジと小型のレーダーアンテナで作った鉱物センサー。小さなアンテナのピースをいくつか使ってセンサーをずらっと並べてもいい

中の機械システムが見える――この部分には、メタリックなピースを使ってもかっこいい！

上面

ライトは段を変えて設置している。一方はソケットに入れて奥に、もう一方は1×1のラウンドプレートで前面に出す

背面《はいめん》

ロボティック ローバー

ロボティック ローバーには制御装置《せいぎょそうち》や生命維持《いじ》システムがいらないので、シンプルで工業的な形に作りましょう。ツールは折《お》りたたみ式にし、車体をできるだけ低くすることで、風や砂《すな》によるダメージを防《ふせ》げます。

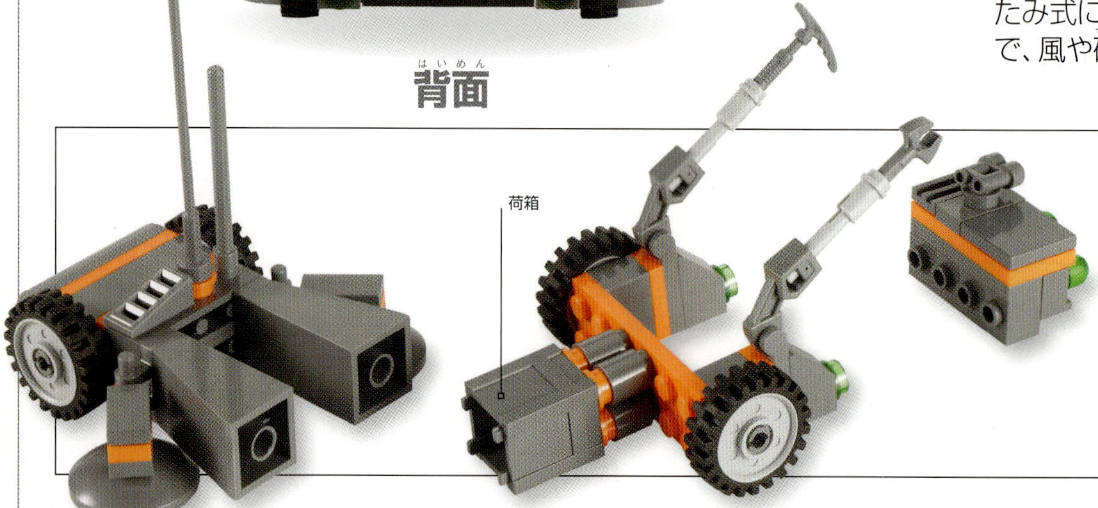

ローバーの構造《こうぞう》

ロボティック ローバーは、別々《べつべつ》に組み立てた3つのセクションを連結《れんけつ》させてできています。形はいたってシンプルでも、ふつうのブロックのかわりに荷箱などのめずらしいピースを使ってディテールを加《くわ》えてみましょう。

ジェットパック

宇宙船など必要なしに宇宙を自由に飛《と》び回れたら、最高《さいこう》に楽しいと思いませんか?　そこで登場するのが、リアルなものから奇想天外《きそうてんがい》なものまで、なんでもありのジェットパック。翼《つばさ》、ロケット、ジェット、ブラスター——ミニフィギュアに取り付けることさえできれば、あとはお好《す》きなように!

組み立ての概要
目的: 一人用ジェットパックを作る
用途: 大気圏内および宇宙空間の旅行と調査
基本要素: 小型、軽量、高速、操縦可能
その他の要素: 制御装置、発射台、ブラスター

ケーブレーサー

このケーブ（洞窟《どうくつ》）探査用マシンは、側面《そくめん》ポッチ付きブロック数個が核《かく》になっています。猛々《たけだけ》しいデザインの決め手は、てっぺんに並《なら》べたスロープと翼の先端《せんたん》に取り付けた刃《かたな》のピース。

ハンドルバーでミニフィギュアをジェットパックに連結させる

翼が軽くなるように、この壁の部品のような、うす型のピースを探そう

ロボットグライダー

このジェットパックに使われている翼専用《せんよう》ピースは、レゴ®スペースポリスやレゴ®バットマン™などのセットに入っています。飛行機《ひこうき》の翼や旗《はた》のピースを使っても同じような形になります。

ミニフィギュア・アングルプレートが首にちょうどフィットし、ジェットパックを取り付けられる

スペースウォークパック

宇宙ステーションの外側《そとがわ》のメンテナンスや修理《しゅうり》を行うには、さまざまな道具が組みこまれた、こんなボックス型《がた》のマシンがほしいものです。

くれぐれも、ミニフィギュアにちょうどいいサイズに作ること!

しっかり
つかまっていない
とね!

2本のグレーのバーは、ミニフィギュアの手がちょうどはまる幅に取り付ける

側面《そくめん》

背面

炎のピースは、騎士やお城のセットによく入っている。炎に似た色の透明なブロックでも代用できる

ロケット

3、2、1、発射《はっしゃ》! このなめらかな流線型《りゅうせんけい》のロケットは、まっすぐ上昇《じょうしょう》したあと水平飛行《ひこう》に入るため、大きな平底のメインエンジンのほかに尾翼《びよく》と翼《つばさ》が付《つ》いています。ロケットを作るときには、どこを飛ぶのか、宇宙《うちゅう》の冒険《ぼうけん》でどんなものに遭遇《そうぐう》するのかを考えましょう!

組み立ての概要
目的: ロケットを作る
用途: 宇宙への垂直打ち上げ
基本要素: 円すい形または細長い形で平底エンジン付き
その他の要素: 翼、着脱可能なブースター、発射台

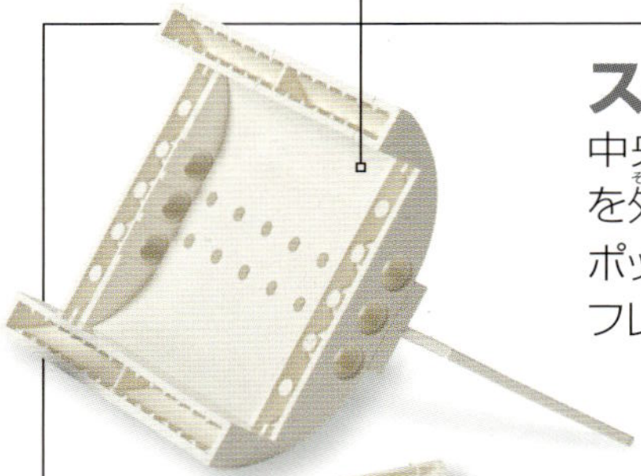
曲面アーチブロックが中央のボディーに丸みを与える

スペースフレーム

中央のボディーは、プレートとブロックを外側《そとがわ》に向けて組み立て、1×1の側面《そくめん》ポッチ付きブロックで四隅《よすみ》を連結《れんけつ》したフレーム構造《こうぞう》になっています。

側面ポッチ付きブロック1×1
穴あきブロック

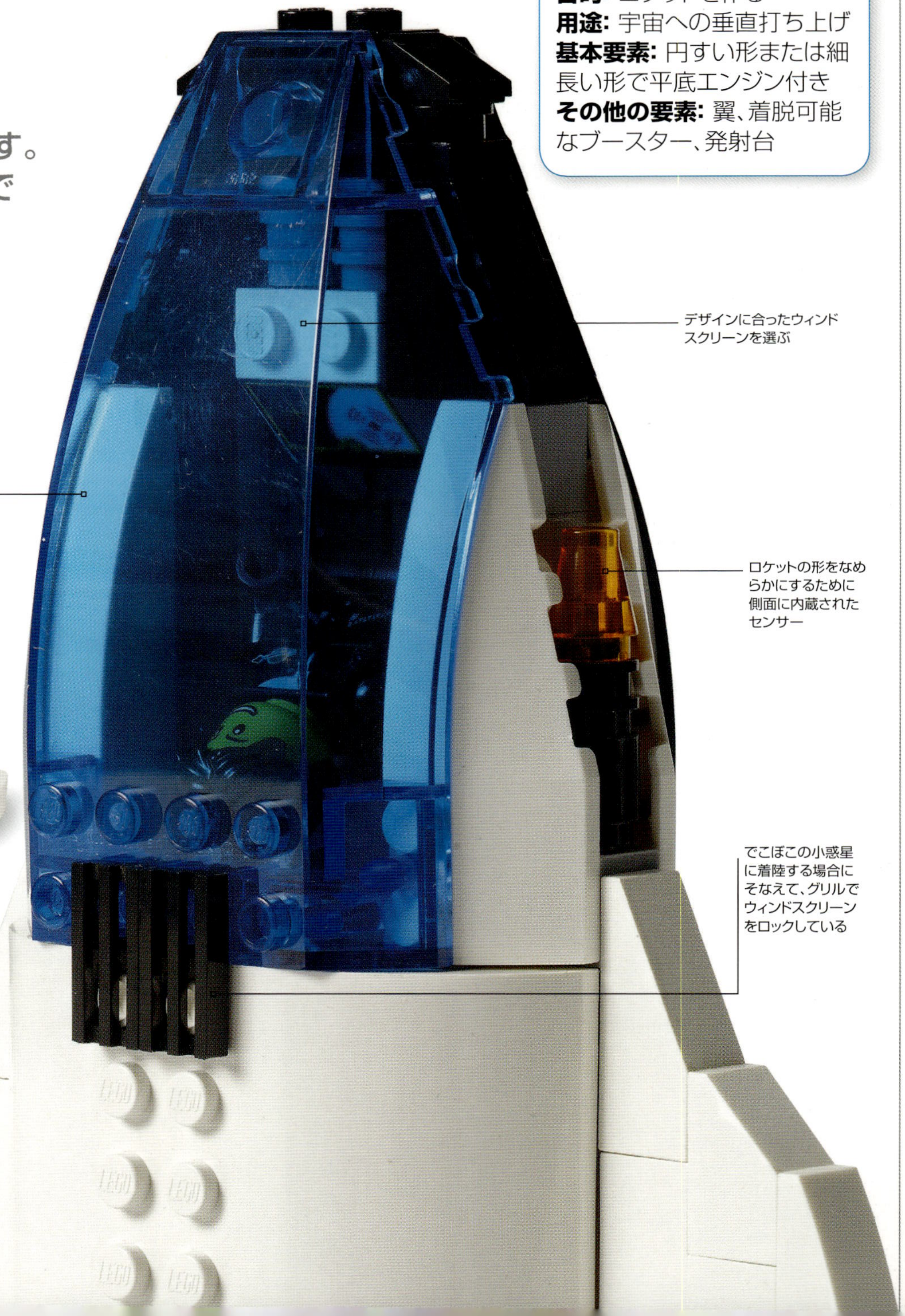
デザインに合ったウィンドスクリーンを選ぶ
ロケットの形をなめらかにするために側面に内蔵されたセンサー
でこぼこの小惑星に着陸する場合にそなえて、グリルでウィンドスクリーンをロックしている

打ち上げ準備完了《じゅんびかんりょう》

ロケットのフロント部分には曲面ウェッジを使い、後部には飛行機《ひこうき》の特徴《とくちょう》をもたせ、なめらかな円筒《えんとう》形に近い形に仕上げたロケットは、いまにも宇宙へ向けて一直線に飛び出しそうです。

底面《ていめん》

上面

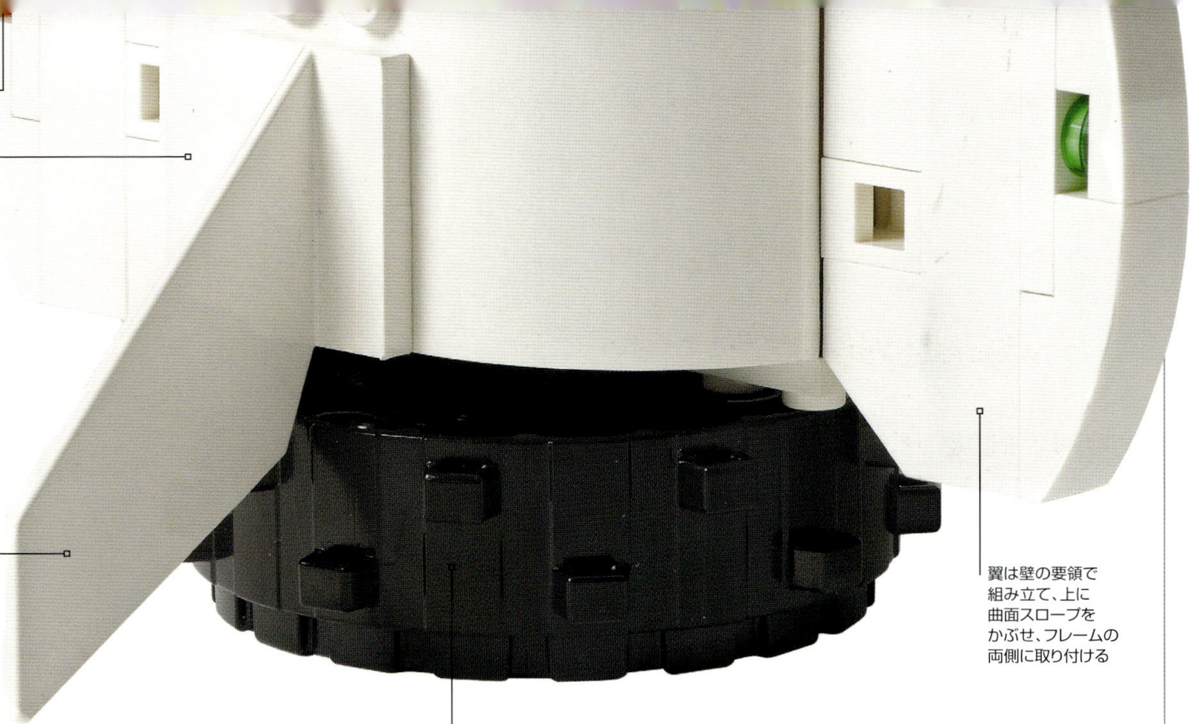
翼に1×1のラウンドプレートを埋めこんだナビゲーションライト
アーチブロックまたは曲面ブロックを使い、ロケットのボディーを丸くしてもいい
飛行機の尾翼。先端や根元に同じような翼をもうひと組加えてもいい!
翼は壁の要領で組み立て、上に曲面スロープをかぶせ、フレームの両側に取り付ける

ホイールのうまい使いみち

この巨大《きょだい》なエンジンはもともとはレゴ®ブロックの採掘車用《さいくつせんよう》のスパイク付きホイールでした。ロケットのフレーム背面《はいめん》に取り付けた2枚《まい》のジャンパープレートが、ホイールの裏《うら》にたくさんある穴《あな》のうちの2つと連結します。

透明なオレンジ色のレーダーアンテナで作った、火を吹くエンジン

ジャンパープレート

エイリアン

地球外生物は、姿《すがた》を想像《そうぞう》できさえすれば作れます。どんな惑星《わくせい》に住んでいて、どんな行動をとりそうかを思い描《えが》きながら、はるか遠い世界の生き物を作ってみましょう。実在《じつざい》の動物からヒントを得《え》て、とびきりめずらしいピースを使い、地球の生き物とはまるでちがう奇想天外《きそうてんがい》なエイリアンをつくりあげましょう!

組み立ての概要

目的: エイリアンを作る
用途: 宇宙探検家の友だちまたは敵
基本要素: 泳ぐ、飛ぶ、跳ねる、登る……その他なんでもできる手足!
その他の要素: 鉤爪、牙、吸盤、翼、しっぽ、多くの手足

ぶきみな丸いおなかは、目立つ色の2×2のラウンドプレート

前面

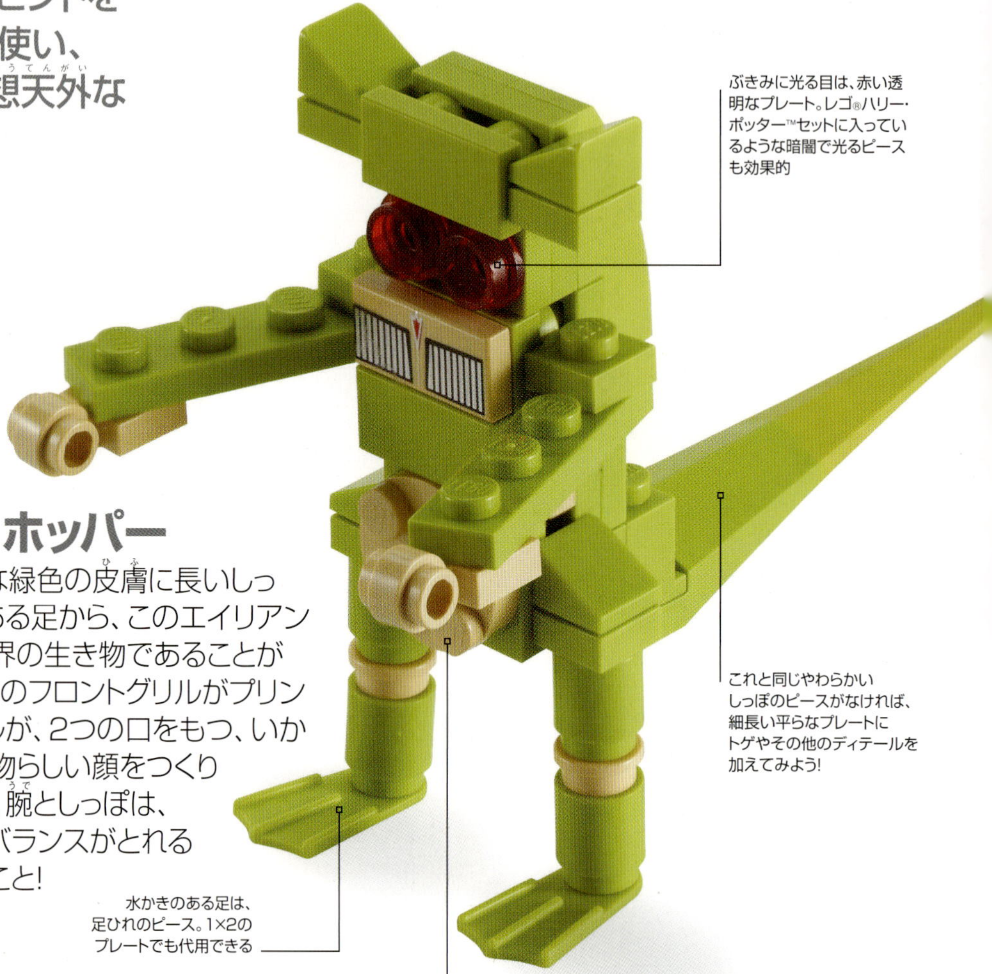

ぶきみに光る目は、赤い透明なプレート。レゴ®ハリー・ポッター™セットに入っているような暗闇で光るピースも効果的

これと同じやわらかいしっぽのピースがなければ、細長い平らなプレートにトゲやその他のディテールを加えてみよう!

水かきのある足は、足ひれのピース。1×2のプレートでも代用できる

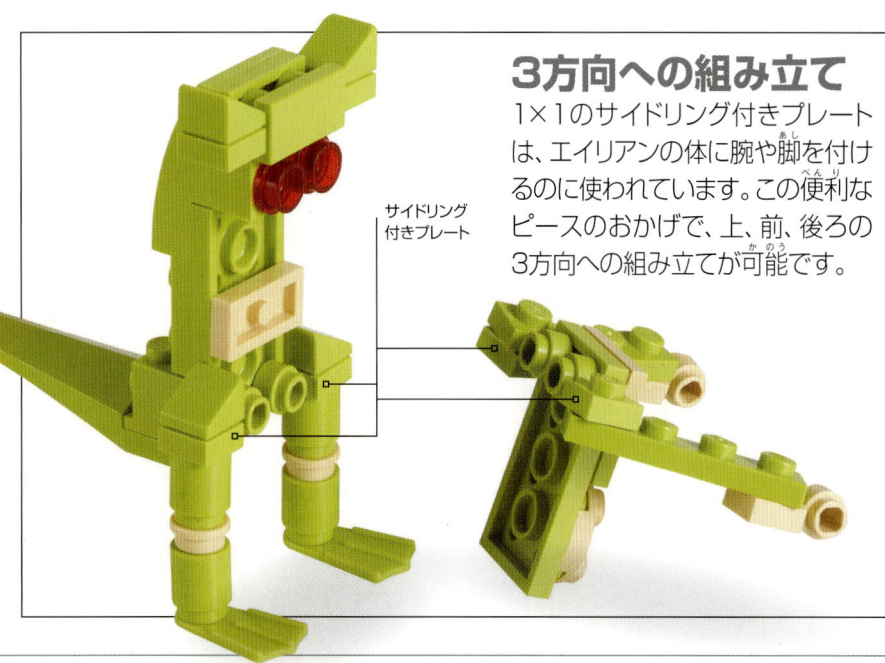

スワンプ ホッパー

カエルのような緑色の皮膚《ひふ》に長いしっぽ、水かきのある足から、このエイリアンは水のある世界の生き物であることがわかります。車のフロントグリルがプリントされたタイルが、2つの口をもつ、いかにも地球外生物らしい顔をつくりあげています。腕《うで》としっぽは、立った状態《じょうたい》でバランスがとれる位置《いち》に付《つ》けること!

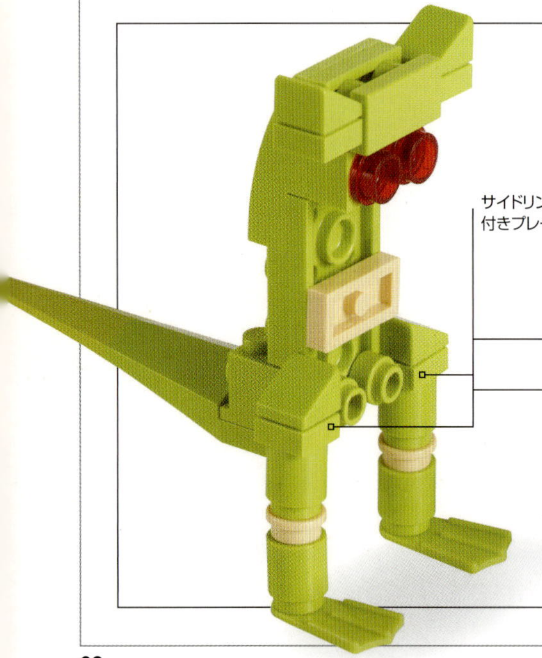

サイドリング付きプレート

3方向への組み立て

1×1のサイドリング付きプレートは、エイリアンの体に腕や脚《あし》を付けるのに使われています。この便利《べんり》なピースのおかげで、上、前、後ろの3方向への組み立てが可能《かのう》です。

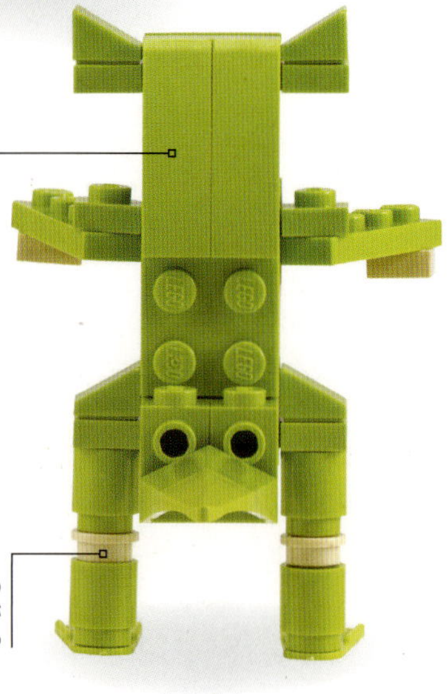

表面がなめらかなピースのかわりに、トゲトゲやでこぼこのあるブロックを使ってもいい

別の色を加えることで、エイリアンのひざなどのだいじなディテールが引き立つ

背面《はいめん》

昆虫型《こんちゅうがた》の宇宙《うちゅう》生物

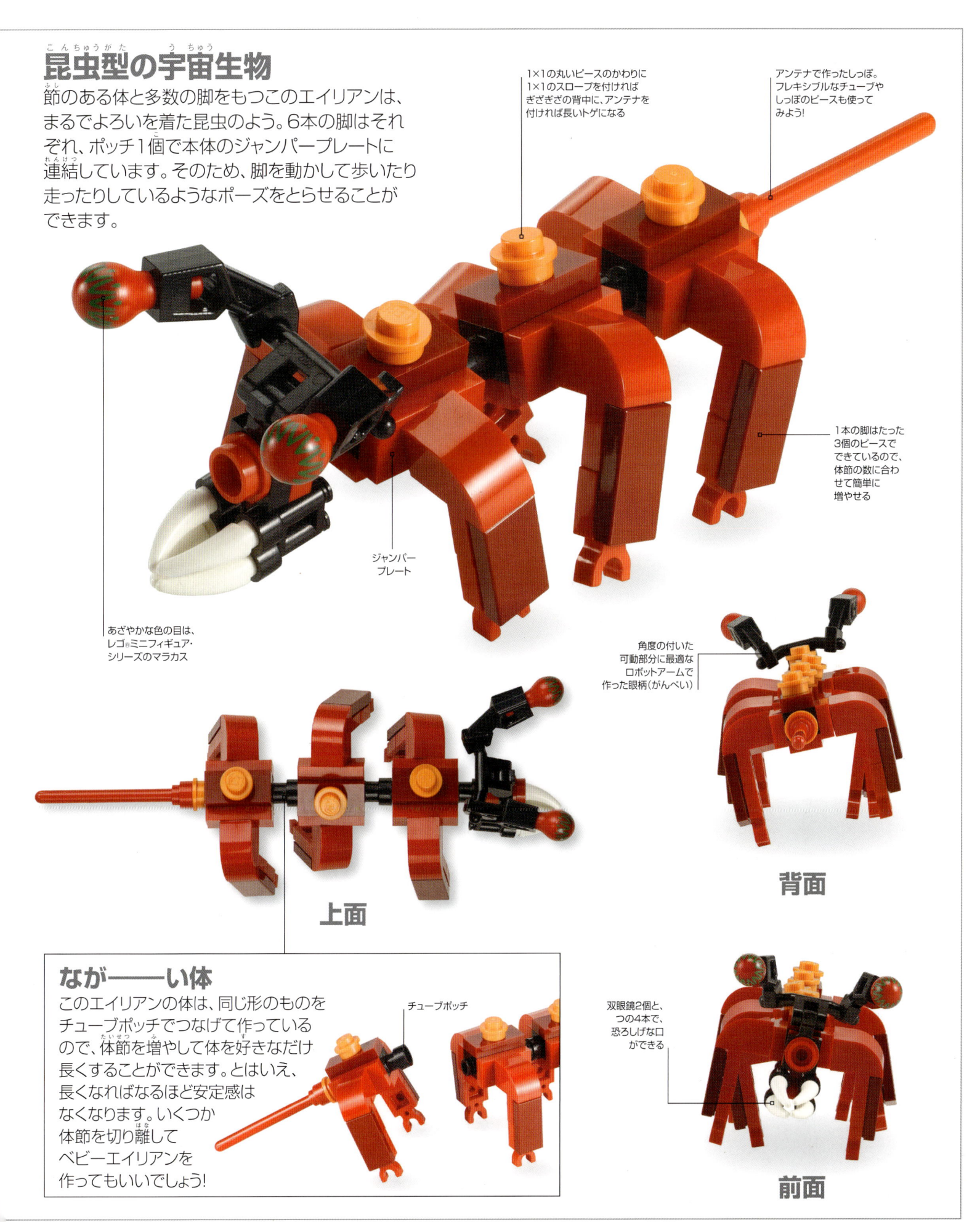

節《ふし》のある体と多数の脚をもつこのエイリアンは、まるでよろいを着た昆虫のよう。6本の脚はそれぞれ、ポッチ1個《こ》で本体のジャンパープレートに連結《れんけつ》しています。そのため、脚を動かして歩いたり走ったりしているようなポーズをとらせることができます。

1×1の丸いピースのかわりに1×1のスロープを付ければぎざぎざの背中に、アンテナを付ければ長いトゲになる
アンテナで作ったしっぽ。フレキシブルなチューブやしっぽのピースも使ってみよう!
1本の脚はたった3個のピースでできているので、体節の数に合わせて簡単に増やせる
ジャンパープレート
あざやかな色の目は、レゴ®ミニフィギュア・シリーズのマラカス

上面

角度の付いた可動部分に最適なロボットアームで作った眼柄(がんぺい)

背面

双眼鏡2個と、つの4本で、恐ろしげな口ができる

前面

ながーーーい体

このエイリアンの体は、同じ形のものをチューブポッチでつなげて作っているので、体節《たいせつ》を増《ふ》やして体を好《す》きなだけ長くすることができます。とはいえ、長くなればなるほど安定感はなくなります。いくつか体節を切り離《はな》してベビーエイリアンを作ってもいいでしょう!

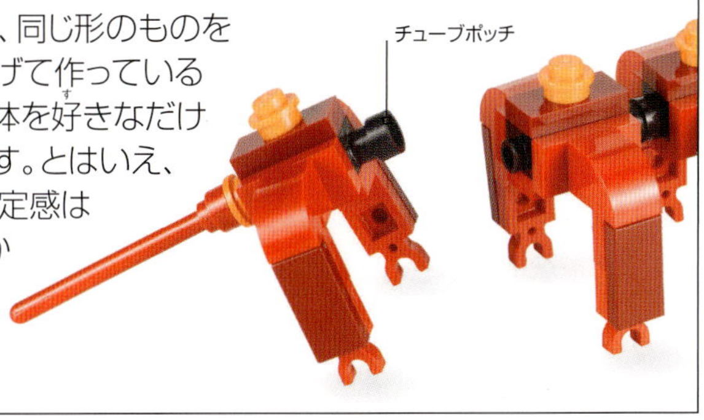

チューブポッチ

ビルダー紹介《しょうかい》

ティム・ゴダード
TIM GODDARD

所在: イギリス

年齢: 34

レゴの得意分野: 宇宙テーマのマイクロスケール作品

レゴ®ブロックに関《かん》する、とっておきの秘《ひ》けつは?

SNOTをたくさん使うこと! これはレゴ®ファンが使う言葉で、Studs Not On Topつまり「ポッチを上向きにしない組み立てかた」という意味。ポッチが側面《そくめん》にあるものなど、そのためのおもしろいブロックがどっさりあるよ。もうひとつの秘けつは、手持ちのブロックを少し整理しておくこと。手間がかかると思うかもしれないけど、長い目で見れば、必要《ひつよう》なブロックがどこにあるかわかっていると、時間がかなり節約《せつやく》できる!

植民したばかりの未知の惑星の格納庫と道路の一部。
レゴ®ビルダーのピーター・レイドと共同制作した大作のほんの一部分。

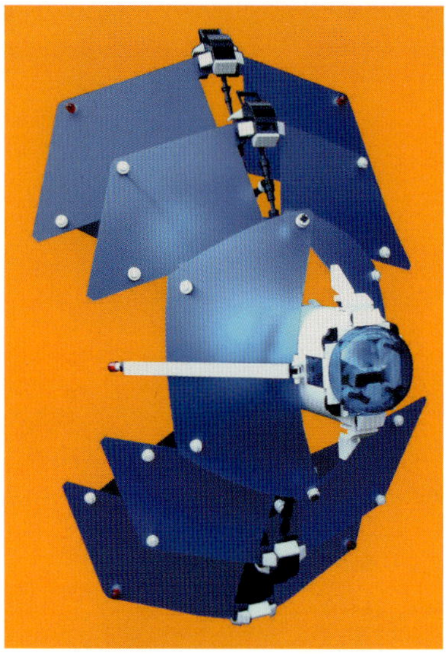

はるか遠い宇宙を調べる探査機。
巨大な太陽帆で、科学装置とエンジンにエネルギーを供給する。

スペースポリスの本部基地。
超長距離通信が可能なこの基地で、隊長たちが邪悪なエイリアンについて話し合う。

連邦政府の前哨基地で、光ファイバーケーブルの破損が発見された。
ただの破損か、それとも妨害工作か?

> 大型《おおがた》モデルでいちばんだいじなのは、事前にプランを立てること。

作品づくりにどれくらい時間をかけるの?

平均《へいきん》して1日に1時間くらい。ふだんはあまり時間がとれないけど、夜に好《す》きな音楽を聴《き》いているときがいちばんインスピレーションが働《はたら》くんだ。

失敗《しっぱい》した作品は? どう解決《かいけつ》したの?

大型宇宙船《うちゅうせん》のような大きなモデルは、少し安定性《あんていせい》が悪くなってしまう。構造《こうぞう》よりもディテールや形にこだわってしまったときが、とくに問題。大型モデルでいちばんだいじなのは、事前にプランを立てて——頑丈《がんじょう》なフレームを作ってから飾《かざ》りを付《つ》けること。

お気に入りの作品は?

いま作っているモデル!　最近完成《さいきんかんせい》させたキリンもそうだけど、モデルに少しだけキャラクターを与《あた》えるのが好き。ロボットだって、首をちょっとだけ片方《かたほう》にかたむけてみたり、アームを表情《ひょうじょう》のある形にするだけで、少しは個性《こせい》が出るんだ。

異星のナイトクラブの外で、スペースポリスが指名手配中の逃亡犯を追いつめる。が、すでに大混乱が起きていた!

これまでで最大《さいだい》の、または最《もっと》も複雑《ふくざつ》な作品は?

最大のモデルは、スターウォーズの場面をスモールスケールで再現《さいげん》したジオラマ。小さな宇宙船やウォーカーをいっぱい盛《も》りこんだ、約150×75センチのジオラマを2つ作ったんだ。大きなシーンのすばらしいところは、小さな宇宙船を少しずつデザインして組み立て、風景《ふうけい》や植物、建物《たてもの》などを加えていけること。全部合わせると、みごとなレゴ®ブロックの世界ができあがる。

これは銀河系でも最速の宇宙船!　黄色と黒のしま模様は、バンブルビー(マルハナバチ)ストライプと呼ばれる。

このカーゴホーラー(貨物運搬車)は、でこぼこの月面を走るのに最適。ミニフィギュアの宇宙飛行士がひとり乗れる

レゴ®ブロックで遊びはじめたのは何歳《なんさい》のとき?

物心ついたときから、ずっと組み立てている! 始めたときは4～5歳だったはず。

組み立てる前にプランを立てる? どんなふうに?

何を作るかによる。小さなモデルなら思いきってそのまま組み立てるけど、大きなモデルなら多少のプランが必要《ひつよう》。宇宙《うちゅう》船《せん》の形やジオラマのレイアウトをスケッチすることもあるけど、あまり細かいところまでは描《えが》かない。翼《つばさ》の形などのちょっとしたデザインを思いついて、それが似《に》合《あ》いそうなモデルを作ることが多い。組み立てながらデザインし、手持ちのブロックを使って、良さそうな感じに仕上げていくんだ。

グリーンのスペースウォーカーと
同色のエイリアンのミニフィギュアは、
ジャングル惑星では見つけにくい!

世界中のすべてのレゴ®ブロックと十分な時間があったら、何を作りたい?

ミニフィギュアや宇宙船、可動《かどう》パーツやブロック製《せい》の風《ふう》景《けい》がたっぷり盛《も》りこまれた、宇宙の超《ちょう》大型ディスプレイモデル。中のディテールが充実《じゅうじつ》した大きな月面基《き》地《ち》も作りたい。それと、レゴファンがSHIP (Seriously Heavy Investment in Parts パーツへの莫大《ばくだい》な投《とう》資《し》)と呼《よ》ぶような、オリジナルデザインの宇宙船《シップ》も。アイデアが壮大《そうだい》だからといって、手におさまるような小さいモデルづくりじゃ満足《まんぞく》できないわけではない。

このパワフルな宇宙船は、相手を無力化する武器を使い、
何も知らない宇宙輸送船をとらえる。

小さな潜水艦が海底遺跡を発見。もしや、まぼろしの都市
アトランティスの廃墟では?

レゴ®ブロックをいくつ持ってる?

わからない! ごまんとあるのに、探《さが》しているピースはぜったいに見つからないんだ!

アイデアはどこから得《え》るの?

SF映画《えいが》やテレビ番組、車を運転しながら見る建物《たてもの》や風景、昔のレゴ®スペースのセットなど、あらゆるものから。だけど、おもしろい作品のアイデアがひらめくのは、何よりもほかの人たちの作品を見たときだね。

宇宙もののほかに、どんなモデルを作るのが好き?

どんなものだって楽しい!　動物も好きで、キリンやカバを作ったことがあるし、町づくりも、ミニフィギュアを使ったモデルも好き。いろいろな種類《しゅるい》や分野のものを手広く作るほど、新しいテクニックを発見したときの収穫《しゅうかく》が大きいと思う。

お気に入りのテクニック、いちばんよく使うテクニックは?

SNOTが大のお気に入りで、しょっちゅう使う。ピースをクリップとバーで連結《れんけつ》するのも好《す》き。この方法《ほうほう》は、ロボットづくりに最適《さいてき》だよ!

ロボット開発施設で、教授がベテラン宇宙飛行士たちに最新作を紹介している。
新しいロボットは、基地のメンテナンス作業を担当する。

スペースポリスと戦う準備をととのえたエイリアン3人組。悪いやつなら、
どんな形やサイズのエイリアンでも大歓迎!

この恐竜型の輸送車両は、足場の悪い未開の惑星での移動用。
頭にミニフィギュアの操縦士がひとり乗れる。

好きなブロックやピースは?

決定版《けっていばん》はスタンダードな2×4だけど、いちばんよく使うのは1×1のサイドリング付《つ》きプレートかな。あれがあると、いろいろなことができるよ!

子どものころの、いちばんの自信作《じしんさく》は?

子どものころは、レゴ®スペースのセットをたくさん持っていたんだ。自分の部屋《へや》を未知《みち》の巨大惑星《きょだいわくせい》に見立てて、棚《たな》の上や引き出しの中など、あちこちに植民地《しょくみんち》を作り、天井《てんじょう》からは植民地間を飛《と》びかう宇宙船がいくつもぶらさがっていた。というわけで、答えはひとつだけじゃなく、ぼくの世界をつくりあげていたモデル全部!

物心ついた
ときから、
ずっと
組み立てている!

いにしえの世界

さあ、昔の世界へタイムトラベルしましょう! 口から火を吹《ふ》く恐竜《きょうりゅう》たちが地上を駆《か》けまわり、勇敢《ゆうかん》な騎《き》士《し》が正義《せいぎ》のために戦《たたか》い、人々が馬車で移動《いどう》していた時代へ。さて、あなたは何を作りますか?
壮大《そうだい》な石造《いしづく》りのお城《しろ》や危険《きけん》なわな?
それとも恐《おそ》ろしいカタパルトや
巨大な破城槌《はじょうつい》?

あれは何者だ?　この跳ね橋が上がり、
侵入者から城を守ってくれる。
(110ページ)

中世らしいピース

タイムマシンがないと中世のモデルは作れない？
持っているレゴ®コレクションの中から、車輪《しゃりん》や武器《ぶき》、チェーンなどを探《さが》してみましょう。茶色やグレーのピースは木造《もくぞう》や石造《いしづく》りの建物《たてもの》を、レゴ®テクニックのパーツは実際《じっさい》に動くしかけを作るのに便利《べんり》です。ここでは、役に立ちそうなピースを紹介《しょうかい》します。ほかにどんなものが見つかるかな？

ハーネス（馬車引き）

炎

つの

ウィンチ2×4

盾

コウモリ

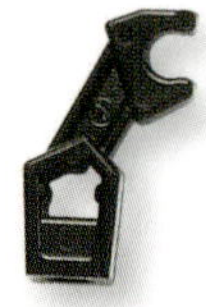
ロボットアーム

すぐに作れる
ハーネスやウィンチ、馬などの専用ピースは、中世の世界を構築するのにとても便利。なければ自分で作ることもできる。
（119ページ「ブロックの馬」参照）

旗（クリップ2個付き）

はしご
（クリップ2個付き）

馬

長いチェーン

チューブ

中型の荷馬車用車輪

バイオニクル®の盾

使いまわし
レゴ®キャッスルのセットにこだわらず、すべてのレゴセットのピースで中世のシーンを作ろう。

花の葉

長旗

シート

ドア4×8

ロールケージ4×6×3

しっぽ

トーチ

剣

槍

槍（騎兵用）

中世の武器
ミニフィギュアたちは武器をうまく使いこなせる──彼らをわなにかけたり守備につけてもいい。
（127ページ「攻城やぐら」参照）

ラウンドブロック
2×2

ラウンドプレート2×2

小径ホイールとピン付き
車軸プレート2×2（ピン2本）

ラウンドプレート1×1

クランク
（手回しハンドル）

レゴ®テクニック
垂直車軸コネクタ

ドーム型ブロック
2×2

アーチ窓1×2×2

上部ハンドル付きタイル
1×2

ラウンドブロック1×1

レゴ®テクニック
レゴ®テクニックのピースを
使えば、車輪が回り、大砲の
口が上下し、跳ね橋が落ちる。
（110ページ「クランク式
跳ね橋」参照）

レゴ®テクニック
リフトアーム

スロープ1×1

コーン1×1

グリルブロック
1×2

城の完成
屋根のピースやコーン、
スロープでお城は
完璧な仕上がりに。

レゴ®テクニック
十字軸8

プレート2×2
（下にリング2個付き）

レゴ®テクニック
車軸コネクタ

ジャンパープレート1×2

パネル1×4

両側傾斜スロープ2×4

穴あきブロック
1×2

十字穴あきブロック
1×2

4方向ポッチ付き
ブロック1×1

レゴ®テクニック
12歯ギア

穴あきブロック
1×1

レゴ®テクニック
ハーフピン

タイル2×2

円柱1×1×6

サイドリング付き
プレート1×1

アングルスロープ
2×16

タイル1×6

スロープ1×2×3

ラウンドブロック4×4

傾斜付きプレート2×4

逆スロープ
2×2

ハンドルバー付き
プレート1×2

クリックヒンジ付き
プレート1×2

ヘッドライト
ブロック1×1

コーナープレート
2×2

ターンテーブル
2×2

アングルプレート
1×2／2×2

シンプルなモデルにも、動くパーツやディテールをたくさん盛《も》りこめる!

ハーフアーチ
1×3×2

ログブロック1×2

プレート4×4

ブロック1×1×5

アーチブロック1×3

中世のアーチ
アーチは中世の建物に
よく見られる特徴。
きみの建物にも取り
入れてみよう。

アーチブロック1×6

側面ポッチ付きブロック1×4

ハーフアーチ
1×5×4

プレート1×12

ヒンジプレート1×4と
ヒンジプレート4×4

お城《しろ》

中世のお城は、とても大きく頑丈《がんじょう》な建物《たてもの》です。それ以外《いがい》の部分は、あなたの好《す》きなようにモデルを構築《こうちく》してかまいません。壮大《そうだい》に、派手《はで》に、質素《しっそ》に、強固《きょうこ》に、華麗《かれい》に、あるいは朽《く》ち果《は》てた感じに——そのすべてを組みこんだっていいんです！　昔のお城の写真やお気に入りの本や映画《えいが》から、いいアイデアを見つけましょう。旗《はた》、壁《かべ》にかかげたたいまつ、騎士《きし》のミニフィギュアなどのディテールが、作品を生き生きとさせてくれます。

組み立ての概要

目的: 中世の城を作る

用途: 王族や騎士の住居、村の防御、宝石や宝物のかくし場所

基本要素: 大きく頑丈、攻撃に負けない、華麗な建築様式

その他の要素: 城内の部屋、中庭、跳ね橋、堀、庭園、城壁内の町全体

ヒンジプレート

曲線的な胸壁《きょうへき》

丸い胸壁は、騎士たちがあらゆる方向を監視《かんし》できるので便利《べんり》です。ヒンジプレートで壁面を連結《れんけつ》し、円形や半円形、その他の好きな形に曲げていきます。

建築様式《けんちくようしき》

おもしろい様式を盛《も》りこむと作品の質《しつ》がぐんと上がります。ここでは、大きなアーチの奥《おく》にあるもうひとつの小さなアーチが、礼拝堂《れいはいどう》の壁に奥行きとディテールを加《くわ》えています。コーン、ラウンドブロック、ラウンドプレートを重ねた柱も、装飾的《そうしょくてき》できれいです。独創性《どくそうせい》がだいじです！

城砦《じょうさい》

城は長い時間をかけて建《た》てられ、歴代《れきだい》の王や女王が必要《ひつよう》なものを少しずつ加《くわ》えていきました。まずは、りっぱな城門《じょうもん》と城の中心的な建物から作りましょう。そのあと寝室《しんしつ》や見《み》張《は》り塔《とう》、食堂《しょくどう》、礼拝堂、店などを、思いつくままに加えていきます。少しくらいちぐはぐでもかまいません！

質素な城にも、華麗な部分があってもいい。コーンやタイル、側面ポッチ付きのピースで、印象的な彫刻がほどこせる。
部分ごとに材質を変えてもいい。木の壁には茶色のブロックを、石壁にはグレーを
中世の建物には、ログブロックがよく似合う
この城には礼拝堂まである

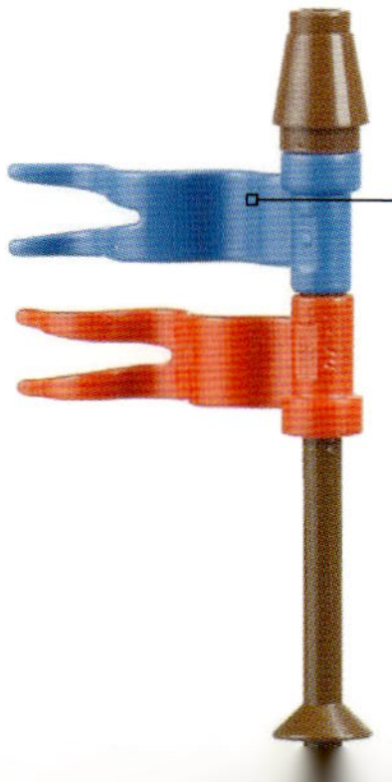
軍のシンボルカラーの旗をかかげよう。盾や、王や女王を示すプリントタイルを飾ってもいい

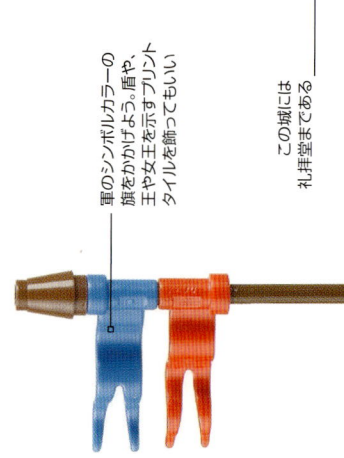

木造建築と格子窓は、いかにも中世らしい!

堂々とした城門。侵入者を撃退するために門楼を加えてもいい!（110−113ページ）

アーチ窓。アーチブロックがなければ、ハーフアーチや逆スロープを使おう

十字穴あきブロックで作った矢狭間（やはざま）

はびこる雑草が城の古さを物語る。手入れのいきとどいた庭園にしてもいい!

散らばるプレートやタイルは、崩れ落ちた残骸のよう

グリーンの基礎板でもいいが、丘の上や湖に浮かぶ島にも城を建ててみては?

濃淡さまざまなグレーのブロックやグリルブロック、ログブロックが、大きな石壁にめりはりを与える

ぽつんぽつんと混じるグリーンのブロックは、まるで苔むした石のよう!

跳《は》ね橋

お城《しろ》には、攻《せ》め入る敵《てき》から守る防御策《ぼうぎょさく》が必要《ひつよう》です。まずは、城砦《じょうさい》の前に堂々《どうどう》と立ちはだかるシンプルな門楼《もんろう》を作りましょう。そのあと、どのような方法《ほうほう》で城を守りたいかを考え、それに合ったしかけをデザインします。落とし格子《こうし》と呼《よ》ばれる重たい石の扉《とびら》や跳ね橋を作ってもいいでしょう。ここでは、跳ね橋のじょうずな作りかたを2つ紹介《しょうかい》します!

組み立ての概要
目的: 城を守る跳ね橋を作る
用途: 城門を守る
基本要素: 開閉するメカニズム
その他の要素: 装飾、番兵、砦

門楼《もんろう》

シンプルな門楼は、あなたの城を防御する最《さい》初《しょ》のポイントになるかもしれません。門の両はしにあるグレーのブロックとレゴ®テクニック ハーフピンで跳ね橋を取り付《つ》けます。

門は、騎士が馬に乗って通れる高さにすること!
レゴ®テクニック ハーフピンで跳ね橋が上下する

クランクで跳ね橋を操作する

開いた状態《じょうたい》

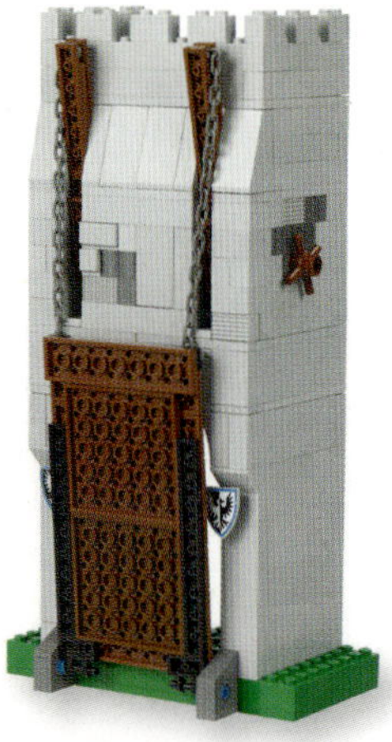

閉じた状態

レバーを押すと、歯車が解除されて跳ね橋が勢いよく落ちる!

中世風のしかけ

レゴ®テクニックの歯車が回るとリフトアームが上がり、チェーンが上に引っぱられて跳ね橋が上がります。レバーで車《しゃ》軸《じく》コネクタと歯車をロックし、跳ね橋が落ちないようにしています。

クランク式跳ね橋

クランク方式は、跳ね橋を上下させるシンプルな方法です。からくりは、門楼の上にある石の胸壁《きょうへき》の奥《おく》にあります。レゴ®テクニックのブロック、車軸、歯車を使い、門楼の側面《そくめん》にあるクランク(手回しハンドル)で跳ね橋を操作《そうさ》するしくみです。

跳ね橋は、閉じたときに入口全体がかくれる幅にする
リフトアームに取り付けたチェーンで跳ね橋を引き上げる

ケーブル式跳ね橋

橋を跳ね上げる方法はひとつではありません！　この門楼では、チェーンとリフトアームのかわりにスプール（糸巻《ま》き）と細いケーブルを使った方式を用いています。しかけは、門楼の質素《しっそ》な部屋《へや》の中にあります。

ケーブルをしっかり留《と》めて

ハンドルバー付きプレートを2枚《まい》使い、跳ね橋のケーブルをしっかり固定《こてい》します。まず両方のハンドルにケーブルを通してから、プレートを跳ね橋の下にはめこみます。

ウィンチ

手回し式のウィンチは歯車方式よりも時間がかかるが、役目はちゃんと果たせる!

スプール方式

門楼内のウィンチにケーブルを取り付け、外のハンドルで回します。この方式はほとんど場所をとらないため、門楼の室内には番人や武器《ぶき》を入れるスペースができます。

グレーのブロックがたりなければ、門楼の上の部屋は木の色のブロックで作ればいい!

十字穴あきブロックにケーブルを通す

レゴ®テクニックのパーツがなければ、ヒンジブロックかヒンジプレートを使って、跳ね橋が動くように組み立てよう

ハンドルバー付きプレート

閉じた状態

ウィンチ

開いた状態

落とし格子《こうし》

落とし格子は、滑車《かっしゃ》で上げ下げするずっしりと重たい戸です。これもまた、味方を城内《じょうない》へ入れ、敵《てき》を締《し》め出すためのすばらしい方法《ほうほう》です。まず前ページと同じようなシンプルな門楼《もんろう》を作り、それから落とし格子を取り付《つ》けるための調整を行います。

組み立ての概要

- **目的:** 城を守る落とし格子を作る
- **用途:** 侵入者の撃退
- **基本要素:** 簡単に上げ下げできる落とし格子
- **その他の要素:** 門楼、砦

やれやれ、
落とし格子のおかげで、おれたちの出番がちっとも回ってこない！
門楼を守る騎士や兵士を配置する
高い門楼には、格子戸が完全に上がりきるだけのスペースがある
1×1のラウンドブロックとプレート、小さなアーチで作った装飾窓
門楼の壁に城の紋章を飾ろう。旗や武器をかかげてもいい!

2枚の壁のあいだに、ブロック1個分の幅のすきまをあける

門のすきま

門楼の前面の壁《かべ》の内側《うちがわ》に、狭《せま》いすきまをあけて壁をもう1枚作ります。屋根を作る前に、そのすきまに格子戸を落としておきます。こうすると、戸は門楼に閉《と》じこめられますが、上下に自由に動かせます。

落とし格子

この落とし格子は、細長いうす型《がた》プレートを縦横《じゅうおう》に交差《こうさ》させて作ったもので、特別《とくべつ》なピースはいっさい必要《ひつよう》ありません。てっぺんのハンドルバー付きプレートに取り付けた糸で、2枚の壁のあいだを上下させます。

壁のブロック

石壁らしいリアルな質感《しつかん》を出すなら、ふつうのブロックの中にグリルブロックやログブロックをまぜたり、2個《こ》のヘッドライトブロックに1×2のタイルをはめて、ところどころ出っ張《ぱ》らせると効果的《こうかてき》です。

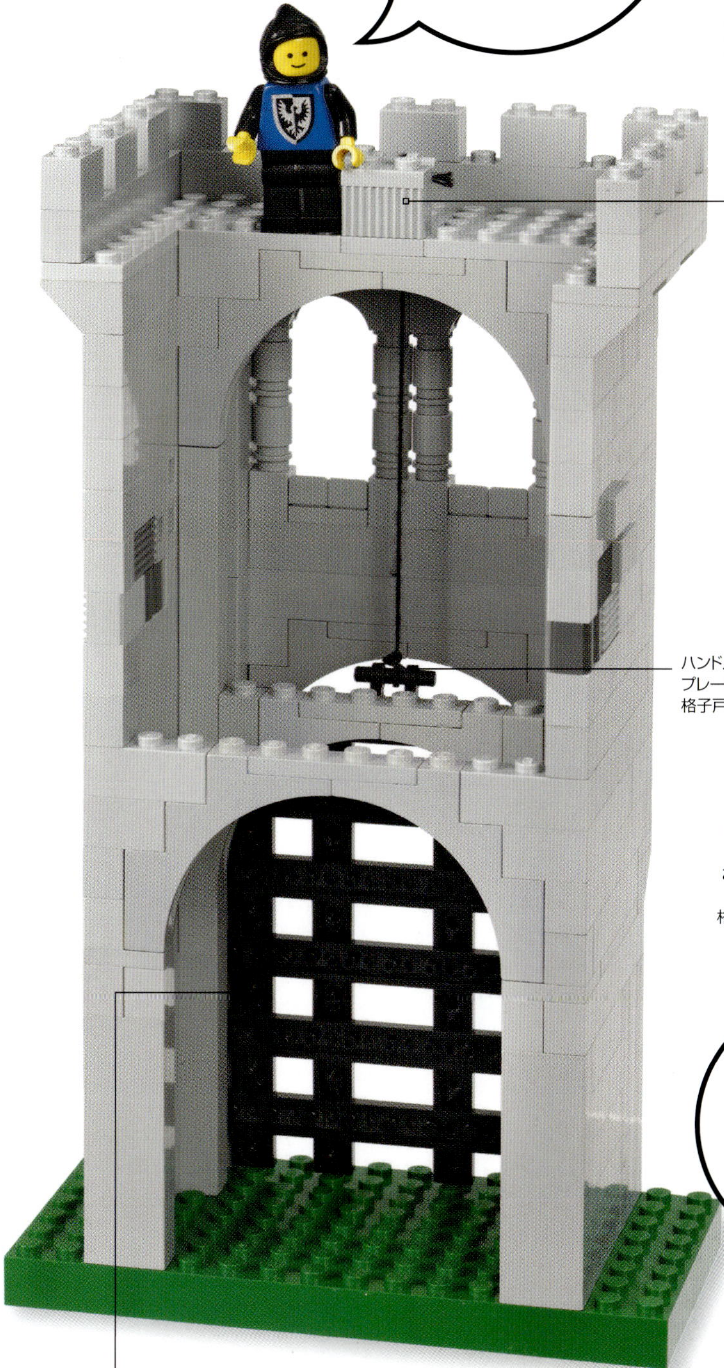
合い言葉を
知らない人は、
入れないよ!

落とし格子が閉じているときには、糸の端に付いているブロックは塔のてっぺんにある

ハンドルバー付きプレートで糸と格子戸をつなぐ

門楼の裏側に、もうひとつ落とし格子を付けてもいい!

格子戸が下りた状態《じょうたい》

ほんとか?
よし……合い言葉は
「おれを入れないと
痛《いた》い目にあうぞ」
だ!

門を開けるには、ブロックを引きおろしてアーチの上に連結させ、格子戸が落ちないよう固定する

さえぎるものが何もないので、格子戸がスムーズに動く

格子戸が上がった状態

お城《しろ》の扉《とびら》

お城の扉を作るときには、まず目的《もくてき》を考えましょう。王の行進や華々《はなばな》しい入城《にゅうじょう》には、大きく華麗《かれい》な扉。招《まね》かれざる客を締《し》め出すなら、頑丈《がんじょう》で内側《うちがわ》から錠《じょう》が下りる扉。宝《たから》がいっぱいつまった部屋《へや》を守る、かくし扉もあったほうがいいかもしれません。どんな扉にするかは、あなたしだいです!

組み立ての概要

目的: 城の扉を作る
用途: 人を入れる、あるいは締め出す!
基本要素: 開閉できること
その他の要素: 錠、わな、シンボル、かくし扉

危険《きけん》な扉

悪党《あくとう》の城の扉は、近づくヒーローたちを「入るな!」と威嚇《いかく》するものでなければなりません。ごくふつうのブロックとタイルで作ったこのシンプルな扉は、クリップとハンドルバーでドア枠《わく》に連結《れんけつ》しています。

扉をはずしてみると

最初《さいしょ》にぶきみな扉を作ります。次に、そのまわりにドア枠を作っていきます。こうすれば、クリップ付《つ》きのピースをはめこむ位置《いち》が正確《せいかく》につかめるからです。

コウモリや燃えさかるたいまつでも、おどろおどろしい感じに!

めずらしい形や大胆な形のピースを使った、ぶきみな装飾

カチャガチャと鳴るチェーンは、中で待ちかまえる恐怖を予感させる

つののピースが侵入者を威嚇する。歯プレートや工具のピースを使ってもいい

ウェルカムマットは敷かない!

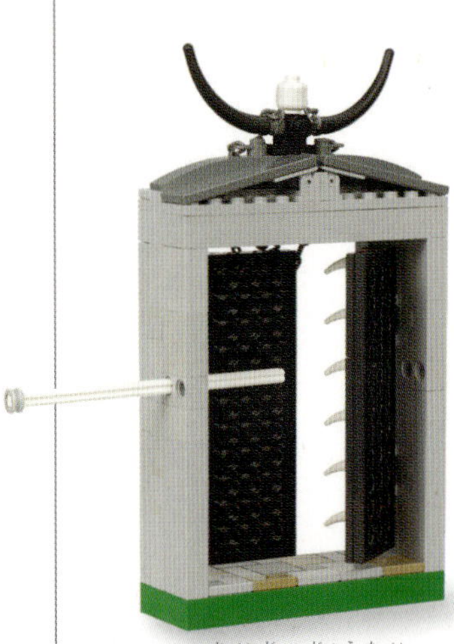

解除状態《かいじょじょうたい》

ロック状態

ロックのしくみ――穴あきブロックにレゴ®テクニック十字軸を通し、扉をロックする

かくし扉

かくし扉を作る際のポイントは、城壁《じょうへき》と見分けがつかないようにすること。後ろにクリップ付きプレート2枚《まい》を組みこんだアーチ型《がた》の入口を作り、それに合わせて扉をデザインします!

入口の壁にクリップを付けて、秘密のレバーを兼ねた剣や盾、たいまつなどを取り付けてもいい
形や色合いの異なるグレーのブロックで作った古風な石壁
古くて崩れかけた感じに見えるグリルブロックは、幽霊が出る城にうってつけ!

ひと押しすると、秘密の入口があらわれる

背面《はいめん》——扉が開いた状態

前面——扉が閉まった状態

前面——扉が開いた状態

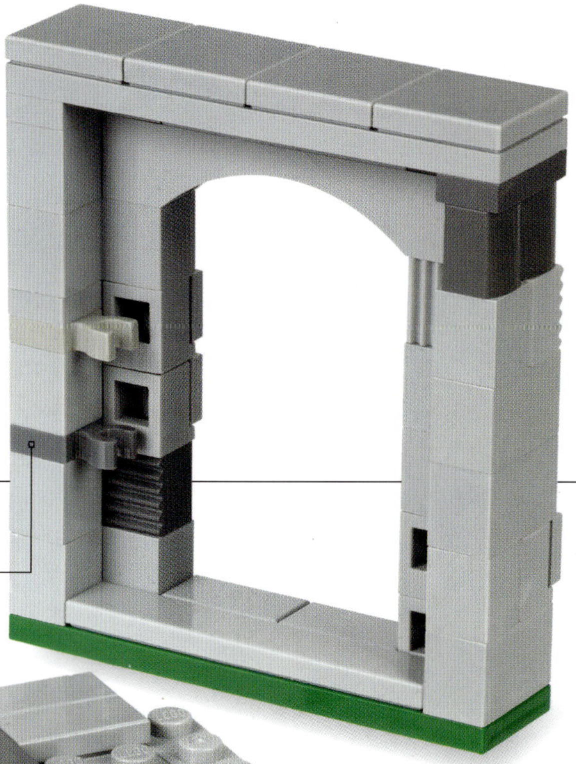
水平クリップ付きプレートが扉を固定し、ヒンジの一部となる

扉のデザイン

ベーシックなプレートがほんの数枚あれば扉の土台ができます。それをドア枠のまわりのタイルと同じ色やデザインのタイルで覆《おお》います。これでかくし扉のカムフラージュは完《かん》璧《ぺき》! 扉がスムーズに開くように、まわりに十分なスペースをとりましょう。

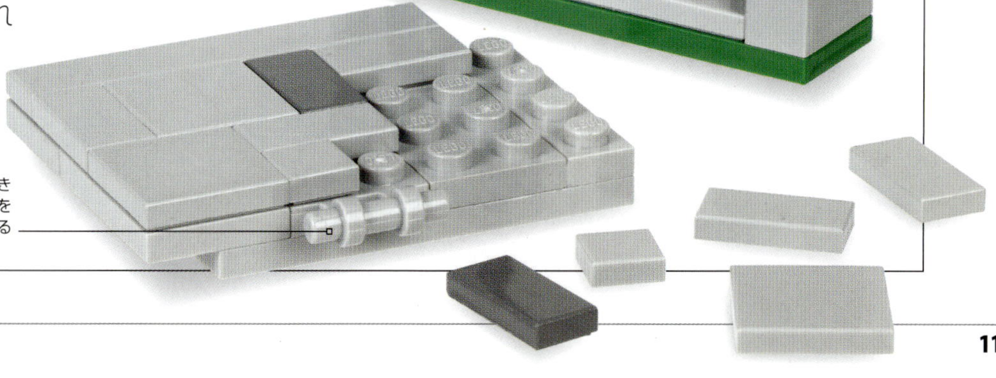
ハンドルバー付きプレートは、上からタイルをかぶせて固定する

わな

中世のシーンを構築《こうちく》するなら、お城《しろ》にさらなるディテールを加《くわ》えてみませんか？　あなたのお城には秘密《ひみつ》の宝《たから》がかくされていて、盗賊《とうぞく》たちの手から守らなければならないかもしれません。あるいは、敵《てき》をまんまとわなにおとしいれる賢《かしこ》い方法《ほうほう》をあみ出さなければならないかもしれません。卑劣《ひれつ》なわなをデザインし、秘宝《ひほう》を守りぬきましょう！　動きのある部分を加えることで、より生き生きとした作品になります。

組み立ての概要
目的: 中世のわなを作る
用途: 動く部分を楽しむ
基本要素: 回転、落下、切断のしかけ
その他の要素: 迷路、地下牢

車軸をゆるみのある穴にはめこむことで、斧がすばやく振りおろされる
斧のピースを使うか、槍やバーに斧の刃を付けてもいい
だれかがつまずく前に、チェーンを片《かた》づけておこう。おっと、あぶない……
チェーンを引いて、侵入者を不意打ちしよう！

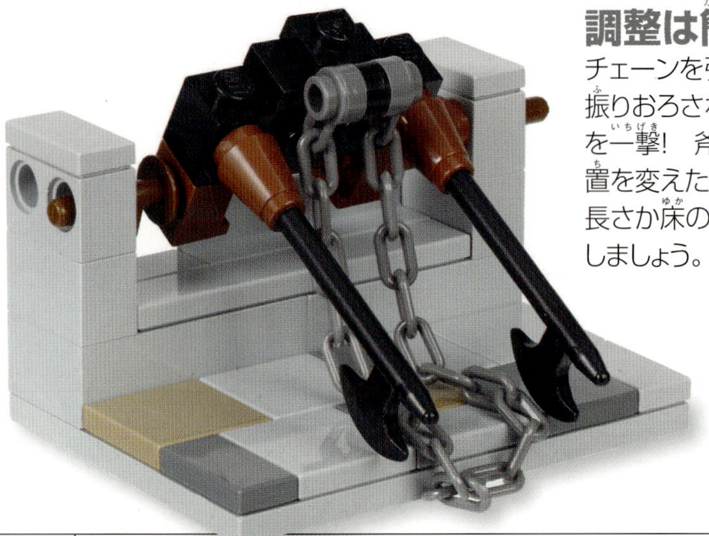

調整は簡単《かんたん》

チェーンを引くと斧《おの》が振《ふ》りおろされ、侵入者《しんにゅうしゃ》を一撃《いちげき》！　斧が当たる位置《いち》を変えたければ、斧の長さか床《ゆか》の広さで調整しましょう。

斧《おの》の一撃《いちげき》

このわながあれば、お城がぐんとおもしろくなります。まず斧の付いた回転部分を組み立て、スムーズに動くことを確認《かくにん》します。わなが見えないように、後ろと両わきを覆《おお》う壁《かべ》を作ってもいいでしょう。

落とし戸

戸がぱっと開いて一瞬《いっしゅん》にして人が消えるように、落とし戸は高い位置《いち》に作ります。戸の部分が床《ゆか》（石または木の）と見分けがつかないようにして、何も知らないミニフィギュアの度肝《どぎも》を抜《ぬ》きましょう!

役目は別《べつ》

落とし戸を支《ささ》えているのは、2本の槍《やり》のピースです。一方はヒンジの役目を果《は》たし、もう一方の槍を引くと戸がパタンと下に開きます。

戸が開きすぎないようにストッパーでおさえる

いい眺《なが》めだ。さて、どうすれば下りられるかな?
手すり——階段を付けてもいい
この台をお城の床の一部にして、中世の場面に組みこもう!
戸の部分は、台のほかの部分と別に作る
落とし戸を開くポールの先に、つまみやすいように取り付けたピース
落とし戸が簡単に開くように、槍は大きめの穴に通してある
落とし戸から(はるか昔に!)落ちたミニフィギュア

騎士《きし》の馬

騎士にとって、忠実《ちゅうじつ》な馬はなくてはならないもの。歩きなんて、とんでもない! レゴ® キャッスルのセットの多くに馬のピースが入っていますが、自分で組み立てることもできます。それぞれの馬に個性《こせい》を与《あた》えるのは簡単《かんたん》です。鞍《くら》や、馬よろいと呼《よ》ばれる装具《そうぐ》を特注《とくちゅう》で作ってあげましょう。騎士のよろいも、馬とおそろいにしてはいかが?

組み立ての概要

- **目的:** 騎士にふさわしい馬を作る
- **用途:** 馬に乗って勇敢に戦う
- **基本要素:** おもしろくてカラフル
- **その他の要素:** 紋章、羽飾り、三角旗、武器、盾の装飾

羽飾りのピースがなければ、炎や羽根、バイキングのつのを使えばいい!
これぞまさに、流行に乗るってやつだな!
かぶとの穴に羽飾りなどの装飾をつける
馬上槍試合のときには、剣を槍に交換!
レゴ®ブロックのよろいにはいろいろな形や色がある。軍隊のカラーに合ったものを選ぼう
馬を保護するために、馬かぶとを付けてもいい
チェーンを付けると、装甲した強そうな馬に見える
傾斜付きプレートとタイルで作った馬よろい。形のちがうプレートを使えば、ひとつひとつデザインの異なる鞍になる
旗のピースは馬よろいにも最適!
色を変えて軍隊の個性を出そう

馬に乗った騎士

レゴ®ブロックの馬の表面で組み立てが可能《かのう》なのは、騎士の足が連結《れんけつ》する部分だけです。そのため、馬よろいを作る場合は、その部分から外側《そとがわ》に向かって組み立てていきます。2方向への組み立てには、クリップ付《つ》きプレートとバー付きプレートが便利《べんり》です。

チェーンを
はずす《オフ》と
手に負えない《オフ・サ・チェーン》!
レゴ®ブロックの鞍を
使ってもいいし、自分で
作ってもいい!
水平クリップ付き
プレート1×1
この部分を、鞍の1×1
の水平クリップ付き
プレートと連結させる
タイル1枚でプレートを
固定できるので、あまり
かさばらない

新旧の茶色い
ブロックをまぜた
ツートーンの毛皮。
自分なりのデザイン
を生み出そう!
コーンで
作った耳
溝のまわりの
ブロックの色を
変えて鞍に見立て
てもいい
黒いラウンドブロック
で作ったひづめ

ブロックの馬

騎士が乗る馬がなければ、作ってみましょう! このブロック製《せい》の馬の背中《せなか》には、ミニフィギュアがちょうどはまる溝《みぞ》があります。体の部分には、シンプルなブロックとプレート、それにスロープと逆《ぎゃく》スロープがいくつか使われています。

荷馬車

中世の村人たちには、市場へ行くのに便利《べんり》な荷馬車が欠《か》かせません。荷馬車を組み立てる前に、何を運ぶかを考えましょう。食料、道具、それともお客? 槍《やり》やスパイクをたくさん付《つ》ければ、装甲《そうこう》した戦闘《せんとう》馬車にもなります!

組み立ての概要
目的: 荷馬車を作る
用途: 移動、輸送
基本要素: 馬が引く、物資を運ぶ
その他の要素: ランタン、修理工具、馬のえさ

四輪荷馬車では、たいてい後輪よりも前輪が小さい

底面《ていめん》

木製《もくせい》の四輪《りん》荷馬車

この荷馬車は荷台が大きく、町から町へたくさんの物資《ぶっし》を運べます。まず、馬と連結《れんけつ》する部分を先に組み立て、各《かく》部分の高さがちょうどよくなるよう、また4つの車輪《しゃりん》がすべて地面と接《せっ》して均等《きんとう》に回るようにします。

摘《つ》みたての新鮮《しんせん》なブロックを市場へ運んでいくんだよ!
質素なずきんで、御者が騎士や王ではなく農民だとわかる
茶色のタイルで作った板囲い。きれいにペンキを塗った荷馬車には明るい色を
前輪の向きが変わっても御者台は動かない
車輪が回転したときに荷台部分とぶつからないようにする
レゴ®ブロックの馬がなければ自分で作ってみよう!(119、143ページ)

ターンのからくり

馬が方向を変《か》えると前輪の車軸《しゃじく》が回転し、後ろの部分を引っぱります。ターンテーブルやレゴ®テクニック ピンなど、ターンできる荷馬車が作れるピースはほかにもあります。

丸い茶色のプレートをターンテーブルに連結させることで、前輪の車軸が回転する

二輪荷馬車

四輪荷馬車とちがって車輪が2つしかないので、ステアリングのしくみは必要《ひつよう》ありません。馬と荷車をつなぐ方法《ほうほう》はいろいろありますが、ここでは長いバーとサイドリング付きプレートを使っています。

荷おろしのときは
荷台の後ろが
ぱっと下に開く
ロボットアームで
荷台の後ろにグリル
を取り付ける
サイドリング付き
プレート
馬車の車輪のかわりに
大きなラウンドブロックを
使っている

ばらばらにしてみると

ロールケージは、レゴ®テクニック ハーフビームで土台に連結しています。下にリングが2個《こ》付いたプレートが十字軸を固定《こてい》しています。

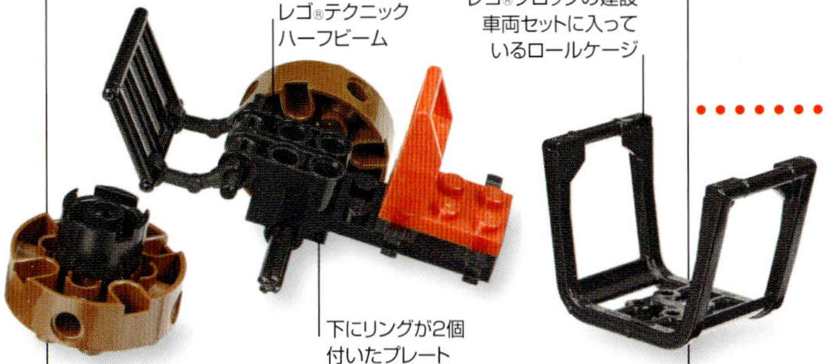

レゴ®テクニック
ハーフビーム
レゴ®ブロックの建設
車両セットに入って
いるロールケージ
下にリングが2個
付いたプレート

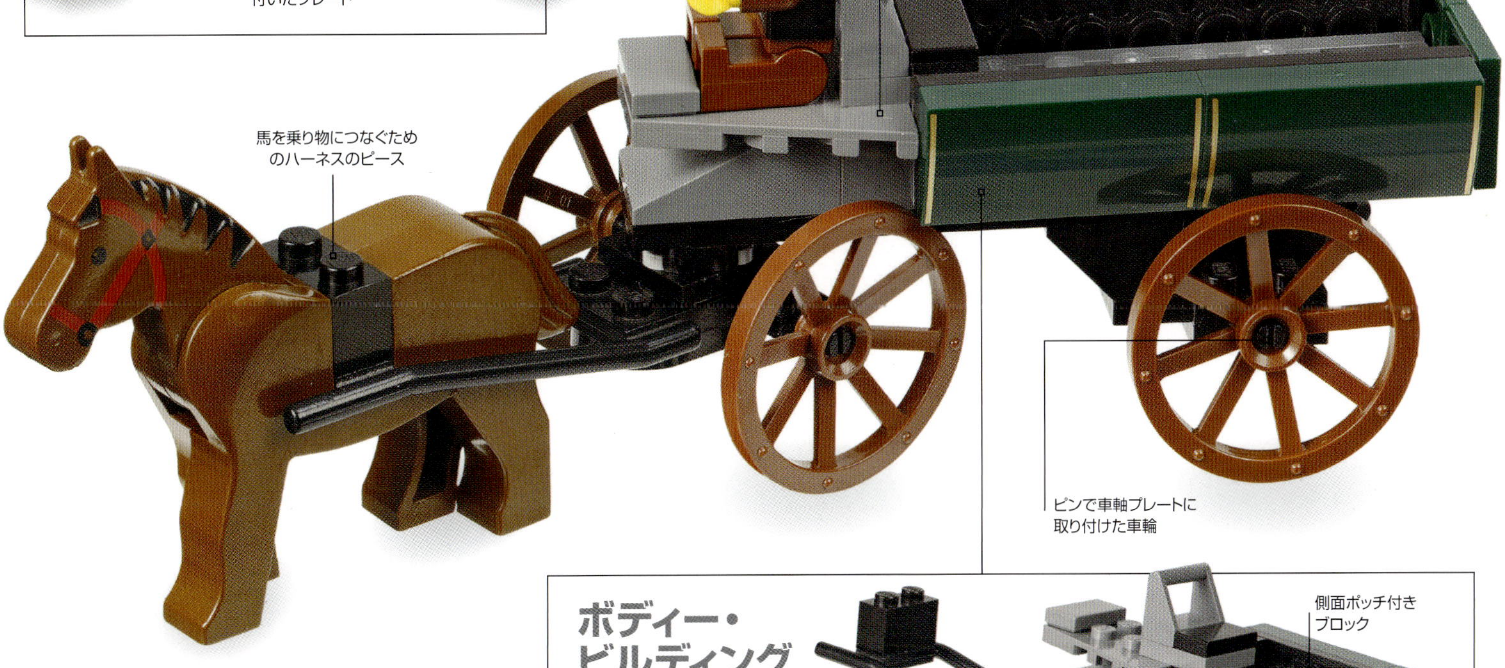

座席は、御者が
馬を見おろせる
高い位置に
曲面ブロックで作った
半円筒型の車体。曲面
ハーフアーチを使ってもいい
馬を乗り物につなぐため
のハーネスのピース
ピンで車軸プレートに
取り付けた車輪

グリーンの四輪荷馬車

この荷馬車では、回転する前輪の車軸と馬とをハーネスのピースを使ってつないでいます。手持ちの専用《せんよう》ピースを生かし、望《のぞ》みどおりの荷馬車に仕上げましょう!

ボディー・ビルディング

車体《ボディー》の形や大きさはご自由に! この荷馬車の車体は、1枚の黒い長方形のプレートを中心に組み立てられています。側面ポッチ付きブロックが側板をしっかり固定しています。

側面ポッチ付き
ブロック

ドラゴン

火を吹《ふ》く荒々《あらあら》しいドラゴンがいなければ、中世の世界は完成《かんせい》しません。ドラゴンは伝説《でんせつ》上の生き物なので、どんな姿《すがた》にしなければならないという決まりはありません。スパイク、牙《きば》、つの、しっぽ、チェーン、カーブ、それに翼《つばさ》も好《す》きなだけ付《つ》けましょう! ほかにいいアイデアは?

組み立ての概要
目的: 恐ろしいドラゴンを作る
用途: 城を守る、敵を攻撃する
基本要素: 大きな翼、鋭い牙、炎の息、動く手足
その他の要素: ドラゴンの洞窟、ベビードラゴン、ミニフィギュアが乗る鞍

空飛《と》ぶヘビ

この細くしなやかなドラゴンは、レゴ®テクニックのパーツをふんだんに使った、ひねりのきいた体をもっています。背中《せなか》はボール&ソケット・ジョイントで形を作り、腕《うで》は車軸《しゃじく》とレゴ®テクニックハーフビームでできています。

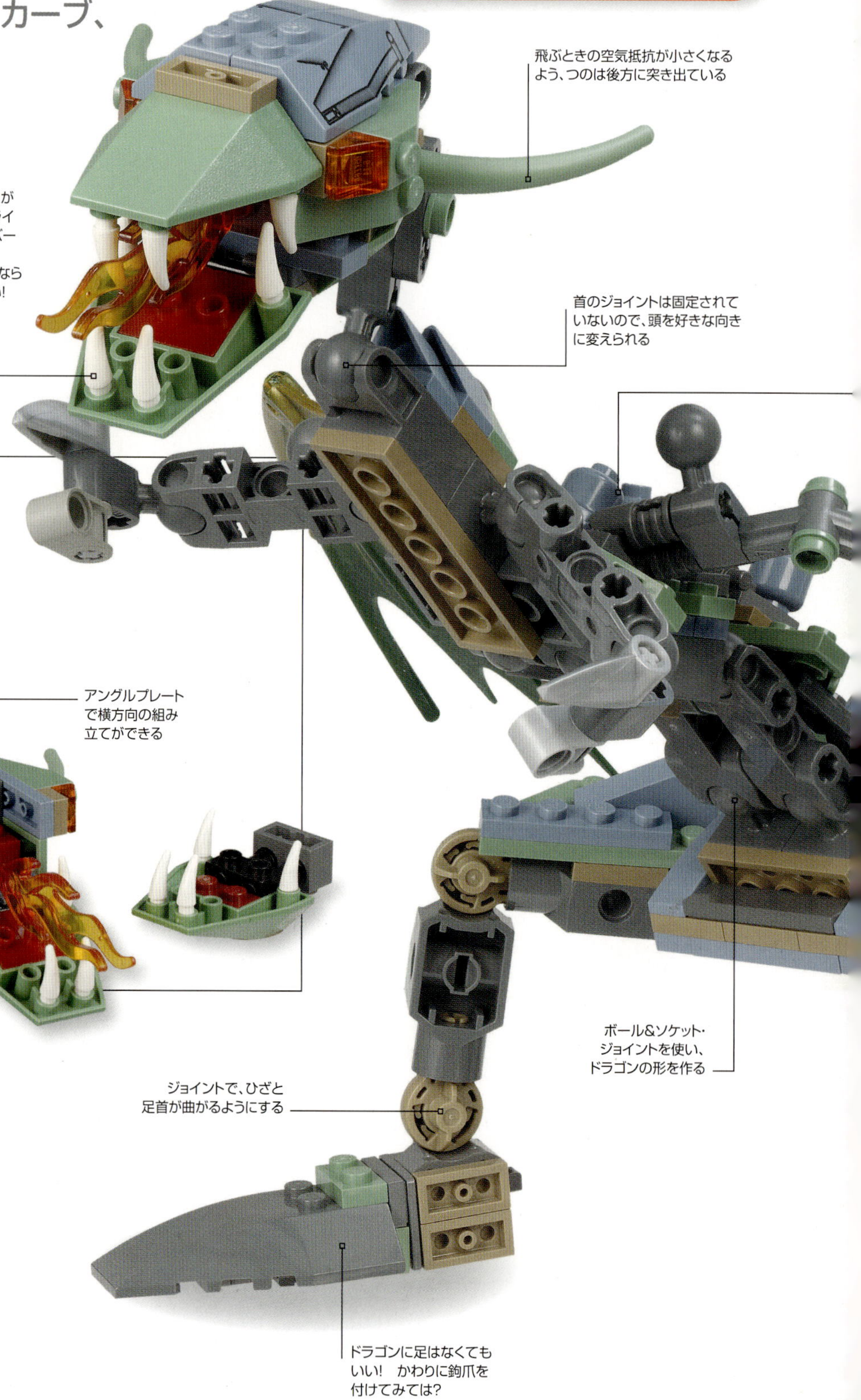

飛ぶときの空気抵抗が小さくなるよう、つのは後方に突き出ている
つののピースがなくても、ドライバー、短剣、バーなど、長くてとがったものならなんでもいい!
首のジョイントは固定されていないので、頭を好きな向きに変えられる
ボール&ソケット・ジョイントを使い、ドラゴンの形を作る
ジョイントで、ひざと足首が曲がるようにする
ドラゴンに足はなくてもいい! かわりに鉤爪を付けてみては?

頭の中は

ドラゴンの頭部は4方向に組み立てられています。底の部分はポッチを上向きに、スロープを使った側面《そくめん》は左右それぞれ外側《そとがわ》に向けて、口の中のジャンパープレートは前に向け、そこに炎《ほのお》のピースを取り付けます。

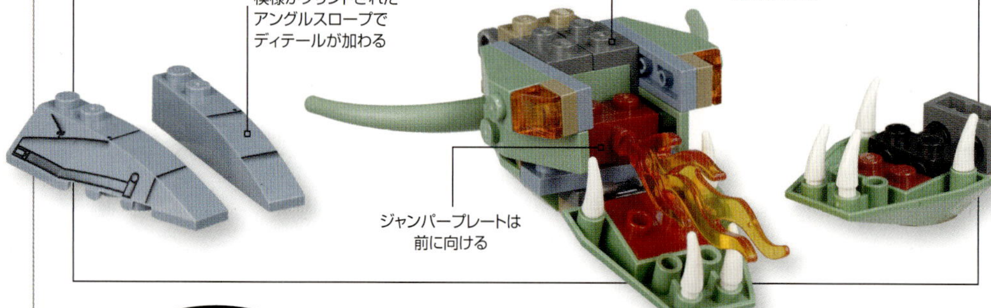

模様がプリントされたアングルスロープでディテールが加わる
アングルプレートで横方向の組み立てができる
ジャンパープレートは前に向ける

いくら
耐熱《たいねつ》プラスチック製《せい》
の体でも、やっぱり
怖《こわ》い!

きみのミニフィギュアは、ドラゴンを手なずけられるか?

腰の土台は
幅広く頑丈に

底面《ていめん》

小さな透明の
ピースは、恐ろしげに
光る目になる
このピースがなければ、ヒンジ
プレートまたはクリップとバー
で連結させるピースを使って
動く関節を作ろう

側面《そくめん》

姿勢《しせい》を保《たも》つ

ドラゴンの背骨《せぼね》はレゴ® テクニックのジョイントでできていますが、重みで前に倒《たお》れないように角度を固《こ》定《てい》してあります。背骨に沿《そ》ってはめこんだ傾斜《けいしゃ》付きプレートが、姿勢を一定に保ってくれます。

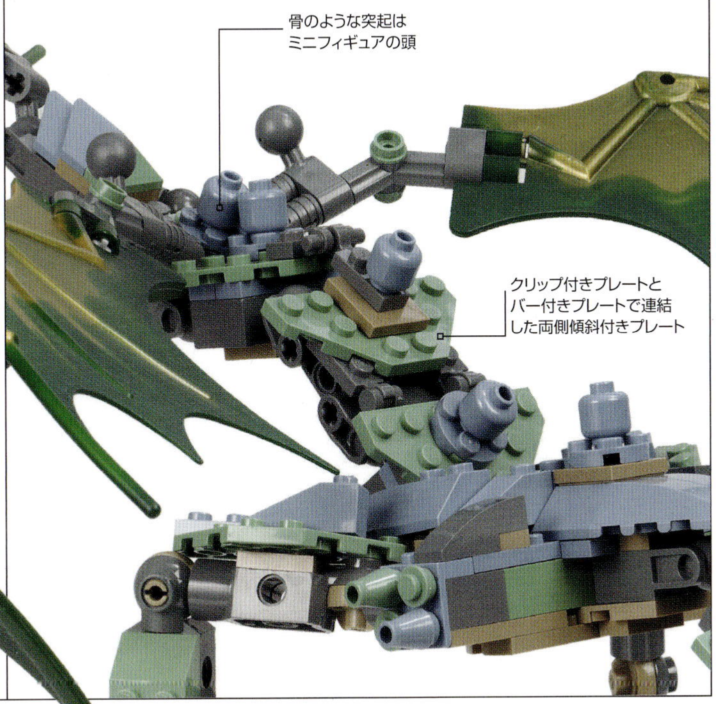
骨のような突起は
ミニフィギュアの頭
クリップ付きプレートと
バー付きプレートで連結
した両側傾斜付きプレート

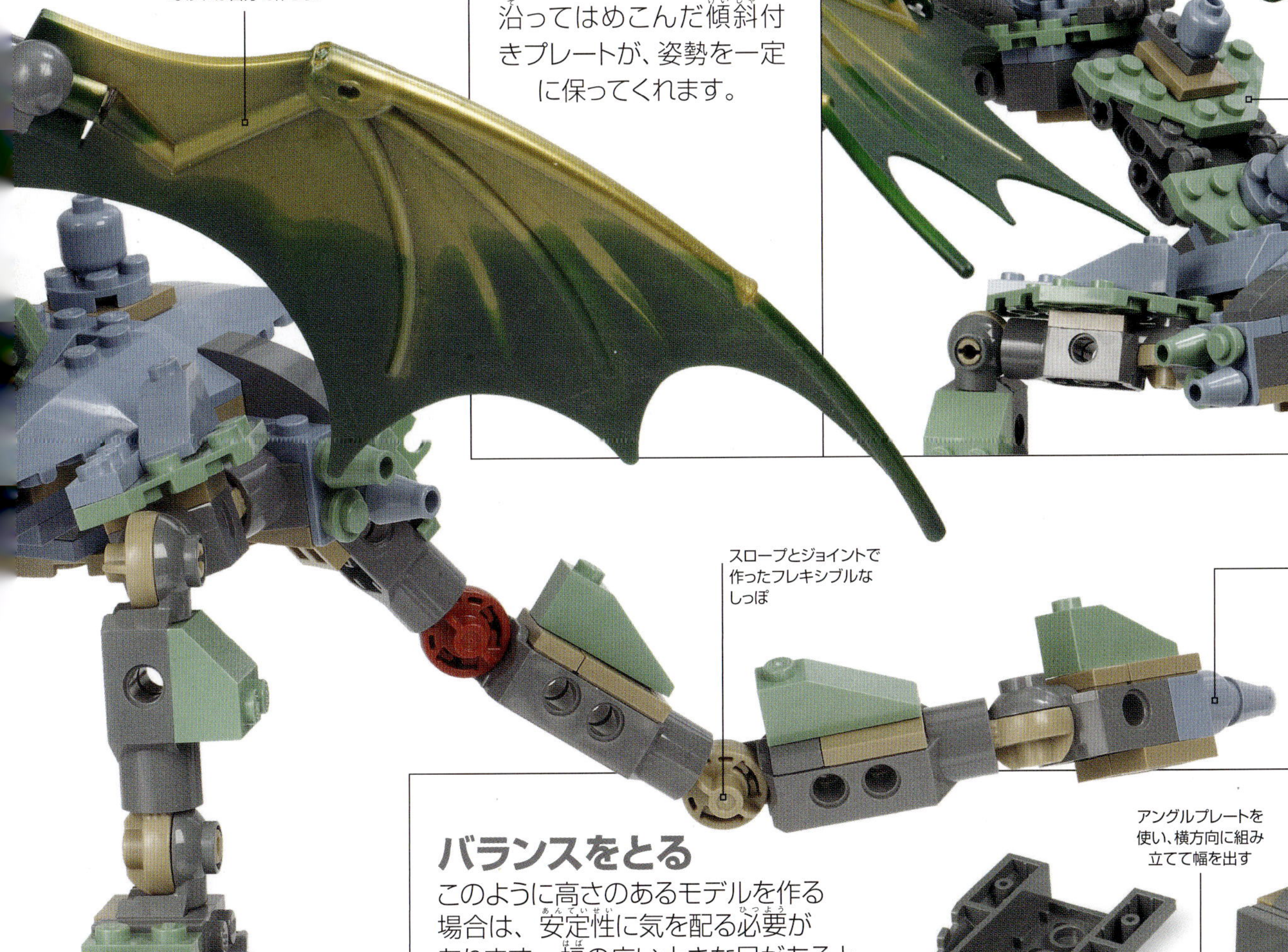
ドラゴンの翼の専用ピースが
なければ自分で作ろう!
スロープとジョイントで
作ったフレキシブルな
しっぽ
しっぽの先端は、スパイク
や触手、アンテナのピース
を使ってもいい!

バランスをとる

このように高さのあるモデルを作る場合は、安定性《あんていせい》に気を配る必要《ひつよう》があります。幅《はば》の広い大きな足があると、ドラゴンが立ったときにバランスがとりやすくなります。

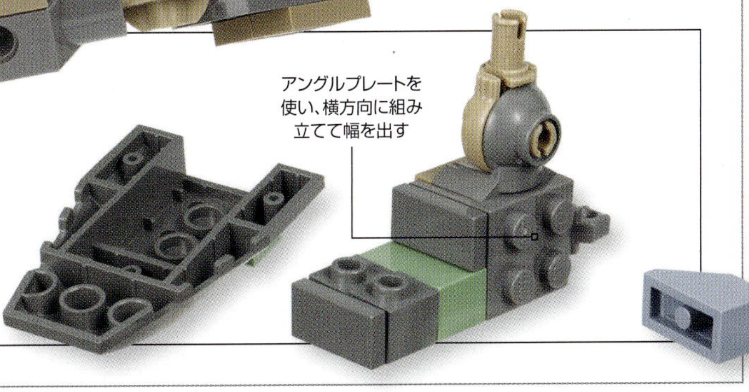
アングルプレートを
使い、横方向に組み
立てて幅を出す

破城槌《はじょうつい》

破城槌（バッテリング・ラム）は、中世の戦車《せんしゃ》のようなもの——重く、強く、ほぼ無敵《むてき》です。がっしりした外枠《そとわく》と、振《ふ》り子のように前後に揺《ゆ》れ、厳重《げんじゅう》に防御《ぼうぎょ》された敵の城《しろ》を突破《とっぱ》する強靭《きょうじん》なラム（槌《つち》）が必要《ひつよう》です。また、ミニフィギュアの騎士《きし》たちがこの巨大《きょだい》な装置《そうち》を移動《いどう》させるための車輪《しゃりん》も必要です!

組み立ての概要
目的: 破城槌を作る
用途: 敵の要塞を突破する
基本要素: 強さ、頑丈さ、スイング機構
その他の要素: 車輪、盾、装甲板、旗

スイングしてスマッシュ!

この破城槌では、ラムを支《ささ》える外枠にスイング機構《きこう》が組みこまれています。城を攻める側《がわ》はラムを後ろから大きく引いて手を放します。あとは重力とはずみにおまかせ!

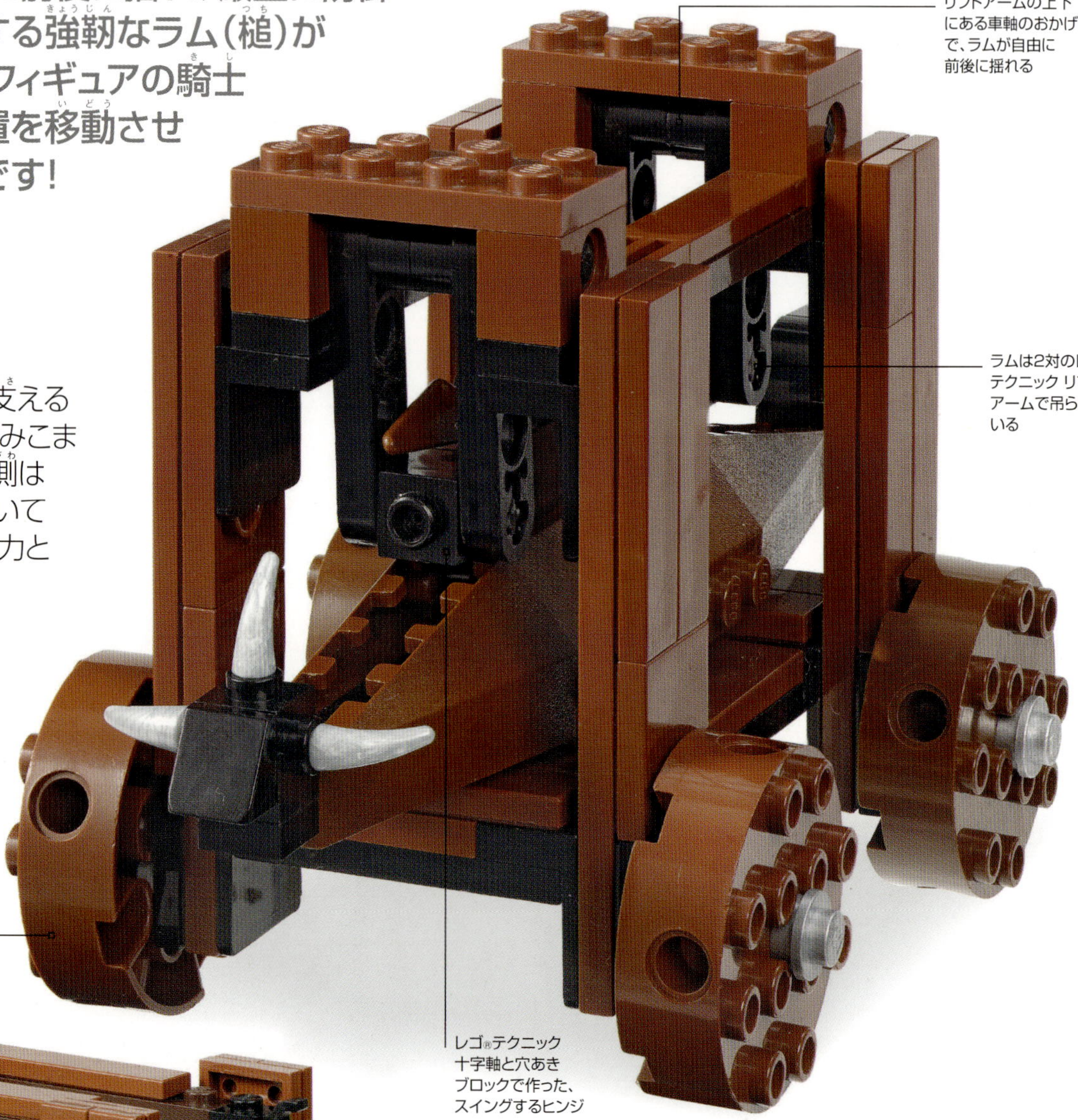

リフトアームの上下にある車軸のおかげで、ラムが自由に前後に揺れる

ラムは2対のレゴ® テクニック リフトアームで吊られている

馬車の車輪を使えば、より軽量でスピードが速くなる

レゴ®テクニック十字軸と穴あきブロックで作った、スイングするヒンジ

背側面《はいそくめん》

ブロックをオーバーラップさせ、できるだけ丈夫な外枠を作る

アングルプレートで土台と側面を連結させる

銀色のプレートが、重量を支える金属のボルトに見える

朝になって城門《じょうもん》がバリッと開くときの音が好《す》き!

ラムをできるだけ
大きく後ろへ引く
側面ポッチ付き
ブロックに、つの、
スパイク、または
装甲板を付ける

側面（後ろへ引かれる）

前へ大きく飛び出す
ように、ラムは外枠
よりも長くする

側面（前へ飛び出す）

乱打《らんだ》できる構造《こうぞう》

ラムの2つのピースをつなぎ合わせているのは、1×1のサイドリング付《つ》きプレートです。このプレートは、上のレゴ®テクニックのメカニズムとも連結《れんけつ》しています。

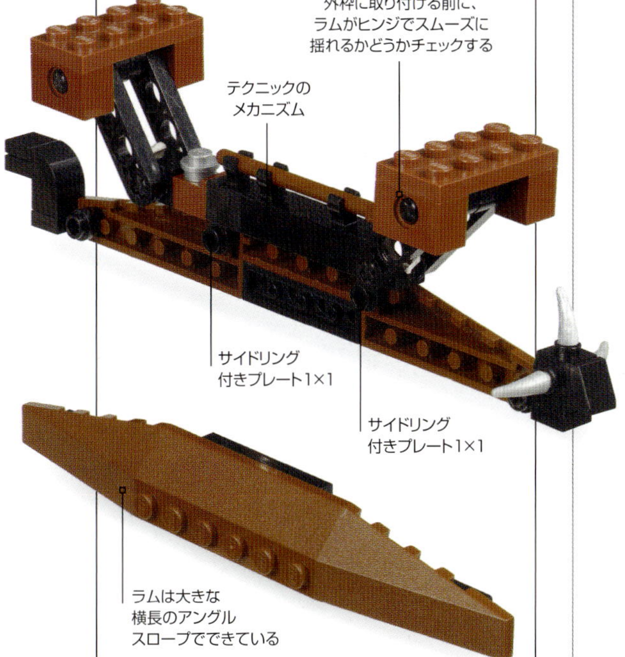
外枠に取り付ける前に、
ラムがヒンジでスムーズに
揺れるかどうかチェックする
テクニックの
メカニズム
サイドリング
付きプレート1×1
サイドリング
付きプレート1×1
ラムは大きな
横長のアングル
スロープでできている

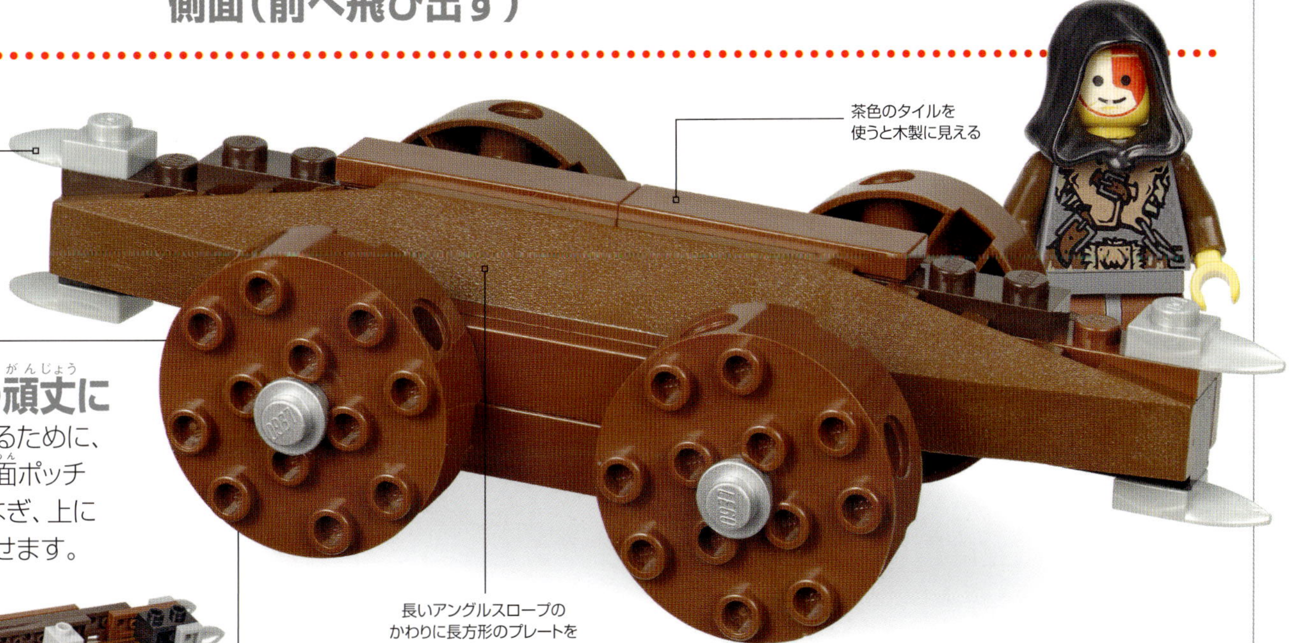
歯プレートで
できた鋭いスパイク
茶色のタイルを
使うと木製に見える
長いアングルスロープの
かわりに長方形のプレートを
使ってもいい

シンプルかつ頑丈《がんじょう》に

頑丈な破城槌にするために、左右のピースを側面《そくめん》ポッチ付きブロックでつなぎ、上に長いタイルをかぶせます。

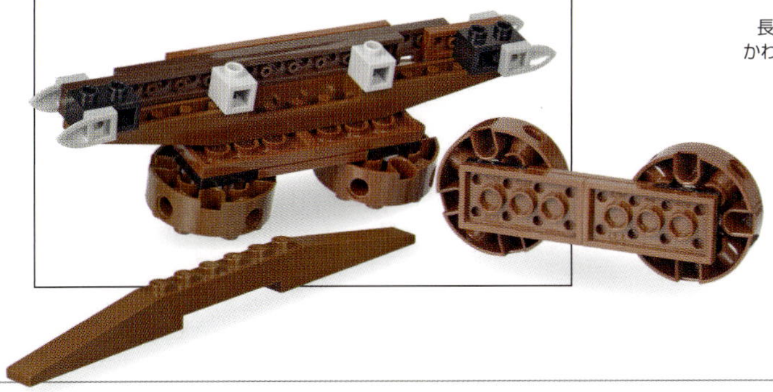

シンプルな破城槌

破城槌をスイングさせるレゴ®テクニックのパーツがなくても、がっかりすることはありません！　シンプルバージョンの破城槌でも、うまく敵の城壁《じょうへき》を崩《くず》すことができます。城門を打破《だは》するときのために、頑丈に作っておきましょう！

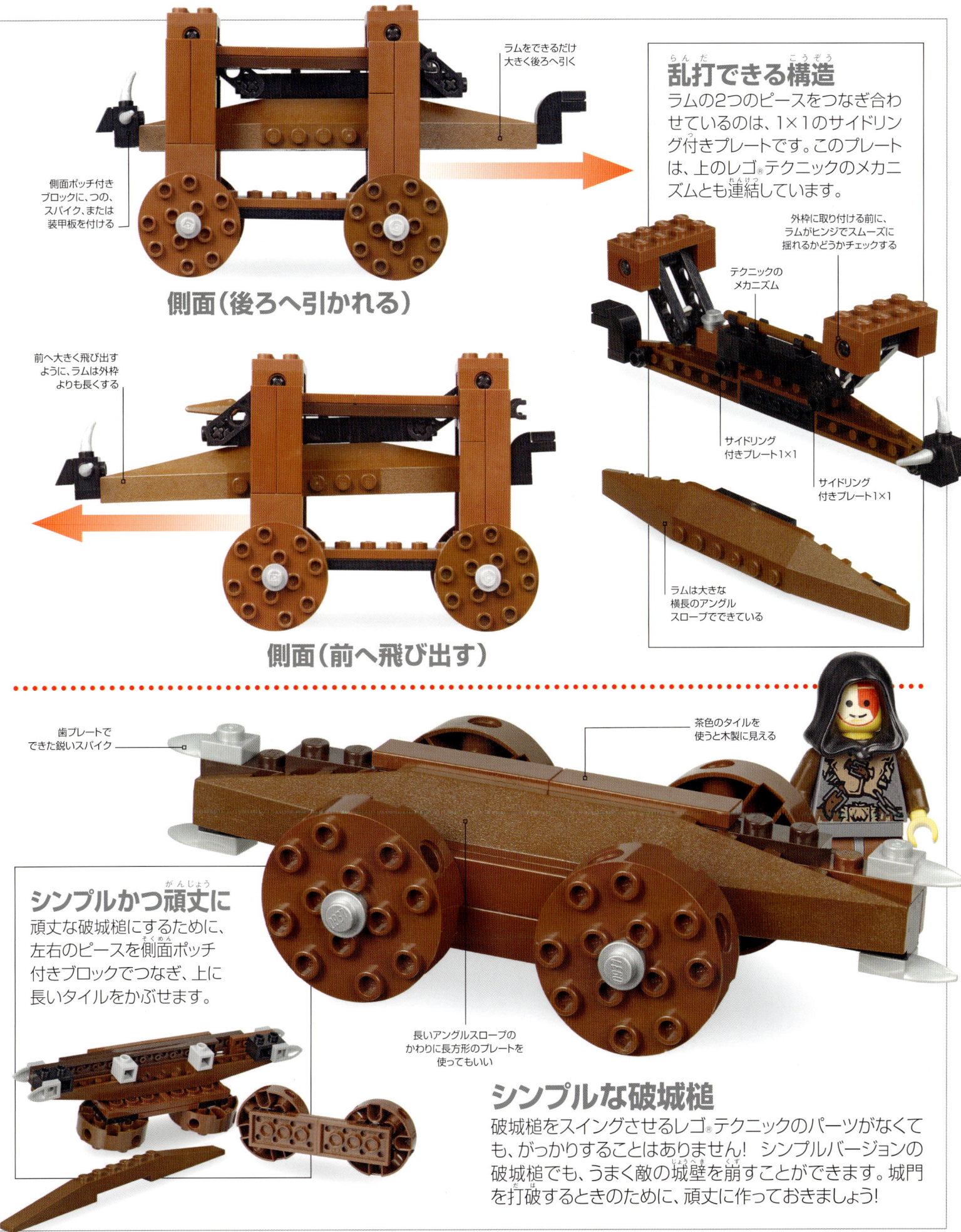

城《しろ》の包囲《ほうい》

敵《てき》の城を包囲するのは、容易《ようい》な仕事ではありません。騎士《きし》たちのために、あらゆる装備《そうび》を作ってあげましょう。移動式《いどう》シールド（遮蔽板《しゃへいばん》）は、戦場《せんじょう》を前進する騎士たちを槍《やり》や矢から守ってくれます。また、高い攻城《こうじょう》やぐらは城壁《じょうへき》を乗り越《こ》えるのに便利《べんり》です。

組み立ての概要

目的: 包囲攻撃用の装備を作る
用途: 敵の城に接近し侵入する
基本要素: 移動式で矢を通さない
その他の要素: 矢をこめたクロスボウ、旗、盾

かくれんぼ
みたいだな……
もういいかい、
見つけるぞ!

移動式《いどう》シールド

動きまわる騎士たちを守るこのシールドは、1×2のログブロックと1×1のラウンドブロックを交互《こうご》に重ねて作られています。この構造《こうぞう》のおかげで壁がしなやかになり、内側《うちがわ》へカーブさせることができます。

グレーのブロックを
使えば石壁になる
――ただし、石壁は
移動できないはず!
上にコーンを乗せる
と、いかにも木の柱を
つなぎ合わせた感じに
シールドにかくれて
いると、包囲軍は安全!
ホイールが回転し、
騎士たちは壁を押し
ながら城に近づける
クリックヒンジ
付きプレート

背面《はいめん》

転がる壁

移動式シールドは、タイヤのない小さなホイールで転がして運びます。壁の前にあるクリックヒンジに馬を取り付け、戦場まで引かせてもいいでしょう。

ホイール

攻城《こうじょう》やぐら

攻城やぐらは、敵の城壁にのぼるための、武装《ぶそう》したはしごのようなものです。このやぐらは長方形のプレートを土台に組み立てられ、騎士が城壁に渡《わた》るための、跳《は》ね橋に似た道板《みちいた》が付いています。

うっ……おれ、高所恐怖症《こうしょきょうふしょう》だって言ったっけ?
槍で敵を威圧する。旗をかかげて勝利を宣言してもいい
ヒンジプレートで道板を上げ下げする
色合いの異なる茶色のブロックを使うと、木くずをよせ集めて作ったように見える
車輪はやぐらが倒れない位置に付ける

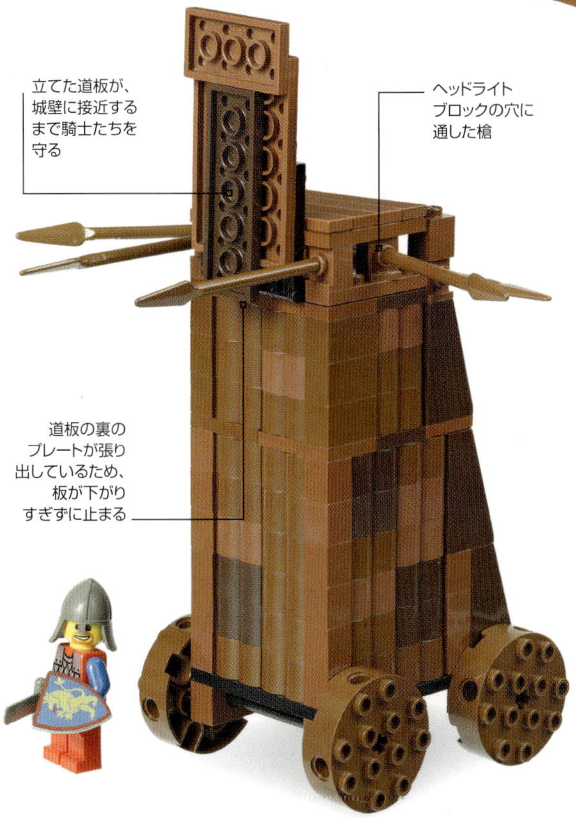

立てた道板が、城壁に接近するまで騎士たちを守る
ヘッドライトブロックの穴に通した槍
道板の裏のプレートが張り出しているため、板が下がりすぎずに止まる

道板《みちいた》を上げた状態《じょうたい》

騎士たちは、はしごにのぼったり、やぐらのかげに身をかくす

中は空洞《くうどう》

攻城やぐらの裏側《うらがわ》は、騎士たちが身をかくせるように空洞になっています。横に突《つ》き出た槍のうちの2本にはしごを取り付け、引き出せばのぼれるようにします。

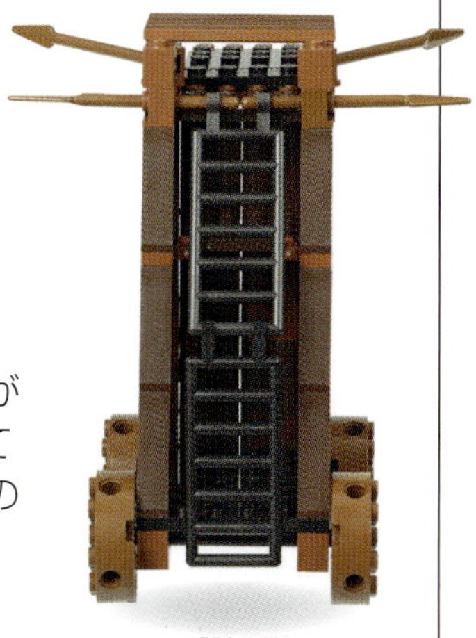

背面

大砲《たいほう》とカタパルト

攻城兵器《こうじょうへいき》は、城壁《じょうへき》やその内側《うちがわ》めがけて物を放つようにデザインされています。そこさえおさえておけば、あとはあなたのイマジネーションしだい！ 想像力《そうぞうりょく》を働《はたら》かせ、カタパルト（投石機《とうせきき》）のバケットや大砲の砲身《ほうしん》になりそうなパーツがないか、念《ねん》入りに探《さが》してみましょう。ひとつだけ注意——こうした兵器《へいき》は、ぜったいに目に向けないこと！

傾《かたむ》けてねらう

レゴ®テクニックのピースを2、3個《こ》使っているため、この大砲は上下に傾けることができます。砲身は十字軸《じく》を通した2個の穴《あな》あきブロックを中心に組み立てられています。

車軸のおかげで砲身が傾けられる
穴あきブロック

組み立ての概要

目的: 攻城兵器を作る
用途: 城壁や塔の攻撃
基本要素: 砲弾や石などを投げ、発射できる
その他の要素: 車輪、見張り、予備の弾薬車

2×2のラウンドブロックをつなぎ、後ろにドーム型ブロックを付けた砲身
馬車の車輪で、重い大砲がもっと移動しやすくなる

砲身が上下に動くように、枠にはレゴ®テクニックのパーツが使われている

底面《ていめん》

マイクロカタパルト

カタパルトの基本要素《きほんようそ》は、アームに取り付《つ》けたバケットと、それを支《ささ》える頑丈《がんじょう》な架台《かだい》です。このカタパルトは投石アームの中心に回転軸《じく》があり、シーソーのように動きます。

回転軸
バケットはレーダーアンテナ
こちら側を下げると、反対側が持ち上がる！

マイクロ大砲

小さなスケールの攻城兵器として、マイクロ大砲を作ってみましょう。この大砲は、レゴ®テクニックのチューブ2本をヘッドライトブロックが支えています。

武器《ぶき》の用意！

2本のレゴ®テクニックのチューブを水平クリップ付きプレートでつなぎ、それを1×1のラウンドプレートでヘッドライトブロックに連結《れんけつ》します。

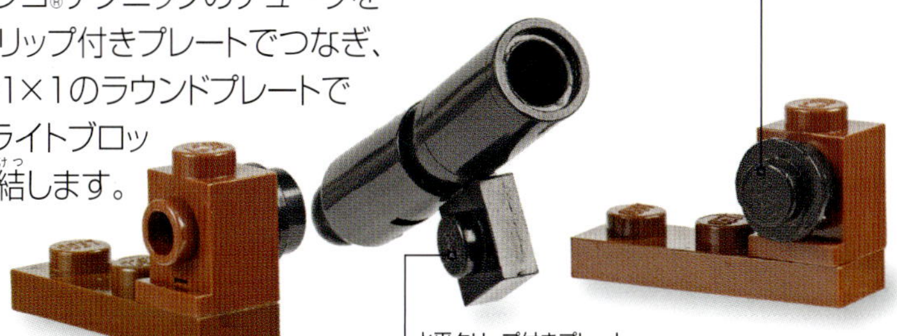
ラウンドプレート 1×1
水平クリップ付きプレート

炎のピースとロボットアームで作った、たいまつ
この大砲《たいほう》は、大当たりまちがいない！

大砲

レゴ®ブロックの大砲は、船のセットの多くに入っています。なければ自分で組み立てましょう！必要《ひつよう》なのは長い筒《つつ》と架台、移動式《いどうしき》にしたければ車輪《しゃりん》を数個。

マイクロ中世

壮大《そうだい》なお城《しろ》を作りたいのに、ブロックがたりなかったことはありませんか? そんなときは縮小《しゅくしょう》してみましょう! ミニフィギュアスケールより小さいサイズなら、巨大《きょだい》な建物《たてもの》もほんのわずかなブロックで組み立てられます。ミニフィギュアの騎士《きし》たちは入れないかもしれませんが、適切《てきせつ》なピースとイマジネーションがあれば、教会も、家も、動物も——マイクロ中世の世界全体だって作れます!

組み立ての概要
目的: マイクロスケールの城その他を作る
用途: 中世の世界を構築する
基本要素: 小さくてもわかりやすい形
その他の要素: 城を囲む王国全体

奇抜《きばつ》なお城

この魅惑的《みわくてき》なお城は、小さくてもおもしろさ満載《まんさい》です。正面の門のてっぺんには小さなアーチが使われ、タイル1枚《まい》が跳《は》ね橋になり、塔《とう》は1×1のラウンドブロックでできています。屋根を覆《おお》う1×1のスロープ、コーン、タイルは濃《こ》いグレーで、ベージュの壁《かべ》がひときわ引き立ちます。

上面

好きなだけ手の込んだお城にしよう!
1×1のラウンドブロックとラウンドプレートで作った柱
跳ね橋は、1枚のタイルをプレートで支える
マイクロスケールでは、1×1の緑のコーンが木に最適!

四角い窓の正体は、ヘッドライトブロックの裏
両面傾斜スロープで作った屋根
アーチ窓

石造《せきぞう》のお城

オーソドックスなお城を作るなら、まず数枚のプレートで土台を作ります。次に角の塔を建《た》て、そのあと残《のこ》りの部分を組み立てていきます。とんがり屋根、アーチ型《がた》の扉《とびら》、薄《うす》い壁で、完璧《かんぺき》な仕上がりに!

木は1×1のラウンドブロック

ななめ上面

神聖《しんせい》な場所

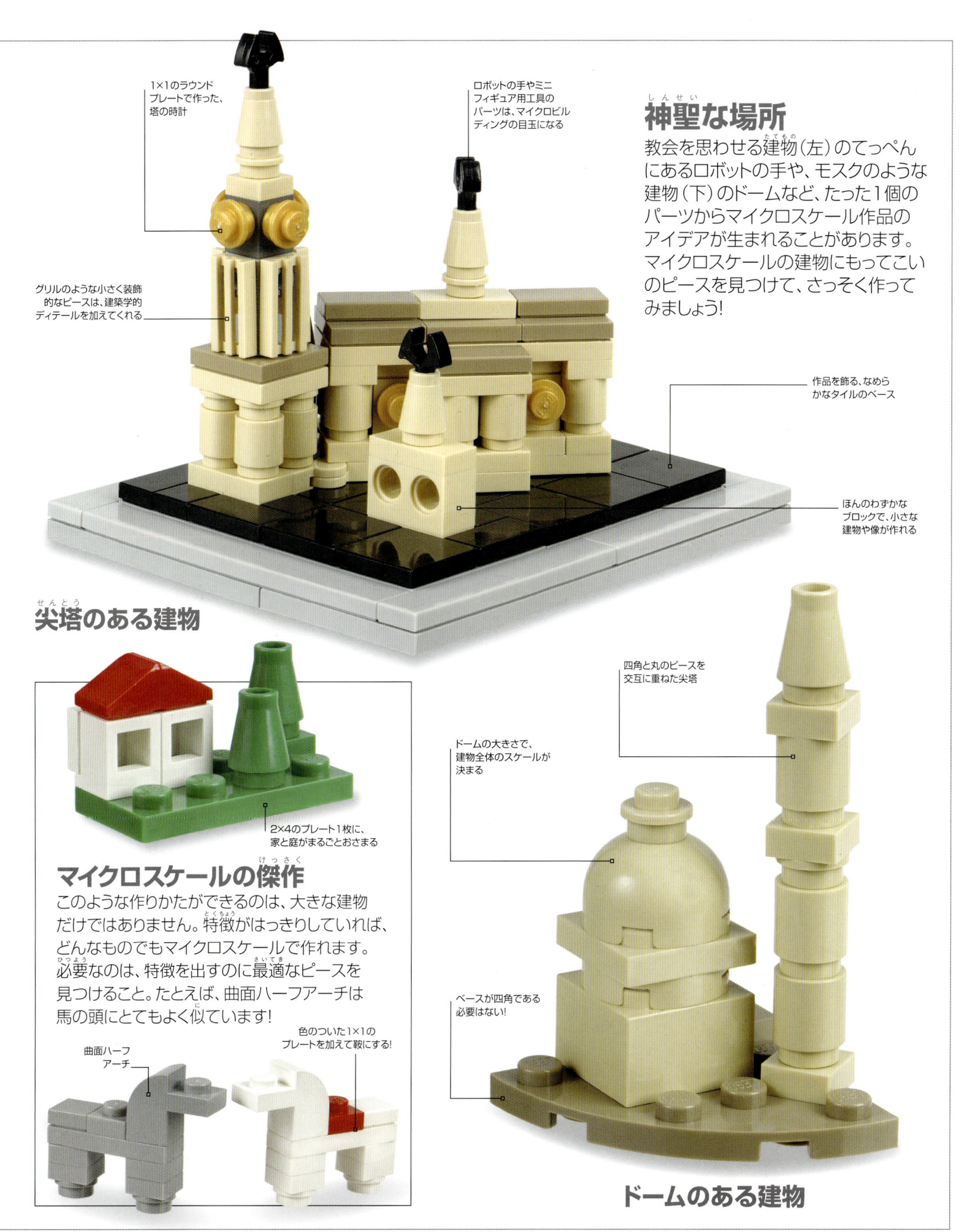

教会を思わせる建物《たてもの》（左）のてっぺんにあるロボットの手や、モスクのような建物（下）のドームなど、たった1個のパーツからマイクロスケール作品のアイデアが生まれることがあります。マイクロスケールの建物にもってこいのピースを見つけて、さっそく作ってみましょう!

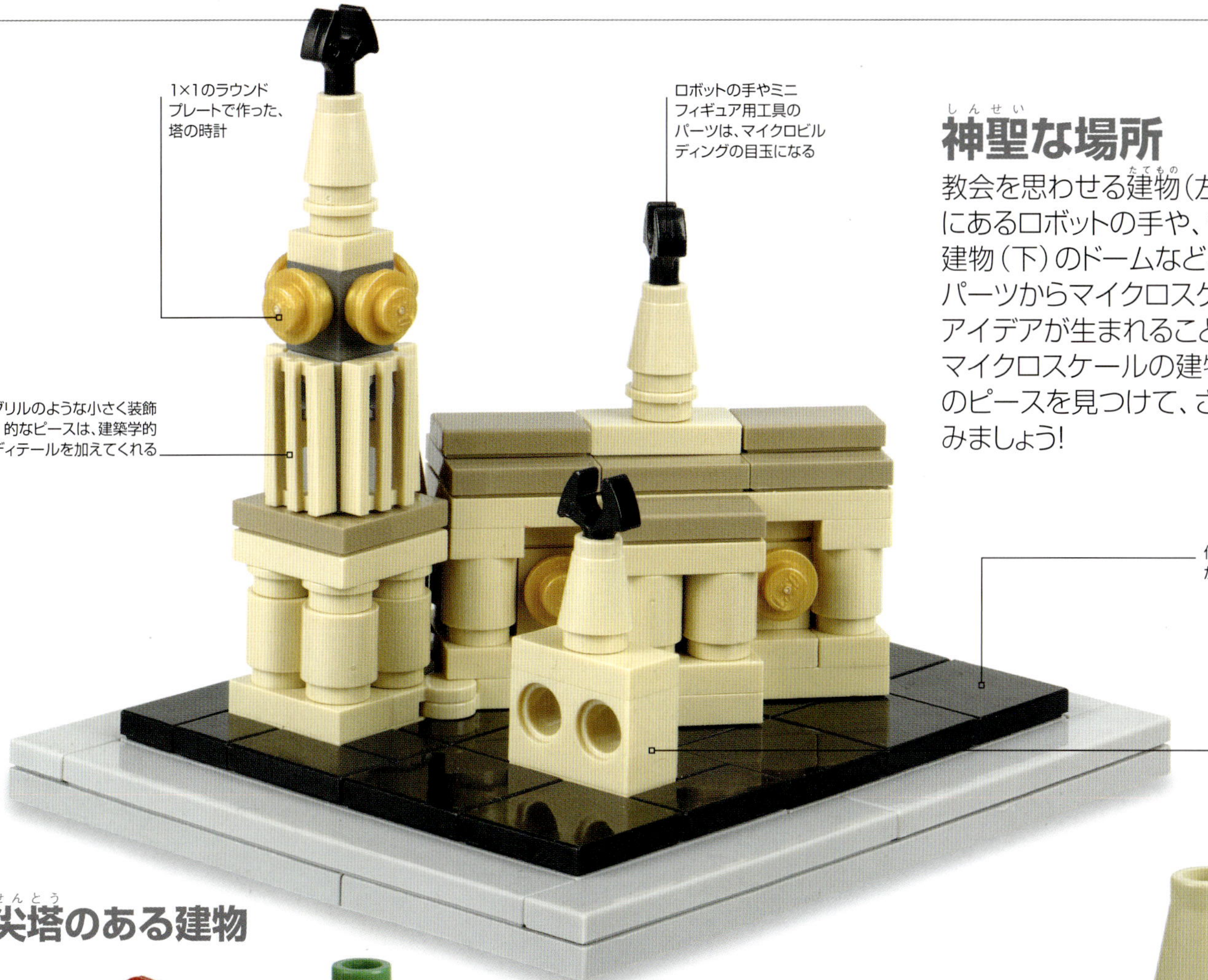

1×1のラウンドプレートで作った、塔の時計
ロボットの手やミニフィギュア用工具のパーツは、マイクロビルディングの目玉になる
グリルのような小さく装飾的なピースは、建築学的ディテールを加えてくれる
作品を飾る、なめらかなタイルのベース
ほんのわずかなブロックで、小さな建物や像が作れる

尖塔《せんとう》のある建物

2×4のプレート1枚に、家と庭がまるごとおさまる

マイクロスケールの傑作《けっさく》

このような作りかたができるのは、大きな建物だけではありません。特徴《とくちょう》がはっきりしていれば、どんなものでもマイクロスケールで作れます。必要《ひつよう》なのは、特徴を出すのに最適《さいてき》なピースを見つけること。たとえば、曲面ハーフアーチは馬の頭にとてもよく似《に》ています!

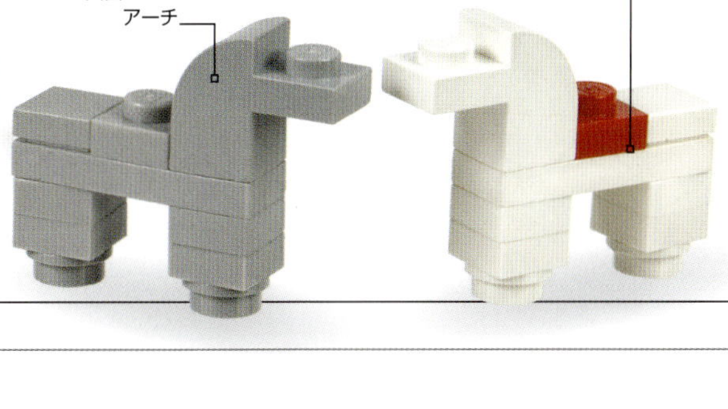

曲面ハーフアーチ
色のついた1×1のプレートを加えて鞍にする!

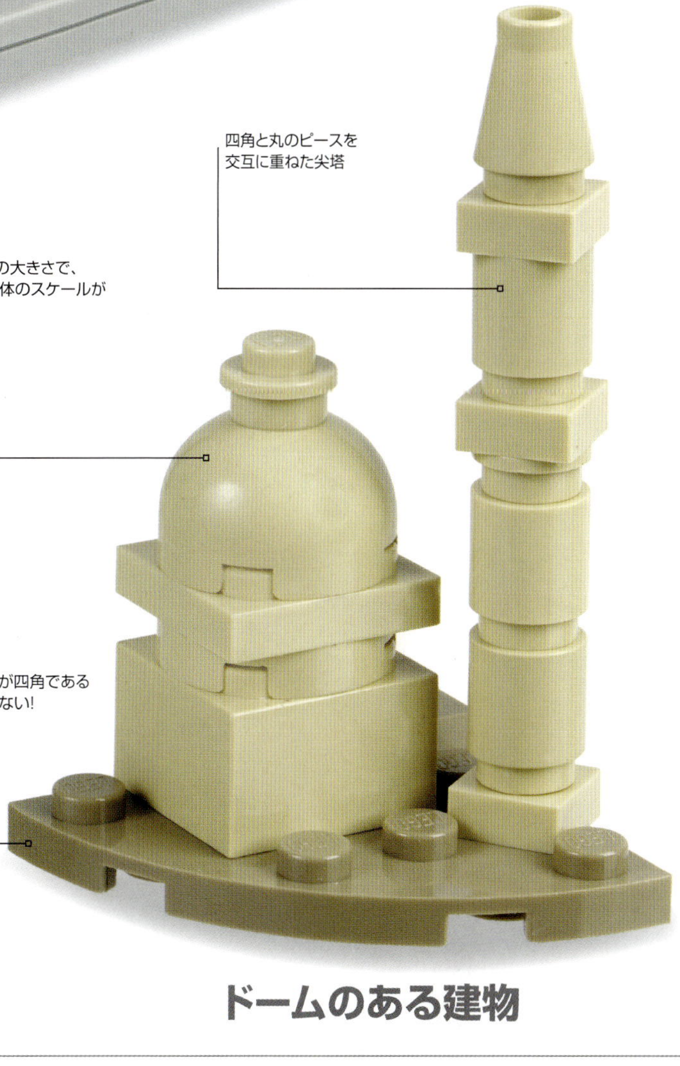

四角と丸のピースを交互に重ねた尖塔
ドームの大きさで、建物全体のスケールが決まる
ベースが四角である必要はない!

ドームのある建物

ビルダー紹介《しょうかい》

セバスティアン・アーツ

SEBASTIAAN ARTS

所在: オランダ

年齢: 27

レゴの得意分野: お城、その他の中世の建物

アイデアはどこから得《え》るの?

作るのはほとんど建物《たてもの》だから、町をぶらついているときにひらめくことが多い。ドキュメンタリー番組を見たり、城《しろ》や中世の建物の記事を読むと、作りたくて指がむずむずしてくるよ! 映画《えいが》からもいろいろアイデアをもらう——とくに背景《はいけい》の建物や景色《けしき》に注目するんだ。ほかのビルダーたちのレゴ®ブロックでの作品も、インスピレーションの宝庫《ほうこ》だね。たくみなテクニックや、なるほどと思う部分を見ると、さっそく組み立てずにはいられない。

城の建物の一部を変わった角度で配置すると、見た目が何倍もおもしろくなる。

お城だけじゃない! 中世を舞台に、教会や家、農場も作れる。この作品は、ベルギーのスヘルペンフーヴェル教会がモデル。

城壁をねらえ! 中世の時代には、このような攻城やぐらが広く使われていた。侵入者はやぐらで身を守りながら敵の城に接近し、高さを利用して城壁を乗り越える。

世界中のすべてのレゴ®ブロックと十分な時間があったら、何を作りたい?

ずっと前にレゴ®ブロックファンの仲間《なかま》たちとも話題になったけど、おれの答えは簡単《かんたん》。フランス北部の岩だらけの小島に、モン=サン=ミッシェルという城《しろ》がある。その城をまるごとミニフィギュアスケールで作ってみたい。それがおれの夢《ゆめ》だな。

レゴ®ブロックに不可能《ふかのう》はない!

お気に入りの作品は?

「サン=ルマーレ修道院《しゅうどういん》」という、岩の上に立つ架空《かくう》の要塞《ようさい》修道院。数々のテクニックやビルディングスタイルを盛《も》りこんだ、大きくて複雑《ふくざつ》な作品なんだ。背景だけでも、水と岩だらけの地面、植物を組み合わせている。メインは黄褐色《おうかっしょく》の巨《きょ》大《だい》な教会とグレーの要塞、その中にひしめく、色もスタイルもばらばらの小さな建物。それらが、中世の城によくある雑《ざつ》然《ぜん》とした雰囲気《ふんいき》をかもしだしている。

失敗《しっぱい》した作品は?どう解決《かいけつ》したの?

この手の質問《しつもん》へのおれの答えは――レゴ®ブロックに不可能《ふかのう》はない! 組み立てがどこかうまくいかなくても、ぴったりくるパーツの組み合わせはかならずある。問題が解決できないときは、一歩引いて別《べつ》のことをして、それからもういちど“問題”に目を向けると、急に解決策が見えてきたりするものだよ。

これまでで最大《さいだい》の、または最《もっと》も複雑《ふくざつ》な作品は?

最大の作品は「サン=ルマーレ修道院」。すべて別々の角度で組み立てたから、かなり複雑な作品でもある。今のところ最も複雑なモデルは、「ヘレンボッシュ」と名づけた星型《がた》の砦《とりで》。角度の異《こと》なる部分をつなぎ合わせ、さらに砦の中の建物とぴったり連結《れんけつ》させなければならなかった。かなりの手間をかけて(その大半は、試行錯誤《しこうさくご》)、城の各《かく》部分にちょうどいい角度を見つけた。

高さが作品に新たな広がりを与える。背の高い城は、大きな幅広の城よりもずっと印象的。これがお気に入りの作品「サン=ルマーレ修道院」。

跳ね橋は扉がわりにもなるが、閉じたときに門がかくれる大きさに作らなければならない

レゴ®ブロックで遊びはじめたのは何歳《なんさい》のとき?

4歳の誕生日《たんじょうび》にレゴ®ブロックのセットをもらったのが、すべての始まりだった。すぐにやみつきになって、それからは誕生日ごとにレゴ®ブロックのセットばかりほしがっていた。小さいころから、いつもオリジナル作品を作って楽しんでいたよ。

レゴ®ブロックに関《かん》する、とっておきの秘《ひ》けつは？

城《しろ》を作るときには、1、2色に限定《げんてい》しないこと。本物の城は長い年月をかけて建《た》てられたものが多く、あとから別《べつ》の素材《そざい》で付《つ》け足した部分もある。それと、臨機応変《りんきおうへん》にさまざまな方向に組み立てることも大切。ブロックがたりなくて壁《かべ》が作れなければ、プレートにタイルをかぶせて立てれば、りっぱな壁になる。タイルがたりなくてなめらかな床《ゆか》が作れなければ、壁を組み立てて倒《たお》せば床になる。

組み立てる前にプランを立てる？どんなふうに？

かならず立てる。組み立てたいものができると、まず図面を描《えが》いて、まわりとのバランスを考えながら城の各《かく》部分の大きさを決める。変《か》わった角度で組み立てるのが大好《す》きだから、念《ねん》入りに計測《けいそく》してからでないと着手できないんだ。いつもかならず紙に図面を描いて、どこから組み立てればいいか把握《はあく》している。プランどおりにいかなかったり、いざブロックを手にしたらもっといいアイデアが浮《う》かんだりしたときのために、その場でアレンジする余地《よち》も十分に残《のこ》しておく。だから、最初《さいしょ》の足がかりとして図面は描いても、たいていは組み立ての途中《とちゅう》で変わってくるんだ。

まわりに手の込んだでこぼこの地面を加えると、
よりリアルでダイナミックな城になる。

「ヘレンボッシュ」のような星型の砦は、中世後期、火薬と大砲が発明されたあとによく見られた。
壁に角度がついていると、砲弾がまともに貫通しにくいからだ。

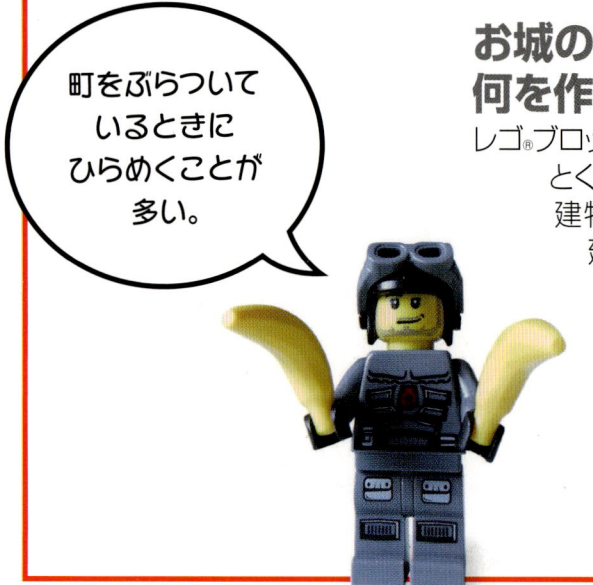

町をぶらついて
いるときに
ひらめくことが
多い。

お城のほかに、何を作るのが好き？

レゴ®ブロックで作れるものならなんでも! とくに夢中《むちゅう》なのは建物《たてもの》——中世の建物だけじゃなく、現代的《げんだいてき》な街《まち》の建物でも、SFの世界の研究所や宇宙船《うちゅうせん》の格納庫《かくのうこ》でも。それ以外《いがい》にも、車や宇宙船、海賊《かいぞく》船《せん》、ブルドーザーや掘削機《くっさくき》などの重機の組み立ても好き。何が作りたいかは、そのときの気分しだいだね。

子どものころの、いちばんの自信作《じしんさく》は？

子どものころからお城に夢中で、いちばん楽しい思い出は、でかいお城を作ったこと。レゴ®ブロックのピースを使えるだけ使って、できるかぎり大きい城を作ったんだ。忘《わす》れもしないいちばんの自信作は、大きなドラゴンの頭が門になっているお城。作るのにかなり苦労《くろう》したけど、ものすごくリアルで恐《おそ》ろしかったよ。

お気に入りのテクニック、いちばんよく使うテクニックは?

作るものは同じでも、新しい方法《ほうほう》を見つけるのが好きだし、統一性《とういつせい》を保《たも》ちながら、ひとつの作品にできるだけ多彩《たさい》なテクニックを盛《も》りこみたい。しょっちゅう使うのは、色や形のちがうブロックを使って、つまらない灰色《はいいろ》の壁《かべ》にならないようにするテクニック。そのほか、あらゆる変わった角度で組み立て、建物をよりおもしろく見せる手法が気に入っている。一定の角度を付けて配置《はいち》する方法はいろいろあるけど、正しい角度になれば、どんな方法だってかまわない。

好《す》きなブロックやピースは?

答えは簡単《かんたん》――ヘッドライトブロック。

作品づくりにどれくらい時間をかけるの?

どれだけインスピレーションを感じているかによる。数週間のあいだ何ひとつ作らずにいることもあるし、アイデアが浮かんだときは止まらなくなって、仕事から帰った瞬間《しゅんかん》から、疲《つか》れはててベッドへ行くまで、ずっと組み立てつづける。

同じ色のブロックがたりなければ、別の色と組み合わせればいい。
この作品では、石にはグレー、レンガには赤を使った。

レゴ® ブロックをいくつ持ってる?

まとめ買いしてレゴ® ブロックのファン仲間《なかま》とトレードするから、正確《せいかく》な数はわからない。ほかの人たちが持っている数から類推《るいすい》すると、70～75万個《こ》くらいかな。

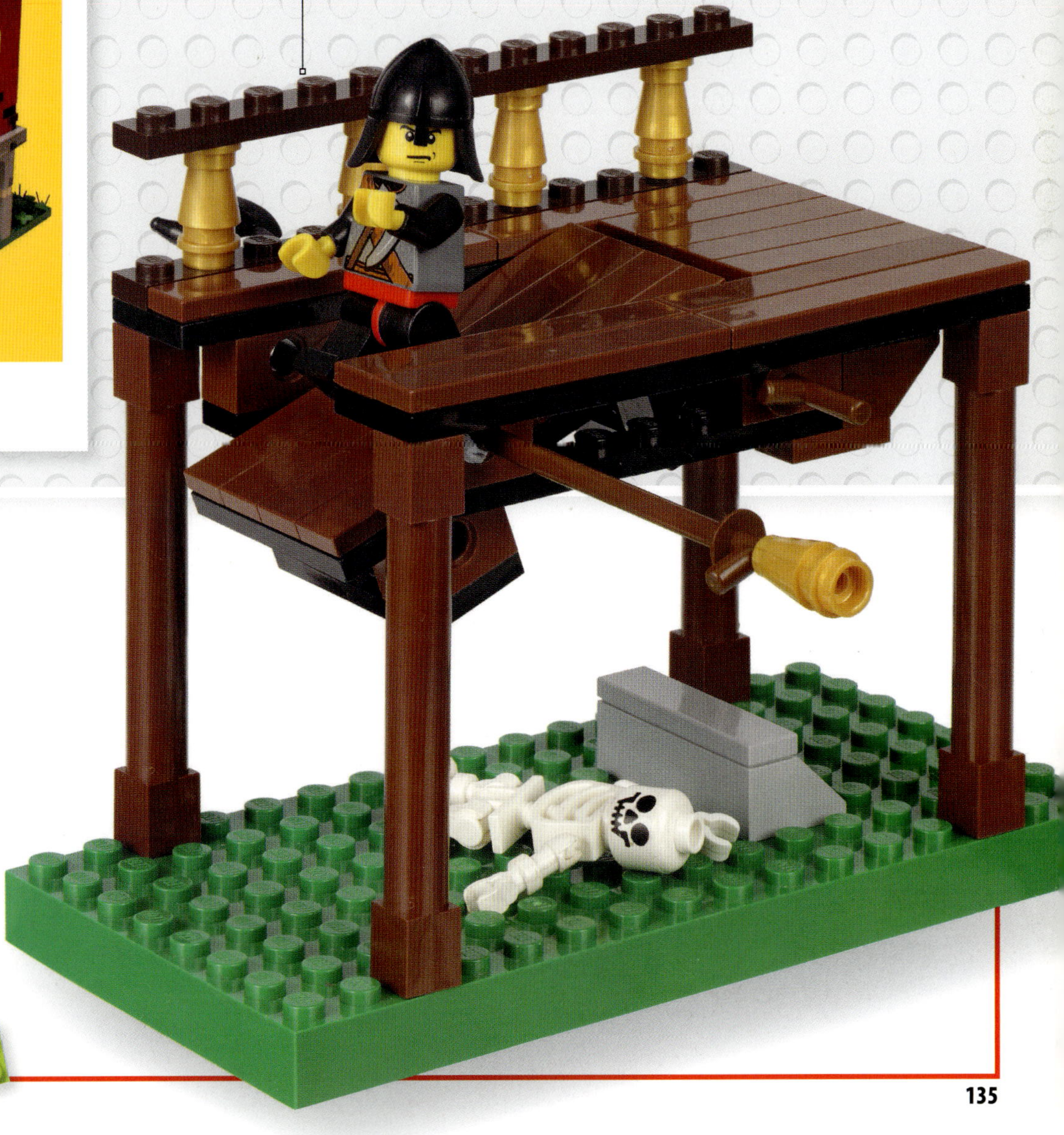

落とし戸を作るなら、
ばれないように、
床と見分けがつかない
ようにしよう

アドベンチャーの世界

あなたのイマジネーションは、どんな世界へつれていってくれるでしょう。海賊《かいぞく》になって宝《たから》さがしをする? バイキングの船で七つの海を渡《わた》る? 危険《きけん》なジャングルの探検《たんけん》に乗り出す? それとも、とびきりクールなロボットを創造《そうぞう》する? さあ、レゴ® ブロックのファンタジーの世界を楽しみましょう!

おーい、仲間ども! 隠れ家で敵の船を見張っといてくれ。まだ島に宝が眠っているかもしれねえ……
(146−147ページ)

アドベンチャー向きのブロック

アドベンチャーの世界では、どんなことでも可能《かのう》です。ぶらぶら揺《ゆ》れる植物のつるから巨大《きょだい》な船、ハイテクロボットまで、レゴ®ブロックの世界にはなんだって登場させることができます。ここでは、ファンタジーあふれるアドベンチャーの世界を構築《こうちく》するのに役立ちそうなブロックを紹介《しょうかい》しますが、あなたのコレクションからもすてきなピースを見つけて使ってみましょう! どんなものが作れるかな?

植物
植物のつる／ムチ
七面鳥
ヤシの葉
つの
しっぽ

ニンジンの葉
望遠鏡
炎
レゴ®テクニック ディスク
スケルトンヘッド
電球
歯プレート1×1
アンテナ
ヤシの木の土台2×2
ラウンドプレート1×1
ラウンドプレート1×1
骨(ロング)
アーチ窓枠1×2×3と格子窓
花(穴あきポッチ付き)
コーン1×1
小型の荷馬車用車輪と車軸プレート1×4
樽2×2
ヤシの木の先端
プリントスロープ2×2
グリル1×2
マスケット銃
ラウンドブロック1×1
ラウンドブロック1×1
プリントタイル1×2
格子フェンス1×4×2
アンテナ
オール
プリントタイル1×4
ポッチ付きストリングロープ
ヒンジプレート
短いチェーン
水平クリップ付きプレート1×1
垂直クリップ付きプレート1×1
レゴ®テクニックピン
逆スロープ1×2
クリックヒンジ付きプレート1×2
ジャンパープレート1×2
垂直バー付きブロック1×1
レゴ®テクニック ハーフビーム
ハンドルバー付きプレート1×2
ヒンジシリンダー
ピン付きヒンジシリンダー
垂直バー付きプレート1×2
傾斜付きプレート6×6

最後の仕上げ

アドベンチャーシーンにディテールを加える細かいピースにも注目。赤々と炎が燃えるキャンドルは、バイキングの祝宴に活気を与える!
(150−151ページ「祝宴のテーブル」参照)

万能ピース

アンテナのような長いピースは用途が幅広く、旗ざおからバウスプリットまでなんにでも使える。
(140−141ページ「海賊船」参照)

フックや穴

クリップやバー、フック、穴のあるピースを使うと、まあまあの作品が最高の作品になる!

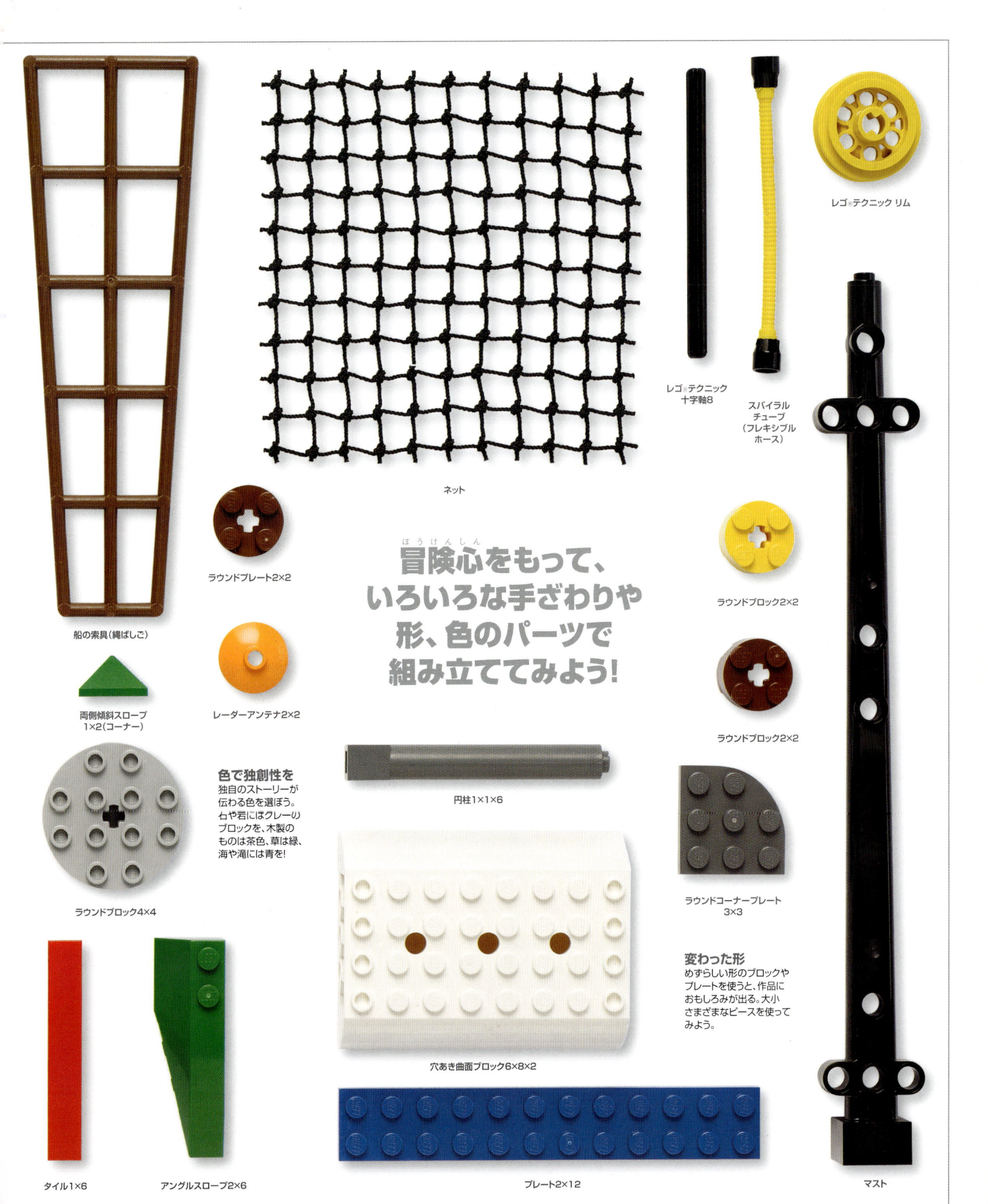

船の索具(縄ばしご)

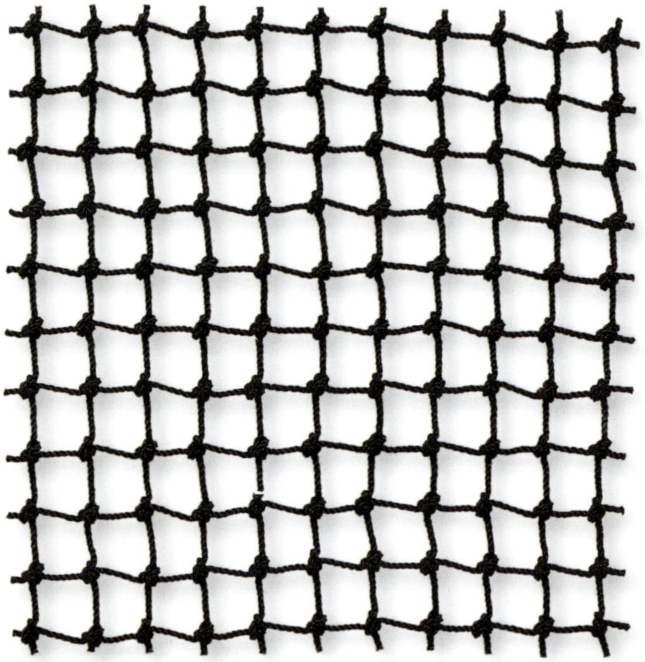

ネット

レゴ®テクニック
十字軸8

スパイラル
チューブ
(フレキシブル
ホース)

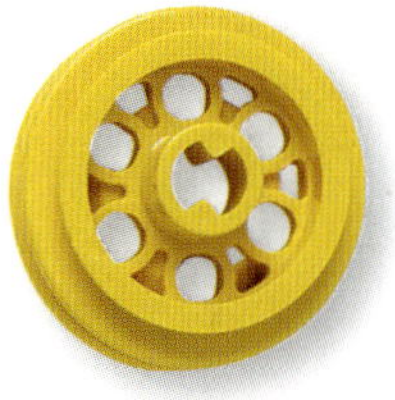

レゴ®テクニック リム

ラウンドプレート2×2

冒険心《ぼうけんしん》をもって、いろいろな手ざわりや形、色のパーツで組み立ててみよう!

ラウンドブロック2×2

両側傾斜スロープ
1×2(コーナー)

レーダーアンテナ2×2

ラウンドブロック2×2

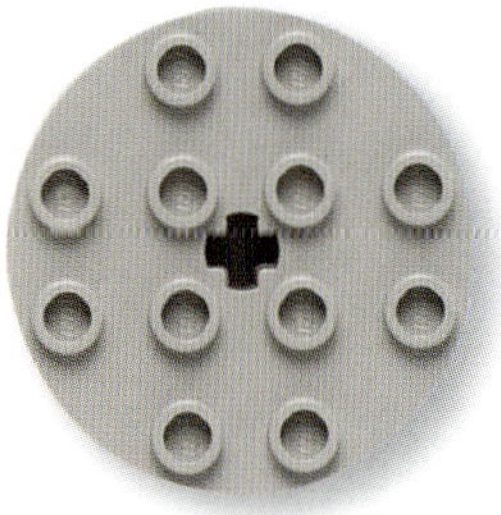

ラウンドブロック4×4

色で独創性を
独自のストーリーが伝わる色を選ぼう。石や岩にはグレーのブロックを、木製のものは茶色、草は緑、海や滝には青を!

円柱1×1×6

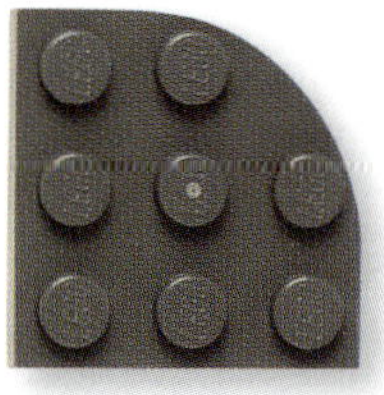

ラウンドコーナープレート
3×3

穴あき曲面ブロック6×8×2

変わった形
めずらしい形のブロックやプレートを使うと、作品におもしろみが出る。大小さまざまなピースを使ってみよう。

タイル1×6

アングルスロープ2×6

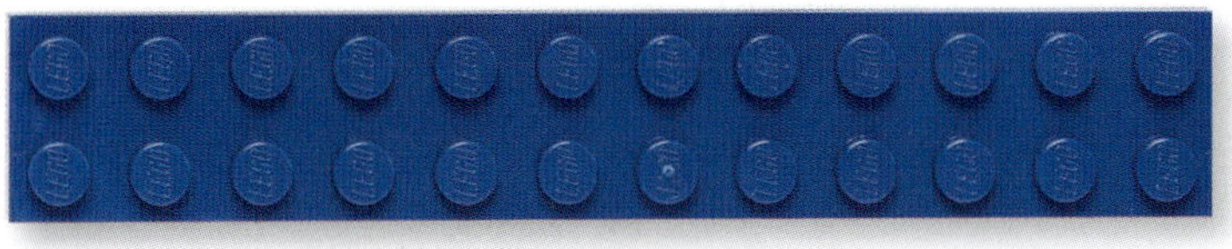

プレート2×12

マスト

海賊船《かいぞくせん》

略奪《りゃくだつ》と冒険《ぼうけん》の船出だ! 仲間《なかま》ども、準備《じゅんび》はいいか〜? さあ、強くて大きな海賊船を作りましょう! 必要《ひつよう》なのは、高いマストに帆《ほ》、恐《おそ》ろしいどくろにクロスした骨《ほね》、略奪品を入れる宝箱《たからばこ》、未熟《みじゅく》な船乗りを歩かせる板、大砲《たいほう》、そしてもちろん、船に乗りこむ悪漢《あっかん》ぞろいの海賊たち!

組み立ての概要
目的: 海賊船を作る
用途: 宝を求めて七つの海を渡る
基本要素: マスト、帆、海賊旗、大砲、板、操舵輪
その他の要素: 船首像、宝箱、船室、索具

船の操縦に舵は重要

うまい舵《かじ》取り

この動かせる舵は、1×2のブロックと1×1のプレートでできています。四角い船尾《せんび》にある垂直《すいちょく》バー付《つ》きブロックに、クリップ付きプレート2枚《まい》で舵を連結《れんけつ》させます。

タイルを1×1のラウンドブロックで支えた手すり

一隻《せき》まるごとブロックで

海賊船を作るには、船体から大砲、バウスプリットまで、あらゆる種類《しゅるい》の専用《せんよう》ピースがありますが、ここで紹介《しょうかい》するのは、おもにふつうのブロックやピースだけを使った作りかたです。

ガイコツのミニフィギュアの頭と骨のアクセサリで作った、どくろと骨の海賊旗

背側面《はいそくめん》

レゴ®テクニック ビームで
マストに取り付けた、
傾斜付きプレートの帆
レゴ®ブロックのマスト
のピースを使うか、2×
2のランドブロックを
重ね、中心に車軸を
通して補強する
略奪品《りゃくだつひん》の
ありかを
白状《はくじょう》しねえと、
命は ねえぞ！
デッキの樽に入れた
海賊の武器
アンテナで作ったバウ
スプリット。釣りざおの
ピースでもいい
タイルを使うと、つるつるすべり
そうな板になる。端にミニフィギ
ュアを立たせるなら、ポッチ付き
のピースを使えばいい

船長のキャビン

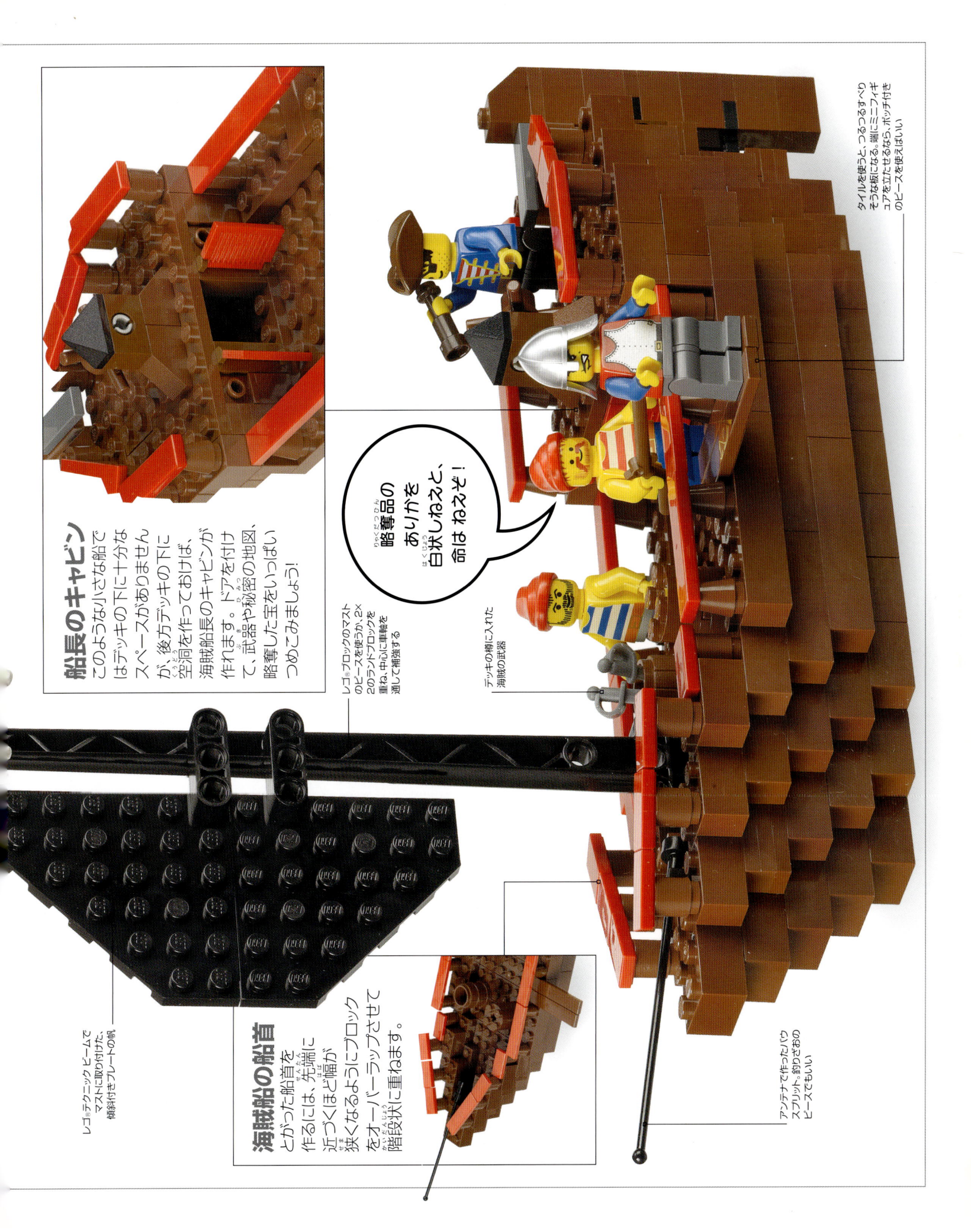

このような小さな船ではデッキの下に十分なスペースがありませんが、後方デッキの下に空洞《くうどう》を作っておけば、海賊船長のキャビンが作れます。ドアを付けて、武器《ぶき》や秘密《ひみつ》の地図、略奪した宝をいっぱいつめこみましょう!

海賊船の船首

とがった船首を作るには、先端《せんたん》に近づくほど幅《はば》が狭《せま》くなるようにブロックをオーバーラップさせて階段状《かいだんじょう》に重ねます。

海賊《かいぞく》の世界

海賊は、ただ航海《こうかい》しているだけではありません。埋《う》められた宝《たから》、敵《てき》の海賊、砲撃戦《ほうげきせん》、大胆不敵《だいたんふてき》な略奪《りゃくだつ》、救出《きゅうしゅつ》——命知らずの男たちのために、冒険《ぼうけん》に満《み》ちた世界を構築《こうちく》しましょう。スリル満点《まんてん》のアクションシーンが山ほどあります!

組み立ての概要
目的: 海賊の世界を充実させる
用途: ストーリー、冒険、遊びのアイデアを広げる
基本要素: 場面、乗り物、宝、生き物
その他の要素: 海賊の監獄島、宝の洞窟

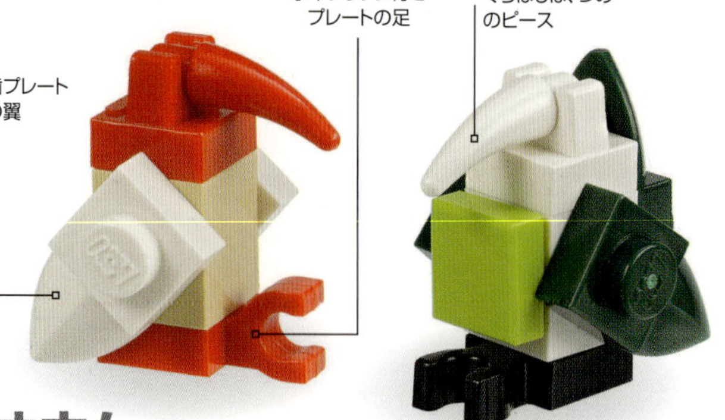

水平クリップ付きプレートの足
くちばしは、つののピース
歯プレートの翼

オウム

悪者の海賊には、オウムがつきもの! 1×1の側面《そくめん》ポッチ付《つ》きブロックの体に足と翼《つばさ》、くちばしを付けて、カラフルな鳥を作りましょう。1×1のタイルや羽根のピースで派手《はで》に仕上げることもできます。

金銀財宝《ざいほう》

透明《とうめい》なピースやメタリックなピースで、宝石《ほうせき》やコイン、金などの財宝を作りましょう。宝箱《たからばこ》は、中身がたっぷり入る大きさに!

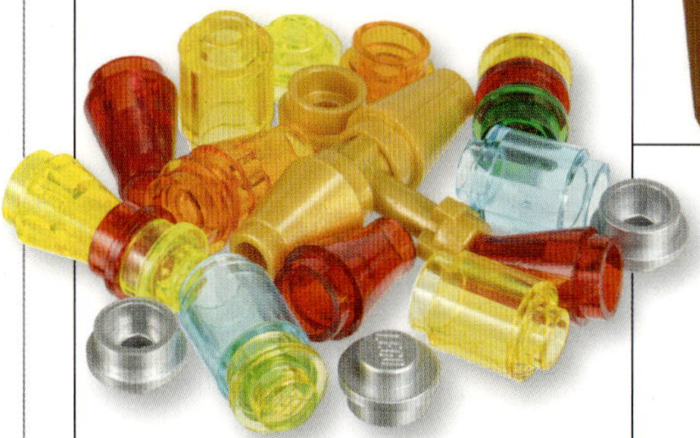

大きな箱を作って自分の宝物を入れよう（180−181ページ）
ハンドルバー付きプレートで作った錠

よーし、
宝《たから》は手に入れた。
あとはこいつを
埋《う》める大きな穴《あな》だ!

海賊の宝

取りはずせるふたもいいけれど、ヒンジブロックとプレートで開閉《かいへい》できるようにしてはいかが? 穴あきブロックで鍵穴《かぎあな》を付《つ》けることもできます。

ハンドルバー付きプレート
ヒンジブロックとプレートでふたを取り付ける

宝箱《たからばこ》

宝を見つけたら、かくし場所が必要《ひつよう》です! 木の板に似《に》たプレートやタイルで、好《す》きな形や大きさの宝箱を作りましょう。取っ手は、ミニフィギュアの手をはめられるピースならなんでもオーケー。

海賊版の大砲《たいほう》

これは海賊ならではの大砲。平らな台と小さなホイールは、海戦《かいせん》のさなかにデッキの上をあちこち移動《いどう》させるのにとても便利《べんり》です。

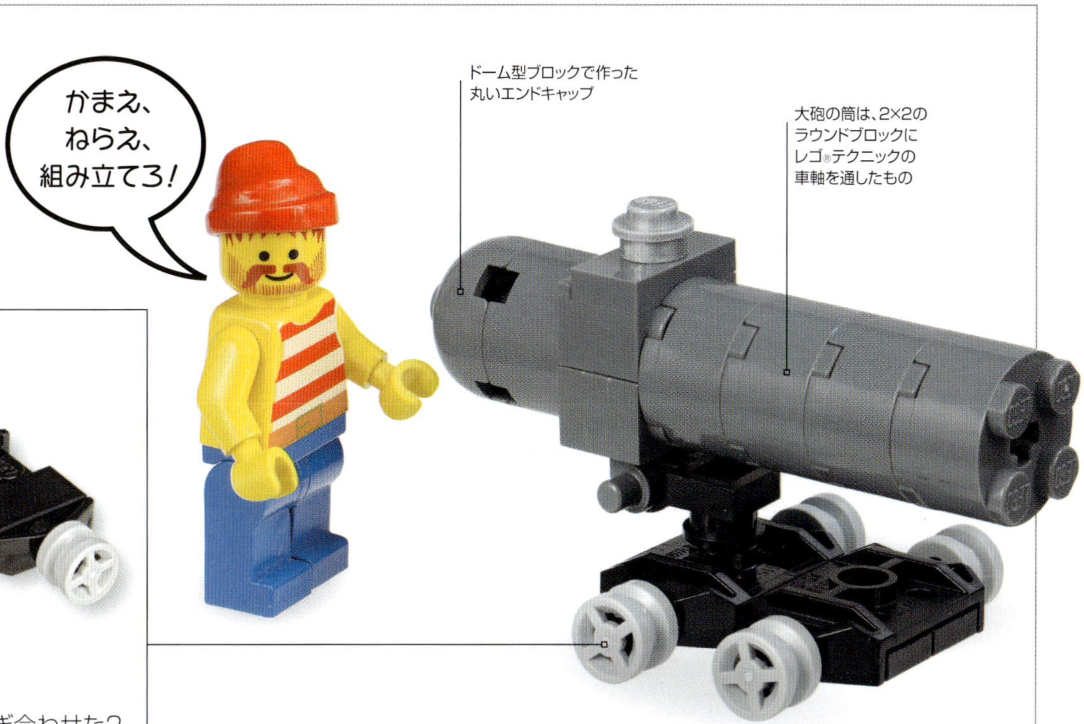
かまえ、
ねらえ、
組み立てろ!
ドーム型ブロックで作った
丸いエンドキャップ
大砲の筒は、2×2の
ラウンドブロックに
レゴ®テクニックの
車軸を通したもの

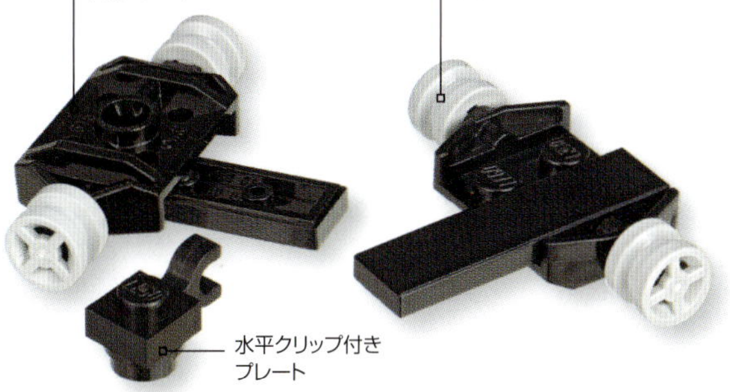
車軸プレート
ホイール
水平クリップ付き
プレート

砲台

大砲を支《ささ》える台を作るには、タイルでつなぎ合わせた2枚《まい》の車軸《しゃじく》プレートを逆《さか》さにして、そこにホイールを取り付けます。クリップを大砲側のハンドルと連結《れんけつ》させると、筒《つつ》の角度を変《か》えてねらいを定めることができます!

牢《ろう》馬車

馬と馬車を作り、捕《と》らえられた海賊を牢獄《ろうごく》へ運びましょう。馬車の屋根や床《ゆか》に逃亡《とうぼう》用の秘密《ひみつ》の抜《ぬ》け穴を作れば、さらにスリルが増《ま》します!

水平クリップ
付きプレート

囚人《しゅうじん》を閉《と》じこめる

牢の鉄格子《てつごうし》の棒《ぼう》の1本に水平クリップ付きプレートを2枚組みこんで、ヒンジにします。反対側《がわ》の棒に1枚だけ入れたクリップ付きプレートは、扉《とびら》を閉《し》めるときの掛《か》け金です。

黒いブロックで作った
鉄格子。グレーの
ブロックなら鋼鉄製に、
茶色なら木製になる
クリックヒンジで、ハーネスが
ちょうどいい角度に調整できる
運ぶ囚人が
たくさんいる
なら、馬をもう
1頭作ろう

難破船《なんぱせん》

ミニフィギュアたちが遊べるように、難破した海賊船《かいぞくせん》のシーンを作ってあげてはどうでしょう? 必要《ひつよう》なのは嵐《あらし》の海、破壊的《はかいてき》な岩、それに無残《むざん》にこわれた海賊船! ほかにどんなものを加《くわ》えればいいか、考えてみましょう。たとえば海に浮《う》かぶ財宝《ざいほう》や逃《に》げる囚人《しゅうじん》? 生き残《のこ》った海賊たちを救助《きゅうじょ》するボートを作ってもいいでしょう!

組み立ての概要

- **目的:** 難破船のシーンを作る
- **用途:** 海賊を並べたり遊ぶためのシーン
- **基本要素:** 難破船、岩、海水
- **その他の要素:** カモメ、波、海に浮かぶ残骸

はしごのピース。椅子や操舵輪など、ほかの残骸を加えてもいい!
クリックヒンジ付きプレート

デッキの演出《えんしゅつ》

根元からぽっきり折《お》れたように倒《たお》せるよう、マストはヒンジプレートで取り付《つ》けます。茶色いブロックの中で黒いはしごがアクセントとなり、いかにも難破船らしい雰囲気《ふんいき》をかもし出します!

船の半分

船の組み立てかたがわかれば、難破船づくりは簡単《かんたん》です——船の一部だけ作ればいいんですから! 船体のふちをでこぼこにして、嵐で岩にぶつかって板が割《わ》れたように見えるよう、デッキの板の長さもふぞろいにしておきましょう。

マストのピースが作品に高さを与える
網のピースがなければ、ポッチ付きストリングロープを使ってみよう
1×2のラウンドブロックほんの数個で作った、こわれた欄干
2×2のブロックの岩が、難破船をななめの角度に支えている。船底をヒンジ付きのピースで連結してもいい

ボート

ボートは海賊船と同じ要領《ようりょう》で、スケールを小さく作ります。1× 2のブロック2個《こ》に長方形のブロックかプレートを渡《わた》せば、海賊用の座席《ざせき》ができます。

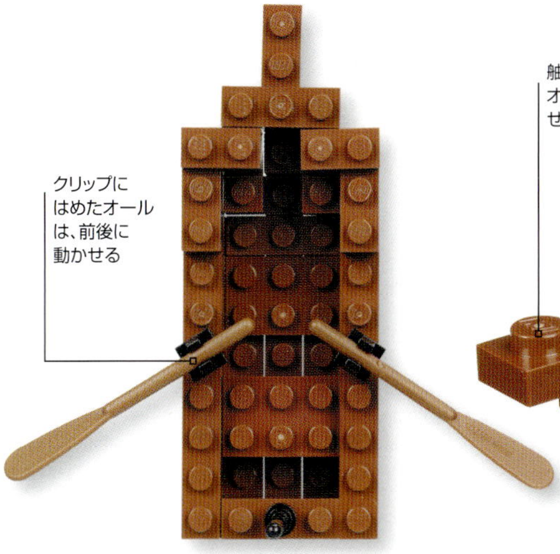

クリップにはめたオールは、前後に動かせる

上面

これで宝《たから》は
全部いただき……
しまった、宝を
持ってくるのを
忘《わす》れた!

舳先(へさき)にオウムを止まらせてもいい!

アンテナで作った旗ざお。小さな帆や海賊旗を付けてもいい

色合いの異なるブロックを使えば、残骸の材料で作った、つぎはぎのボートになる!

濃淡さまざまなグレーのブロックで本物の岩らしく

植物があると、でこぼこの断崖に生気が生まれる

危険《きけん》な岩

でこぼこの断崖《だんがい》は船を難破させる原因《げんいん》になると同時に、難破船を支《ささ》える役目も果《は》たします。底《そこ》のほうに白と青のピースを加《くわ》え、打ちよせる波に見立ててもいいでしょう。

前面

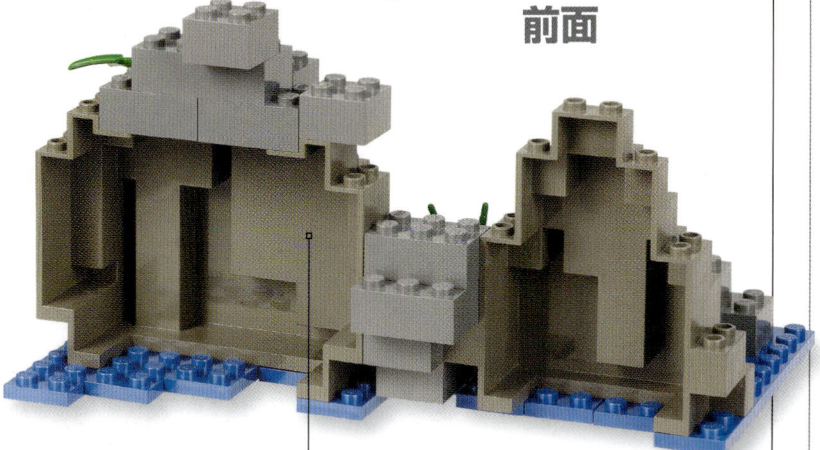

岩肌のピース。大小さまざまなグレーのブロックを使い、自分で断崖を作ることもできる

背面《はいめん》

海賊《かいぞく》の島

どんなに勇《いさ》ましい海の男たちだって、家と呼《よ》べる場所がほしいもの！ 海賊の島で遊びの幅《はば》を広げましょう。隠《かく》れ家には何が必要《ひつよう》か、海賊になったつもりで想像《そうぞう》してみましょう。地平線上にあらわれる敵《てき》の兵士《へいし》を見つけるための見張《みは》り台は？ 船を係留《けいりゅう》する場所や、宝《たから》のかくし場所はどうですか？

組み立ての概要

- **目的：** 海賊の砦を作る
- **用途：** 略奪品を保管する、兵士と戦う
- **基本要素：** 島、武器、桟橋、見張り台
- **その他の要素：** 牢獄、宝、かくした武器、海賊旗

小さな島

作るのは奇抜《きばつ》な砦《とりで》でも質素《しっそ》な家でもかまいません。この海賊の隠れ家は、シンプルですがデザインが凝《こ》っていて、一階と二階、さらに見張り台まである砦が、海のまんなかに浮かぶほんの小さな島に建《た》っています。

海賊の砦には、防御用の武器が必要。この巨大な大砲があれば、兵士はひとりも近寄らないはず！
兵士《へいし》なんか気にしない。だれか、おれのオウムを見なかったか？
レゴ®ブロックのヤシの木がなくても、2×2の茶色のラウンドブロックと葉っぱのピースがあれば作れる
青い海のベースは、やがて黄色い砂に、さらに茶色い森の地面に変わる
ボートを係留する桟橋を作ってあげよう。すばやく逃亡できるよう、砦のすぐそばに！

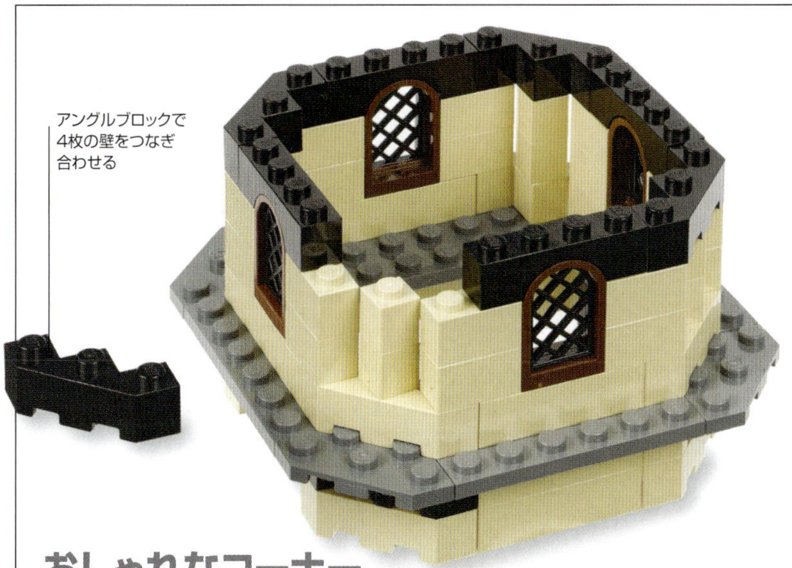
アングルブロックで
4枚の壁をつなぎ
合わせる

おしゃれなコーナー

ほとんど四角いブロックでできているからといって、建物《たてもの》の形まで四角にする必要《ひつよう》はありません!　この砦の二階部分は、1×1のブロックを重ねた上にアングルブロックで縁《ふち》取りし、四隅《すみ》をおもしろい形にしています。

マストや船体の
ピースを加えると、
難破船の残骸で
作った砦らしく見える
自前の大砲を
作るのは簡単!
(143ページ)
海賊が登れるように、
見張台に索具を設置
たくさんの植物が海賊の
島に活気を与える

ボートもあるし、
コンパスもあるし
……宝《たから》さがしに
出発だ!
レゴ®ブロックの
ボートがなけれ
ば、145ページ
に戻って作りかた
を見よう

背面《はいめん》

ランタンは、夜の
照明になるだけ
じゃない。横に
ずらせば扉が
ロックされる!

土台からしっかり

一階には、大きな扉《とびら》と格子《こうし》フェンスで作った窓《まど》があります。茶褐色《ちゃかっしょく》のブロックは、森の地面の泥《どろ》がついた汚《よご》れ。海賊は、きれい好《す》きで有名ではありません!

バイキングのロングシップ

あなたのミニフィギュアたちは、世界征服《せいふく》をねらう船出の準備《じゅんび》はできていますか? 彼《かれ》らには、バイキングの冒険《ぼうけん》を楽しむロングシップが必要《ひつよう》です。バイキングのロングシップは、壁《かべ》が低《ひく》く船首《せんしゅ》と船尾《せんび》が高く持ち上がった独特《どくとく》な形をしています。こぎ手は何人必要か、船首にはどんな像《ぞう》を付《つ》けるか……あとの細かいところはご自由に。船に二階部分を加《くわ》えたり、風をはらんだ帆《ほ》を付けてもかまいません!

組み立ての概要

目的: バイキングの船を作る
用途: 輸送、探検、略奪
基本要素: こぎ手がおおぜい乗れる、安定性、バイキングの船らしい特徴
その他の要素: 帆、追加の階、護衛艦、敵の艦隊

装飾付きの盾。1×1のタイルやスロープ、コーンを使ってもいい

プレートがたりなければ盾をいくつか減らし、戦いでこわれたように見せればいい

武器も積んでおく——もしものために!

盾《たて》で守られた船

一列に並《なら》べた盾が、バイキングたちを敵《てき》の攻撃《こうげき》から守ります。それぞれの盾は、4×4のラウンドプレートを1×1のラウンドプレートで装飾《そうしょく》したもの。ヘッドライトブロックを使って船体に取り付けます。

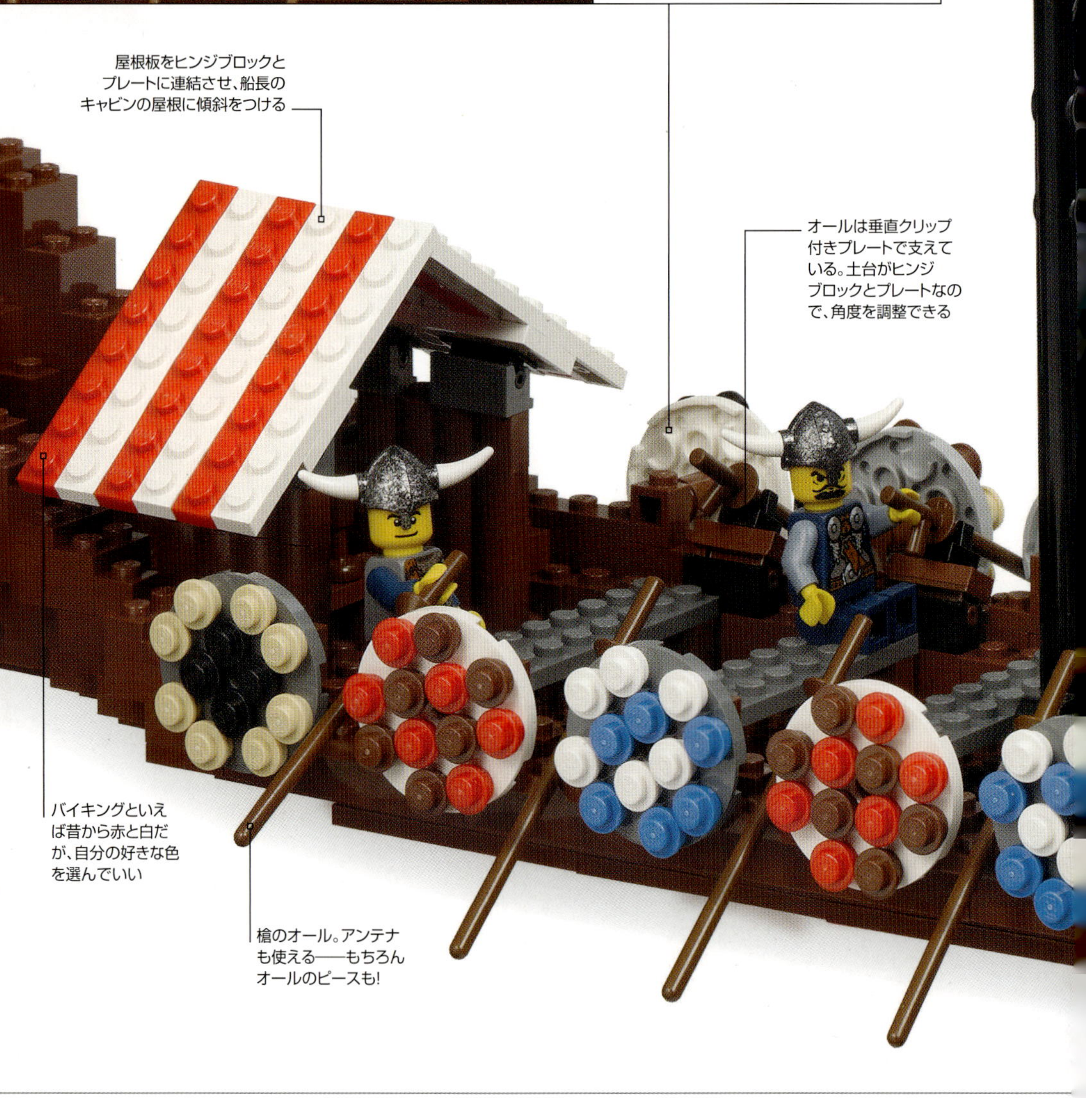

レゴ®ブロックのマストがなければ、1×1か2×2のラウンドブロックを重ねて作れる

船尾は船首よりも急勾配

屋根板をヒンジブロックとプレートに連結させ、船長のキャビンの屋根に傾斜をつける

オールは垂直クリップ付きプレートで支えている。土台がヒンジブロックとプレートなので、角度を調整できる

バイキングといえば昔から赤と白だが、自分の好きな色を選んでいい

槍のオール。アンテナも使える——もちろんオールのピースも!

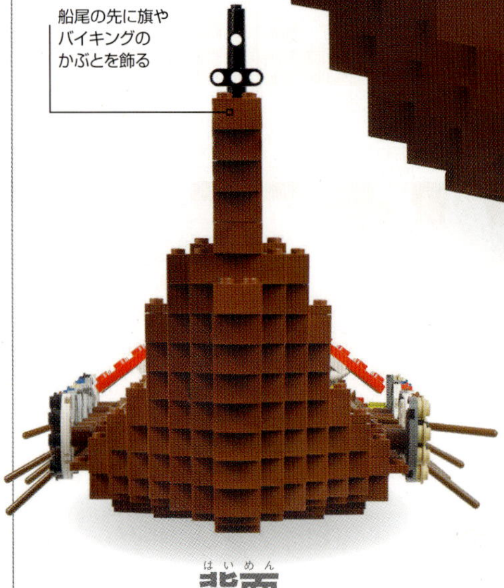

船尾の先に旗やバイキングのかぶとを飾る

背面《はいめん》

マンパワー

バイキングの船は、屈強《くっきょう》なこぎ手たちが動力です。オールの横に、彼らが座《すわ》るベンチを作りましょう。夜の明かりにもなる炉《ろ》を付けてもいいでしょう。

このモデルの幅は16ポッチ分。船の幅をどれくらいにするか決めよう。こぎ手は何人乗れるか?
底面《ていめん》
プレートをオーバーラップさせ、平らで丈夫な土台を作る

ながーい、ロングシップ

ロングシップらしい形にするには、まずプレートをオーバーラップさせて幅《はば》の広い土台を作ります。船首と船尾のセクションはそれぞれ別々《べつべつ》に、先端《せんたん》へいくほど狭《せま》くなるようにブロックを階段状《かいだんじょう》に積《つ》み重ねます。それを土台につなぎ合わせ、必要ならばプレートを加えて補強《ほきょう》します。

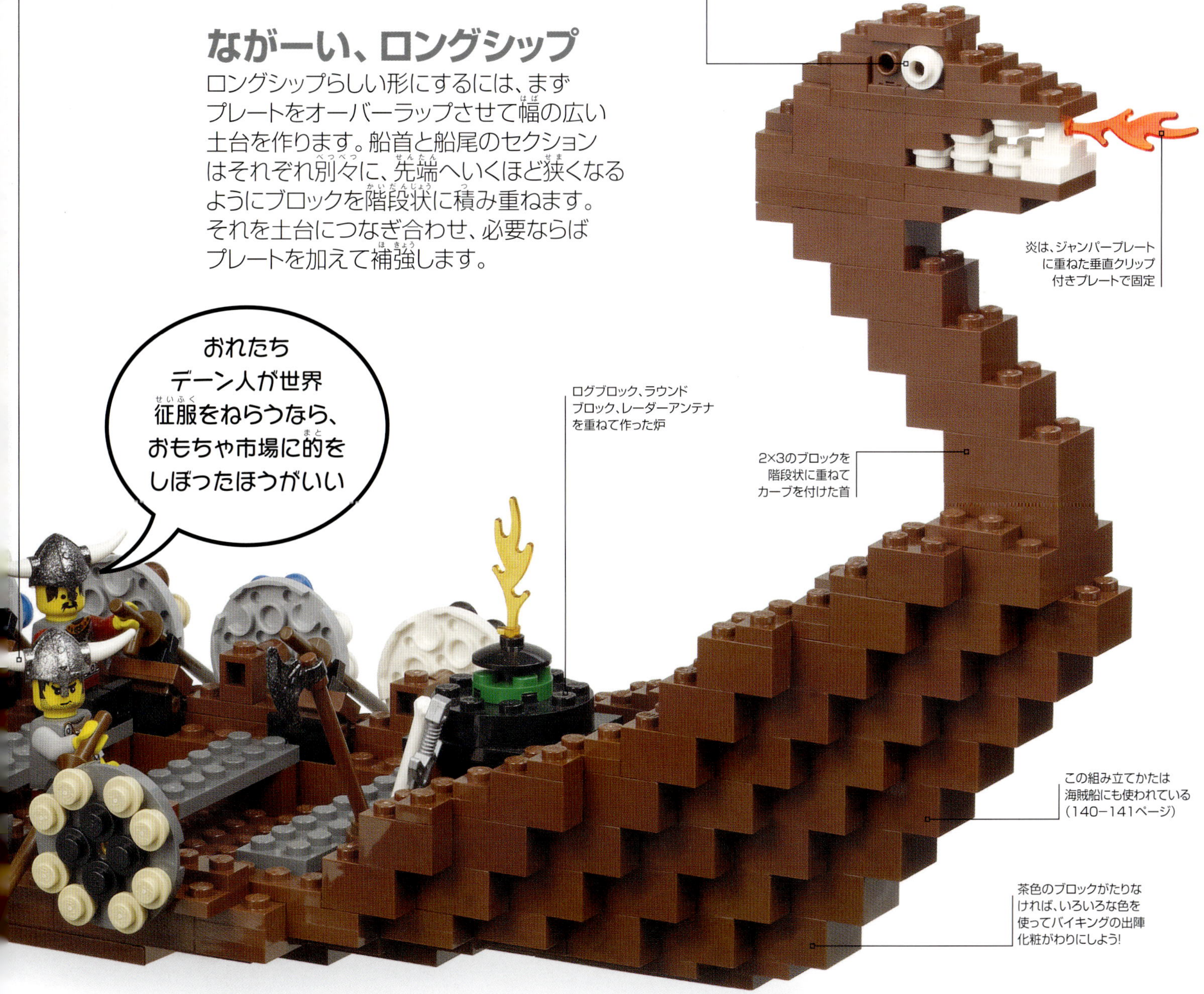

ドラゴンヘッドの目と歯は白いラウンドプレート
炎は、ジャンパープレートに重ねた垂直クリップ付きプレートで固定
おれたちデーン人が世界征服《せいふく》をねらうなら、おもちゃ市場に的《まと》をしぼったほうがいい
ログブロック、ラウンドブロック、レーダーアンテナを重ねて作った炉
2×3のブロックを階段状に重ねてカーブを付けた首
この組み立てかたは海賊船にも使われている(140−141ページ)
茶色のブロックがたりなければ、いろいろな色を使ってバイキングの出陣化粧がわりにしよう!

バイキングの村

どんなに強くいさましいバイキングでも、長い航海《こうかい》のあとに安らげる場所がほしいものです。村を作り、栄養《えいよう》たっぷりの食べ物や新鮮《しんせん》な水、あたたかく迎《むか》える火、寝《ね》る場所など、バイキングたちに必要《ひつよう》なものをたくさん用意してあげましょう。うろつきまわる敵《てき》から村を守るために、木の柵《さく》を作ってもいいでしょう。

組み立ての概要
目的: バイキングの村のシーンを作る
用途: 海から戻る戦士のための場所
基本要素: 祝宴のテーブル、小屋、井戸
その他の要素: 村の防衛、鍛冶屋、船着き場

祝宴《しゅくえん》のテーブル

村の祝宴のために、木製《もくせい》の長テーブルとおろそいのベンチを作り、ありったけのごちそうを並《なら》べましょう。バイキングたちがみんなそろって勝利《しょうり》を祝《いわ》えるように、テーブルは大きくゆったりと!

ところで、今週はなんの祝《いわ》いだ?
けしからんバイキングどもと戦《たたか》って勝った祝《いわ》いだよ!
望遠鏡のろうそく立てと、炎のピース
バイキングのミニフィギュアがなければ、ひげの生えた顔と武装した体を組み合わせる

テーブルが長いほど、
支える1×1のラウンド
ブロックがたくさん必要

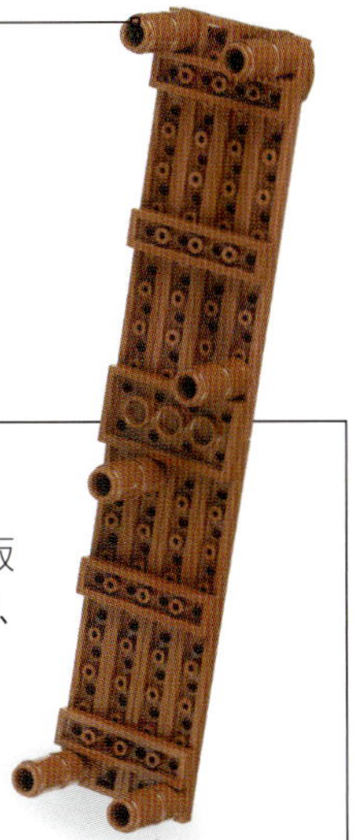

裏《うら》を明かせば

細長いプレートは、テーブルの板にちょうどいい。テーブルの脚《あし》は、1×1のラウンドブロックを積《つ》み重ねて作ります。裏からはめた短いプレートが、長いプレートをつなぎ合わせています。

食い散《ち》らかした食べ物

テーブルマナーはいりません！ 食べ物に見えるピースがあれば、テーブルに無造作《むぞうさ》に置《お》きましょう。骨《ほね》やからっぽの皿が、祝宴がしばらく続《つづ》いていることを物語っています。

このテーブルは、
おれが全部
ひとりで
作ったんだぜ！

乾杯とがぶ飲みに、
ゴブレットは欠かせない！

ナイフや斧、剣は、
食事にも便利！

ベンチはテーブルと
同じ要領で作り、
脚だけ短くする

ジャングルのつり橋

ジャングルに行ったことがなくても、どんな場所かはみんな知っています。うっそうと生い茂《しげ》る緑の草木やつる植物、ねじくれた古木、川や滝《たき》。ジャングルは可能性《かのうせい》に満《み》ちあふれています！ そんな大自然《しぜん》を、自由にブロックでつくりあげましょう。1本の木を完成《かんせい》させるだけのピースがないときには、幹《みき》がむきだしだってかまいません！

組み立ての概要
目的: ジャングルのシーンを作る
用途: 開拓、冒険、発見
基本要素: 川、つり橋
その他の要素: 葉のついた枝、はしご、花

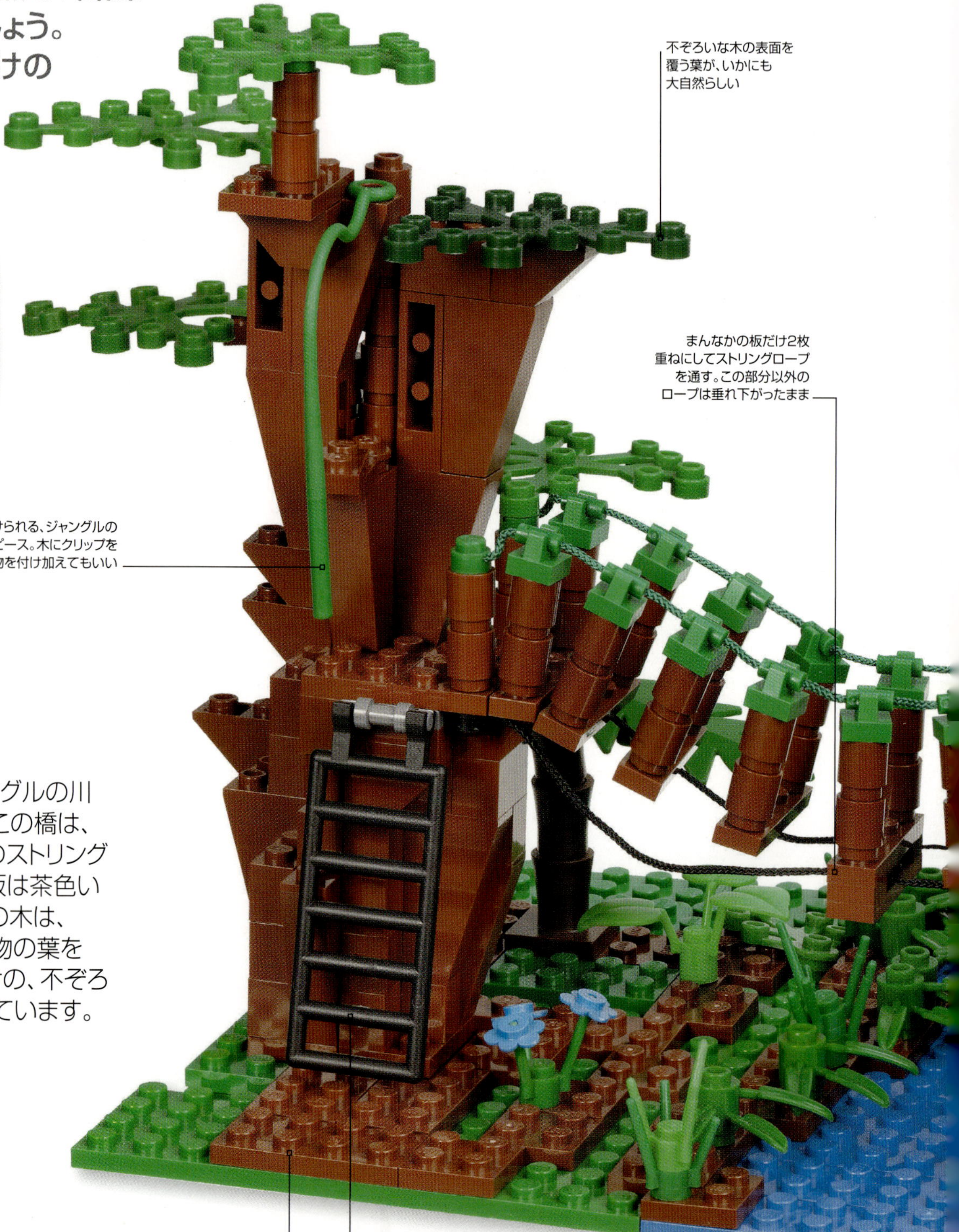

不ぞろいな木の表面を覆う葉が、いかにも大自然らしい
まんなかの板だけ2枚重ねにしてストリングロープを通す。この部分以外のロープは垂れ下がったまま
ポッチ1個で取り付けられる、ジャングルのつる植物にちょうどいいピース。木にクリップを組みこんで、さらに植物を付け加えてもいい
橋までは、ハンドルバー付きプレートで木に取り付けたはしごを伝っていく
でこぼこした森の地面は、茶色と緑色のプレートをランダムに並べる

つり橋

いちばんかっこよくジャングルの川を渡《わた》る方法《ほうほう》は、つり橋！　この橋は、端《はし》にポッチが付《つ》いた4本のストリングロープでできています。板は茶色い1×4のプレート。両わきの木は、ブロック、逆《ぎゃく》スロープ、植物の葉を使い、あちこちこぶだらけの、不ぞろいで自然な感じに仕上げています。

倒木《とうぼく》

森の地面に木が倒《たお》れ、まわりに草が生えています。枝《えだ》からも葉が出てくるかもしれません。このモデルは、葉っぱがばらばらの方向にのびた状態《じょうたい》をあらわしています。

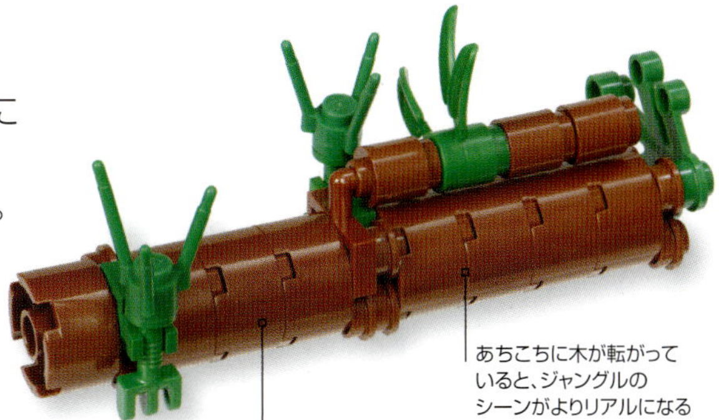

あちこちに木が転がっているとジャングルのシーンがよりリアルになる

クリップ式の葉

中心の幹は、茶色い2×2のラウンドブロックでできています。そこへ1×1の水平クリップ付きプレートを1枚《まい》はめこみ、葉が幹から上向きにのびるようにします。

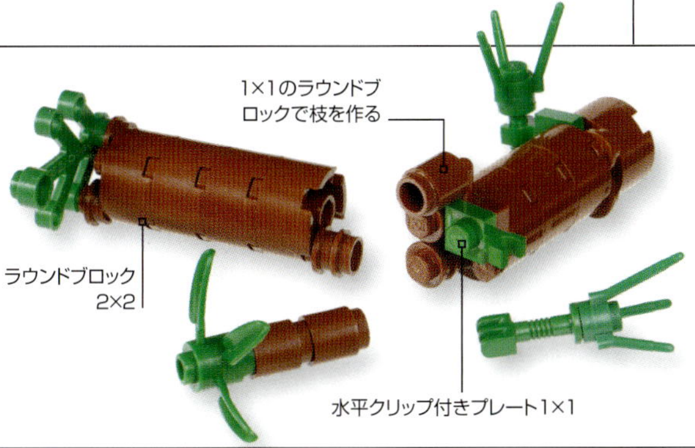

1×1のラウンドブロックで枝を作る
ラウンドブロック2×2
水平クリップ付きプレート1×1

たき火

料理《りょうり》をし、暖《だん》をとるためのたき火——ジャングルとはいえ、夜は冷《ひ》えるかもしれません。茶色の1×1のラウンドブロックでまきを作り、ロボットアームとチューブポッチで炎《ほのお》を固定《こてい》します。

炎のピースがなければ、赤やオレンジの小さなピースで、くすぶる燃えさしを作ればいい

ヤシの木の葉は、いろいろなレゴセットに入っている

ヤシの木

ヤシの木の幹は、たいてい自然に曲がっているものですが、いろいろなピースを使い、これを再現《さいげん》できます。茶色く丸いブロックやコーンを重ね、てっぺんに葉を付ければ完成です。

ヤシの木の専用パーツ

ジャングルの奥地《おくち》

ジャングルの世界をもっと広げてみましょう! 古代遺跡《いせき》や廃墟《はいきょ》となった禁断《きんだん》の寺院を作れば、神秘《しんぴ》と冒険《ぼうけん》が加《くわ》わります。すべて人間の手が加わったものである必要《ひつよう》はありません。大きな口をあけて待ちかまえるワニが うようよいる激流《げきりゅう》や、勢《いきお》いよく落ちる滝《たき》はどうですか? ワイルドに創造性《そうぞうせい》を発揮《はっき》しましょう!

壁を這う、つる植物。緑色のポッチ付きストリングロープでもいい
床に落とし戸を作ったりタイルのモザイクを組みこんでもいい

背面《はいめん》

組み立ての概要
- **目的:** ジャングルを広げる
- **用途:** 新たな遊びと探検の場所
- **基本要素:** 崩れかけた遺跡、滝
- **その他の要素:** 野生動物、木、山

ジャングルの遺跡《いせき》

崩《くず》れかけた古い建物《たてもの》を作る場合、壁《かべ》の一部を未完成《みかんせい》のままにしておくと、長年のあいだに朽《く》ちはてたようすが表現《ひょうげん》できます。つる植物やその他の植物が、ジャングルが遺跡を覆《おお》って勢いよくはびこるさまをあらわしています。

種類の異なる葉や植物をミックスし、うっそうとした感じを出す
古い石の建造物には、変わった形や表情のグレーのピースがよく合う
コントラストのきいた配色が、目を引くディテールを生み出す
ラウンドブロックと葉を重ね、割れた幹を表現する

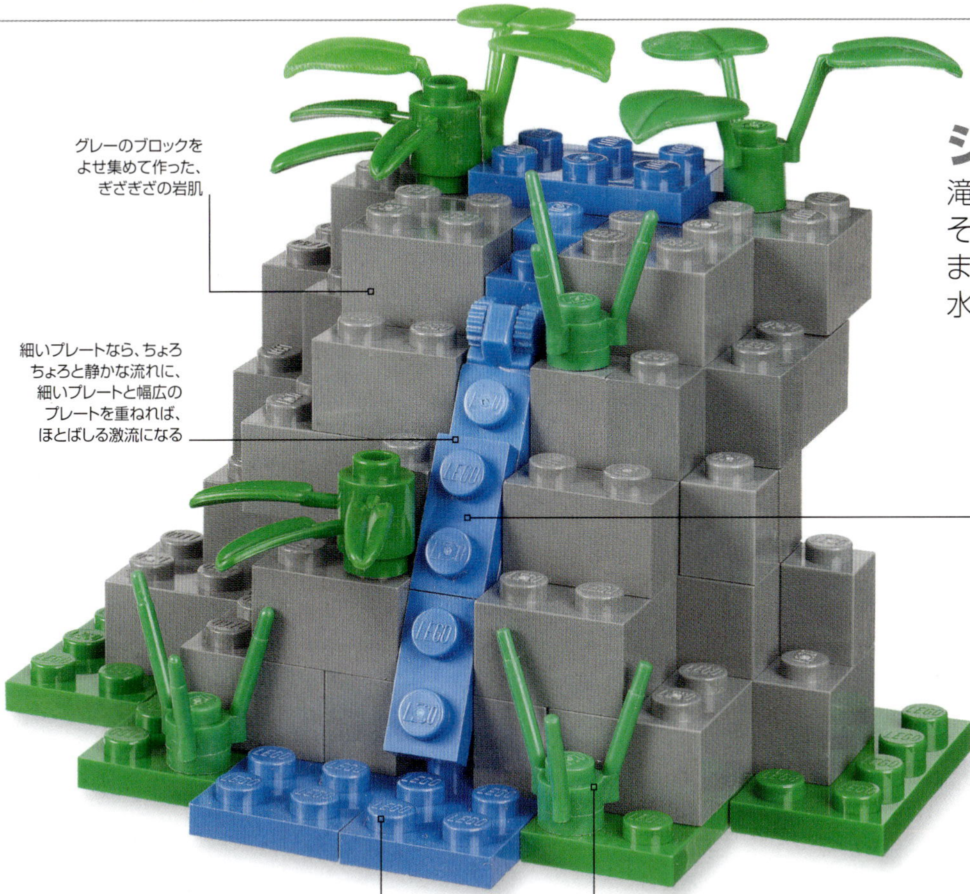

グレーのブロックを
よせ集めて作った、
ぎざぎざの岩肌

細いプレートなら、ちょろ
ちょろと静かな流れに、
細いプレートと幅広の
プレートを重ねれば、
ほとばしる激流になる

滝つぼを大きくし、ジャングル
の池のシーンが作れる

水が豊富な場所には植物が育つ。
花や木を加えてもいい!

ジャングルの滝《たき》

滝を作るには、まず土台となる岩を作り、それから青いブロックで流れる水を加えます。いちばんのポイントは、ほんとうに水が流れ落ちているように見せること。

流れ落ちる水

この滝の水は、クリックヒンジ付きプレートの上にポッチ1個《こ》分の幅《はば》の青いプレートをはめて作っています。ヒンジによって、ちょうど岩のあいだを流れ落ちるように滝の角度を調整できます。ヒンジがなければ、岩の表面にじかに青いピースを組みこみましょう。

正面の門

寺院の門は、横向きにした格子《こうし》フェンスです。それを戸口に固定《こてい》したアンテナにクリップで留《と》めています。門の取っ手は、ハンドルバー付きプレート。

ハンドルバー付きプレート

寺院の廃墟《はいきょ》

たとえ小さな建物でも、与《あた》えるインパクトは絶大《ぜつだい》です。この神秘的な寺院は、ただの岩山のように見えますが、鉄格子《てつごうし》の門が、中にだいじなものがかくされていることを物語っています。いったい何が出てくるのか……それはあなたしだい!

寺院は、好きなだけ
大きく作っていい!

草木やつる植物で
完全に覆い、うずも
れて忘れ去られた
寺院にしてもいい

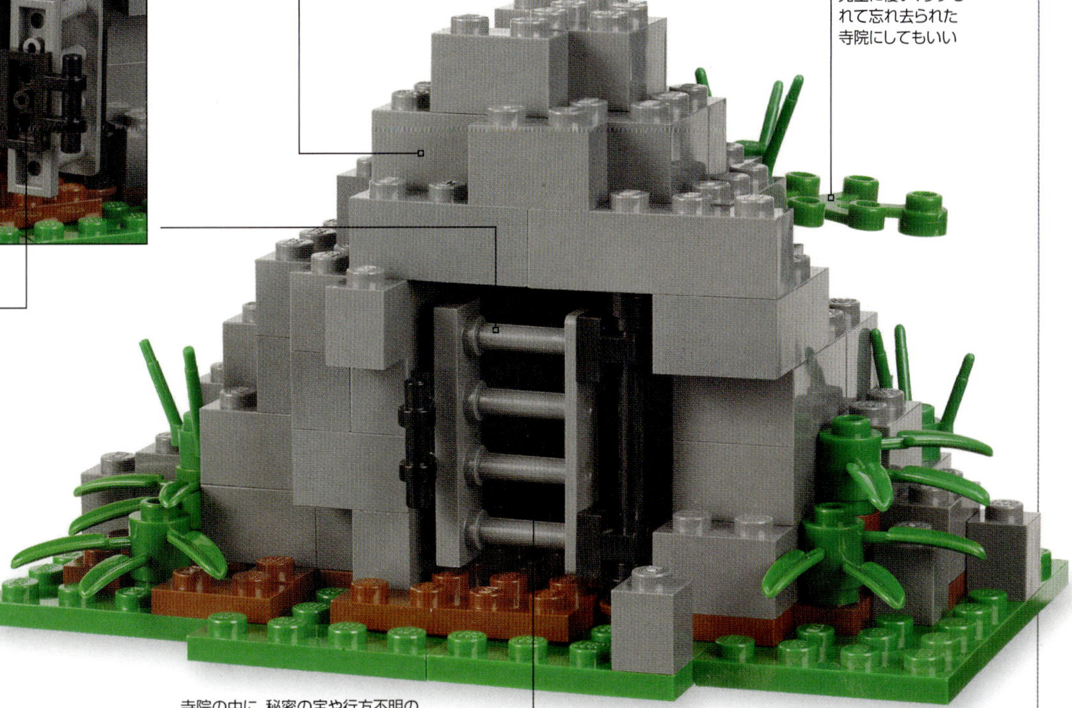

寺院の中に、秘密の宝や行方不明の
探検家、秘密のトンネルを加えて
もいい。ほかにアイデアは?

野生動物

ジャングルや草原、サバンナを、ありとあらゆる野生動物でいっぱいにしましょう! 選《えら》んだ動物の形やプロポーション、体の模様《もよう》の特徴《とくちょう》をつかみ、できるだけ本物らしく作ります。その動物ならではの特徴をうまく表現《ひょうげん》できれば、それだけいい作品になります!

組み立ての概要
- **目的:** 動物を作る
- **用途:** ジャングル、動物園、砂漠に住む
- **基本要素:** 安定性、わかりやすい特徴
- **その他の要素:** 開く口、動く手足

キリン

キリンの最大《さいだい》の特徴は長い首。いろいろなブロックやスロープを使い、キリンらしい形や造《ぞう》作《さく》に仕上げましょう。顔の特徴を十分に出せるように、頭部を大きめに作ってもいいでしょう。

本物のキリンの模様は同じ形ではない。モデルの模様も不ぞろいにしよう

しっぽ、脚、首は、1×1のブロックとプレートを重ねて作る

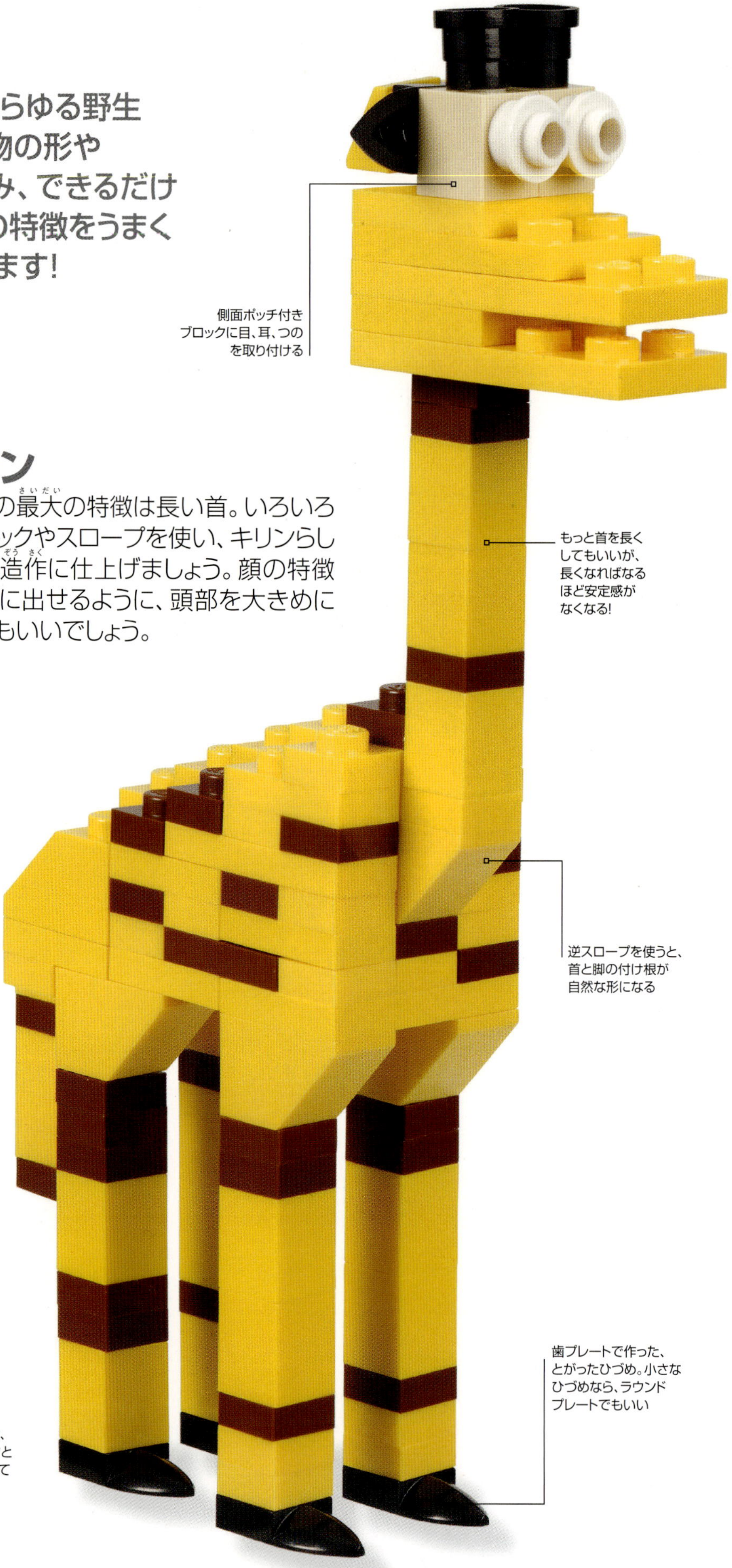

側面ポッチ付きブロックに目、耳、つのを取り付ける

もっと首を長くしてもいいが、長くなればなるほど安定感がなくなる!

逆スロープを使うと、首と脚の付け根が自然な形になる

歯プレートで作った、とがったひづめ。小さなひづめなら、ラウンドプレートでもいい

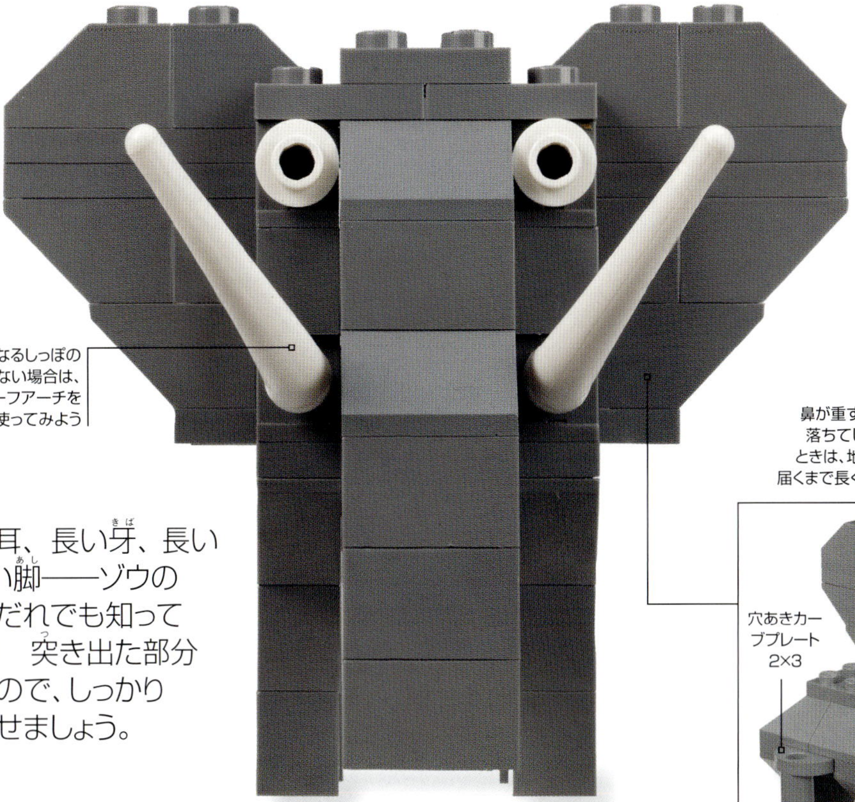
牙になるしっぽの
ピースがない場合は、
曲面ハーフアーチを
使ってみよう

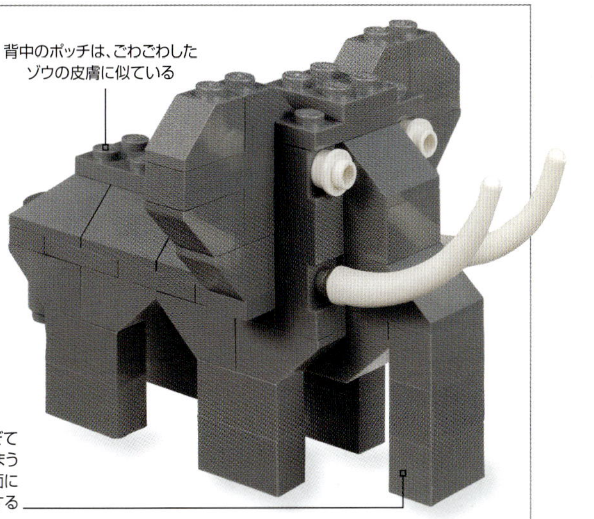
背中のポッチは、ごわごわした
ゾウの皮膚に似ている
鼻が重すぎて
落ちてしまう
ときは、地面に
届くまで長くする

ゾウ

大きな耳、長い牙《きば》、長い鼻、太い脚《あし》——ゾウの特徴はだれでも知っています！　突《つ》き出た部分が多いので、しっかり連結《れんけつ》させましょう。

穴あきカー
ブプレート
2×3

頑丈《がんじょう》なつくり

ぐらつかないように、耳は頭の両側に組みこまれています。2個《こ》のラウンドブロックでできたしっぽは、体にしっかり組みこんだ2×3の穴《あな》あきカーブプレートにぶら下げます。

ワニ

このハングリーな爬虫類《はちゅうるい》は、体の上半分だけを水面から出して水に浮《う》いているように見えます。陸に上がったワニを作るなら、腹《はら》と下あご、しっぽの残《のこ》り、それに脚を加《くわ》えましょう！

ラウンドプレートで
作った、半分水に
沈んだ歯
とがったうろこは、
緑色の両側傾斜
スロープ（コーナー）
ヒンジプレートを使っ
た、ポーザブルなしっ
ぽと脚

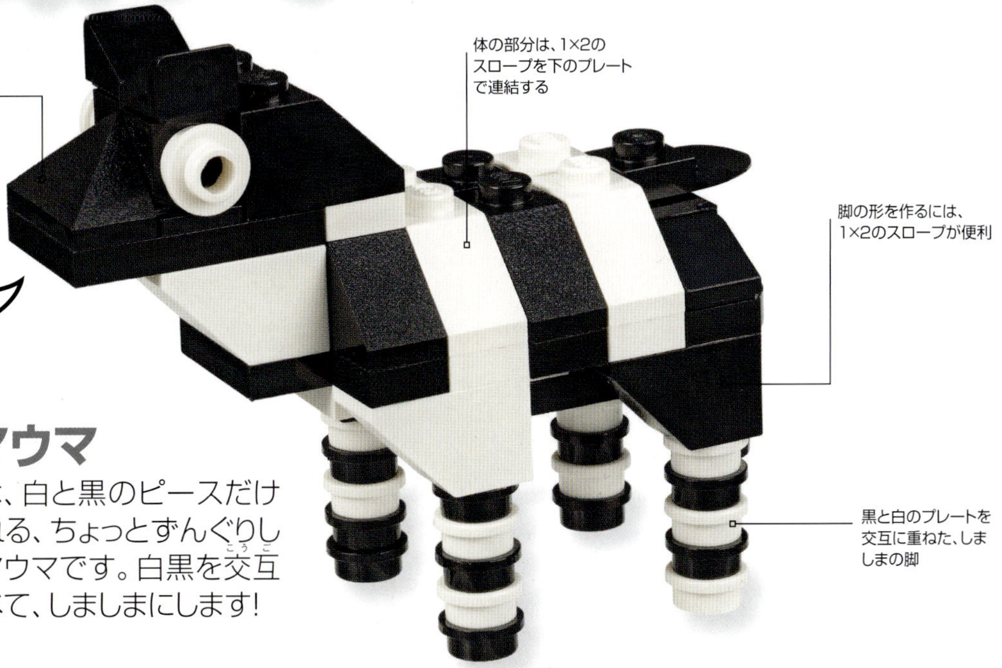
鼻は両側傾斜
スロープ（コーナー）
体の部分は、1×2の
スロープを下のプレート
で連結する
脚の形を作るには、
1×2のスロープが便利
黒と白のプレートを
交互に重ねた、しま
しまの脚

友だちのヒョウにも
言ったけど、
最近《さいきん》のはやりは、
ヒョウ柄《がら》じゃなくて
しましまよ！

シマウマ

これは、白と黒のピースだけで作れる、ちょっとずんぐりしたシマウマです。白黒を交互《こうご》に並《なら》べて、しましまにします！

ロボット

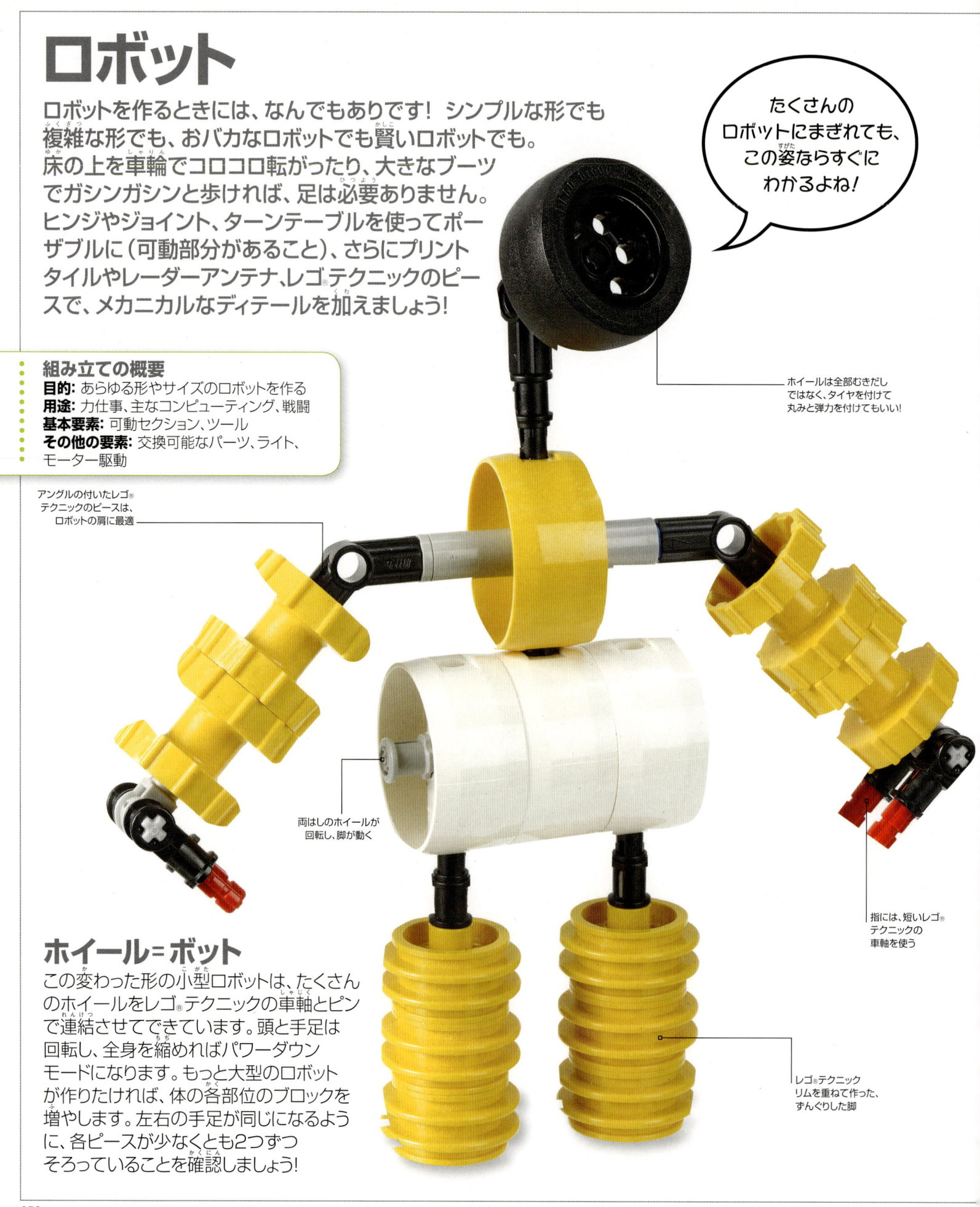

ロボットを作るときには、なんでもありです！ シンプルな形でも複雑《ふくざつ》な形でも、おバカなロボットでも賢《かしこ》いロボットでも。床《ゆか》の上を車輪《しゃりん》でコロコロ転がったり、大きなブーツでガシンガシンと歩ければ、足は必要《ひつよう》ありません。ヒンジやジョイント、ターンテーブルを使ってポーザブルに（可動部分があること）、さらにプリントタイルやレーダーアンテナ、レゴ®テクニックのピースで、メカニカルなディテールを加《くわ》えましょう！

たくさんのロボットにまぎれても、この姿《すがた》ならすぐにわかるよね！

組み立ての概要
目的: あらゆる形やサイズのロボットを作る
用途: 力仕事、主なコンピューティング、戦闘
基本要素: 可動セクション、ツール
その他の要素: 交換可能なパーツ、ライト、モーター駆動

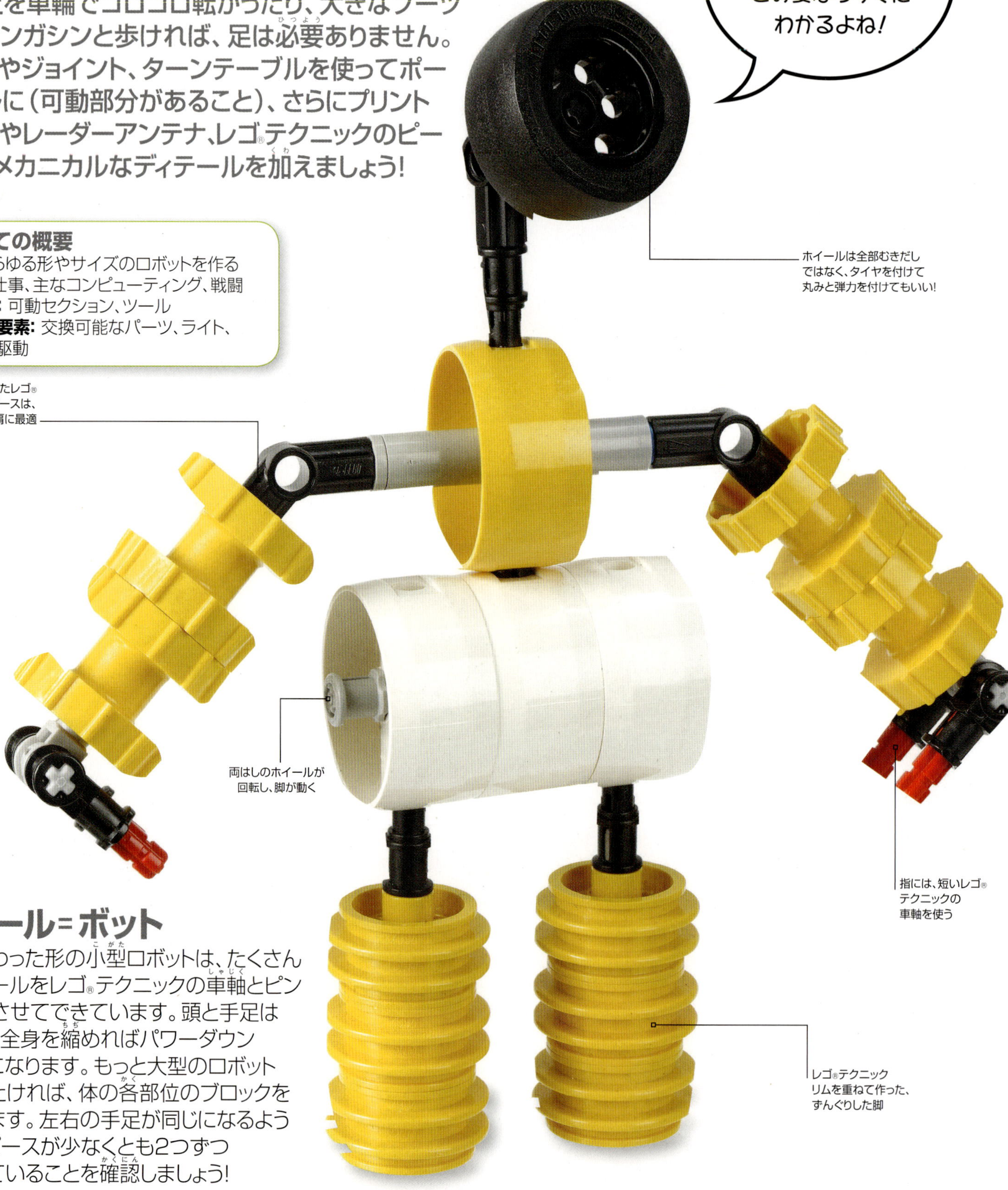
ホイールは全部むきだしではなく、タイヤを付けて丸みと弾力を付けてもいい！
アングルの付いたレゴ®テクニックのピースは、ロボットの肩に最適
両はしのホイールが回転し、脚が動く
指には、短いレゴ®テクニックの車軸を使う
レゴ®テクニックリムを重ねて作った、ずんぐりした脚

ホイール＝ボット

この変《か》わった形の小型《こがた》ロボットは、たくさんのホイールをレゴ®テクニックの車軸《しゃじく》とピンで連結《れんけつ》させてできています。頭と手足は回転し、全身を縮《ちぢ》めればパワーダウンモードになります。もっと大型のロボットが作りたければ、体の各《かく》部位のブロックを増《ふ》やします。左右の手足が同じになるように、各ピースが少なくとも2つずつそろっていることを確認《かくにん》しましょう！

ロボ=モーション

ディガー=ボットのアームは、本体に通したレゴ®テクニック十字軸に連結しているため、アームを回転させて必要なときに必要なツールが使えます。

車軸で大型ホイールを背中合わせに連結させる

ディガー=ボット

機動性《きどうせい》にすぐれたロボットではないかもしれませんが、ディガー=ボットを地下鉱山《こうざん》の壁《かべ》のそばに置《お》いて、仕事ぶりを見てください! ミニフィギュアの工具にレゴ®テクニックの歯車、それに建設《けんせつ》車両用ショベルが、それぞれのアームに独自《どくじ》の機能《きのう》を与《あた》えます。

地上と交信するための長距離通信アンテナ

コントロール画面には、好きなプリントタイルを使う

作業ごとに使いわけるツール

土台はレーダーアンテナだが、タイヤやキャタピラーを加えて動けるようにしてもいい

この半球ドーム型の目がなければ、独自の奇抜な目を作ってみよう!

ヤシの木の先端をレゴ®テクニックピン付きヒンジシリンダーにはめこんだ手

プレートを重ねて作った球形のボディー。ボディーは好きに形に組み立てればいい!

鉤爪が、ほかのロボットをがっしりつかんで離さない!

バグ=アイボット

昆虫《バグ》のような大きな目をもつロボット! 土台はディガー=ボットと同じですが、好《この》みに応《おう》じて脚《あし》を付《つ》けてもいいでしょう。丸いボディーがドーム型《がた》の目とよくマッチし、ヒンジ付きアームで、とてもポーザブルなロボットです。

クリーチャー=ボット

ロボットにはかならずアームと脚《あし》、頭がなければならないわけではありません。幅広《はばひろ》でも、やせっぽちでも、のっぽでも、背《せ》が低《ひく》くても、大きくても、小さくても、実在《じつざい》の生物にそっくりでも、見たこともないような姿《すがた》でもかまいません！
めずらしいピースを使ってクリーチャー（空想上の生物）ロボットを作りましょう。奇想天外《きそうてんがい》であればあるほど、おもしろさがアップします！

組み立ての概要
目的: 想像できるかぎり奇抜なロボットを作る
用途: 実験、遊び
基本要素: めずらしいブロックの新しい使いかた
その他の要素: マッドサイエンティストの研究室、ロボット実験室

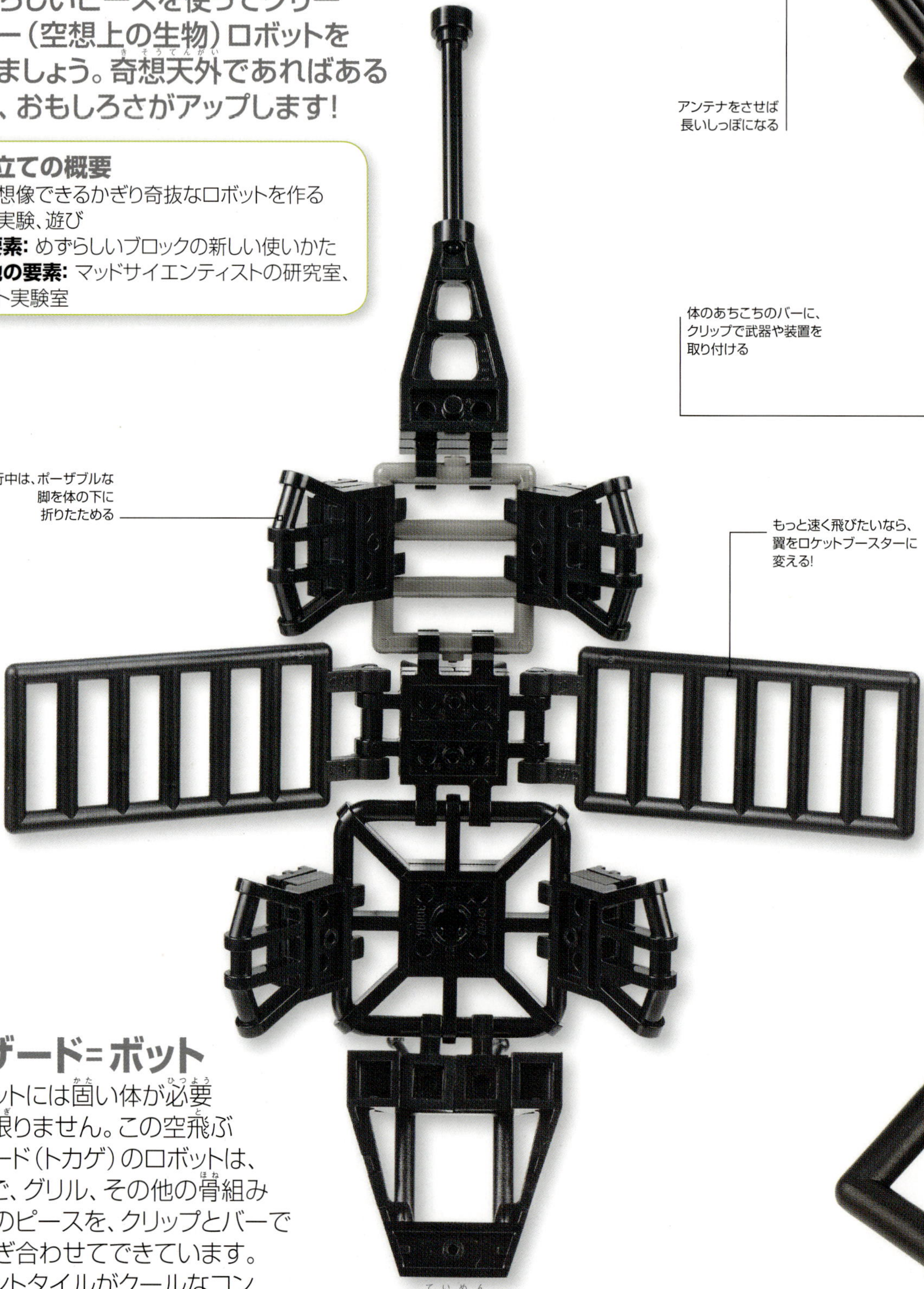
飛行中は、ポーザブルな脚を体の下に折りたためる
もっと速く飛びたいなら、翼をロケットブースターに変える!

底面《ていめん》

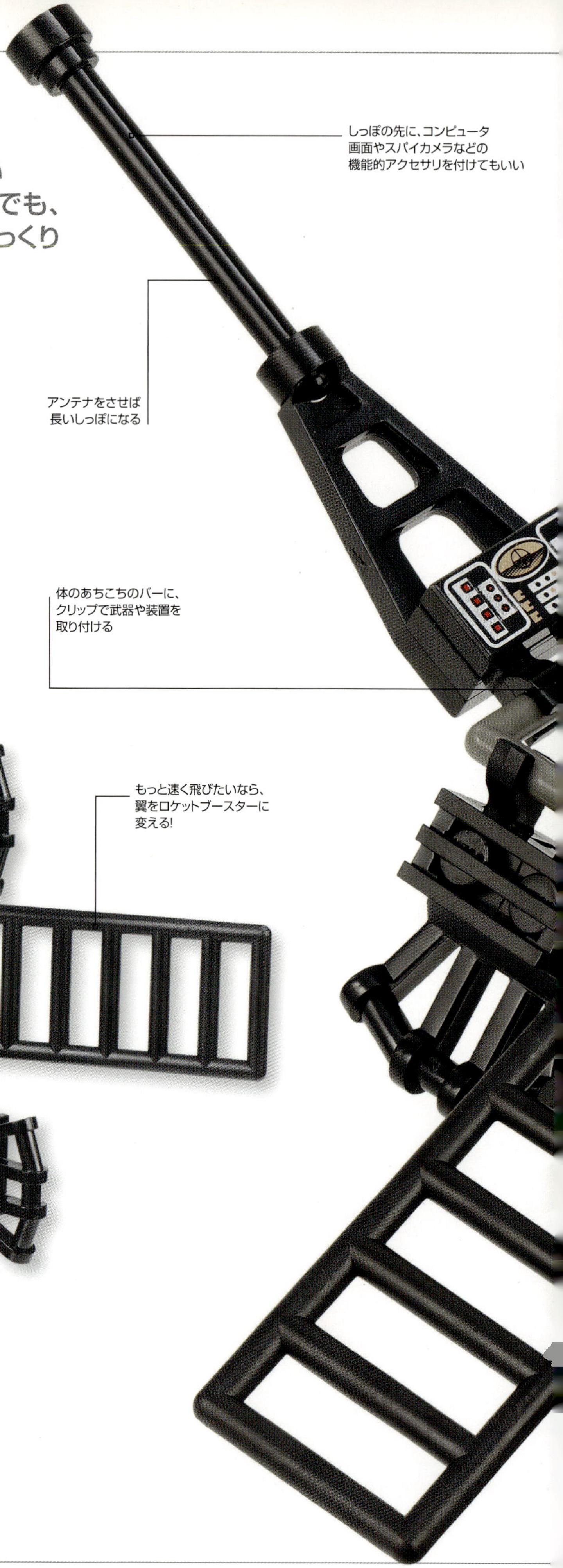
しっぽの先に、コンピュータ画面やスパイカメラなどの機能的アクセサリを付けてもいい
アンテナをさせば長いしっぽになる
体のあちこちのバーに、クリップで武器や装置を取り付ける

リザード=ボット

ロボットには固《かた》い体が必要《ひつよう》とは限《かぎ》りません。この空飛《と》ぶリザード（トカゲ）のロボットは、はしご、グリル、その他の骨《ほね》組みだけのピースを、クリップとバーでつなぎ合わせてできています。プリントタイルがクールなコンピュータ制御装置《せいぎょそうち》になります！

いつか、
ロボットが世界を
征服《せいふく》する日が
来るぞ!

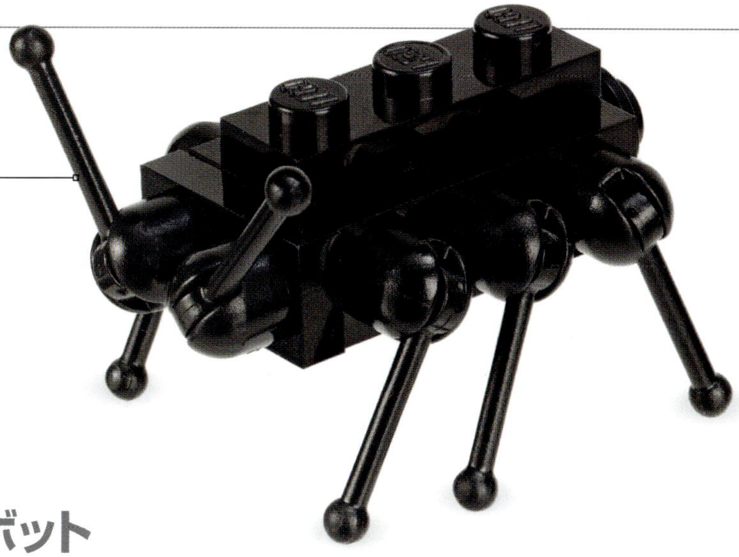

大あごをもつどう猛な昆虫なら、クリップ付きアンテナやとがったピースを付ける

アント=ボット

このアント(アリ)のロボットは、小さすぎてむずかしい作品です。1×1の側面《そくめん》ポッチ付《つ》きブロック2個《こ》を中心に、そのまわりに1×3のブロックを3個、1×2のプレートを2枚《まい》加《くわ》えます。さらに、ポーザブルな脚と触《しょっ》角《かく》として、8本のレバーを取り付けます。

ミニフィギュアが乗って飛べるように、座席を付けてもいい

コックピットのロールケージで作った頭

実在《じつざい》のロボット

ロボットが登場するのは、SFの世界だけではありません。いまの世の中では、いたるところにロボットがあり、自動車の組み立て、危険《きけん》物をあつかう作業、海底《かいてい》や宇宙《うちゅう》の探査《たんさ》、そのほか人間では安全に行えないさまざまな仕事をしています。実在するロボットを作る際は、その役割《やくわり》と、作業をこなすためにはどんなデザインやツールが必要《ひつよう》かを考えます。

組み立ての概要
目的: 機能的なロボットを作る
用途: 人間にはむずかしい、または危険な仕事
基本要素: シンプルな形、関節のあるアーム、専用ツール
その他の要素: モーター、ライト、操作要員

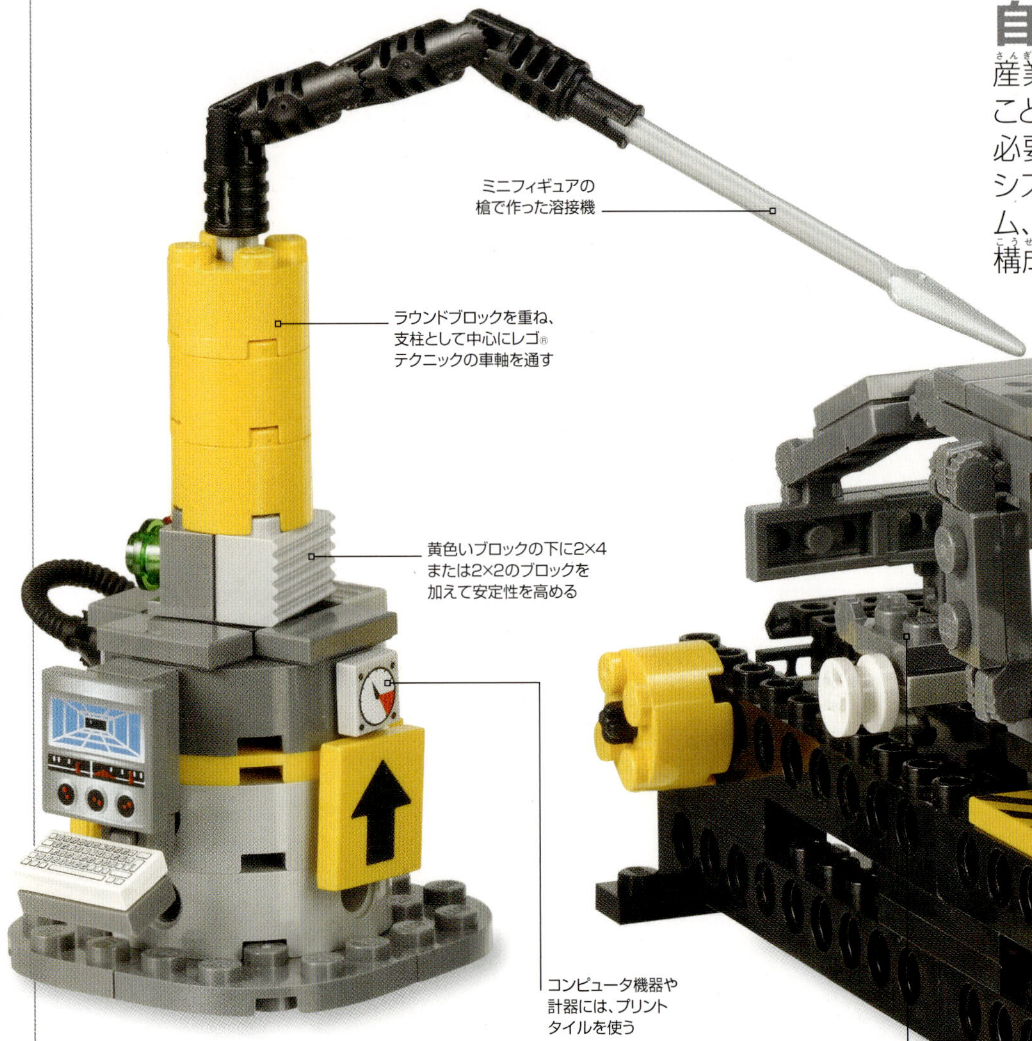
ミニフィギュアの
槍で作った溶接機
ラウンドブロックを重ね、
支柱として中心にレゴ®
テクニックの車軸を通す
黄色いブロックの下に2×4
または2×2のブロックを
加えて安定性を高める
コンピュータ機器や
計器には、プリント
タイルを使う

自動車工場のロボット

産業《さんぎょう》用ロボットの役目は作業をこなすことですから、見た目のかわいらしさは必要ありません。この自動車組み立てシステムは、ロボット、自動車のフレーム、ベルトコンベヤーの3つの部分で構成《こうせい》されています。

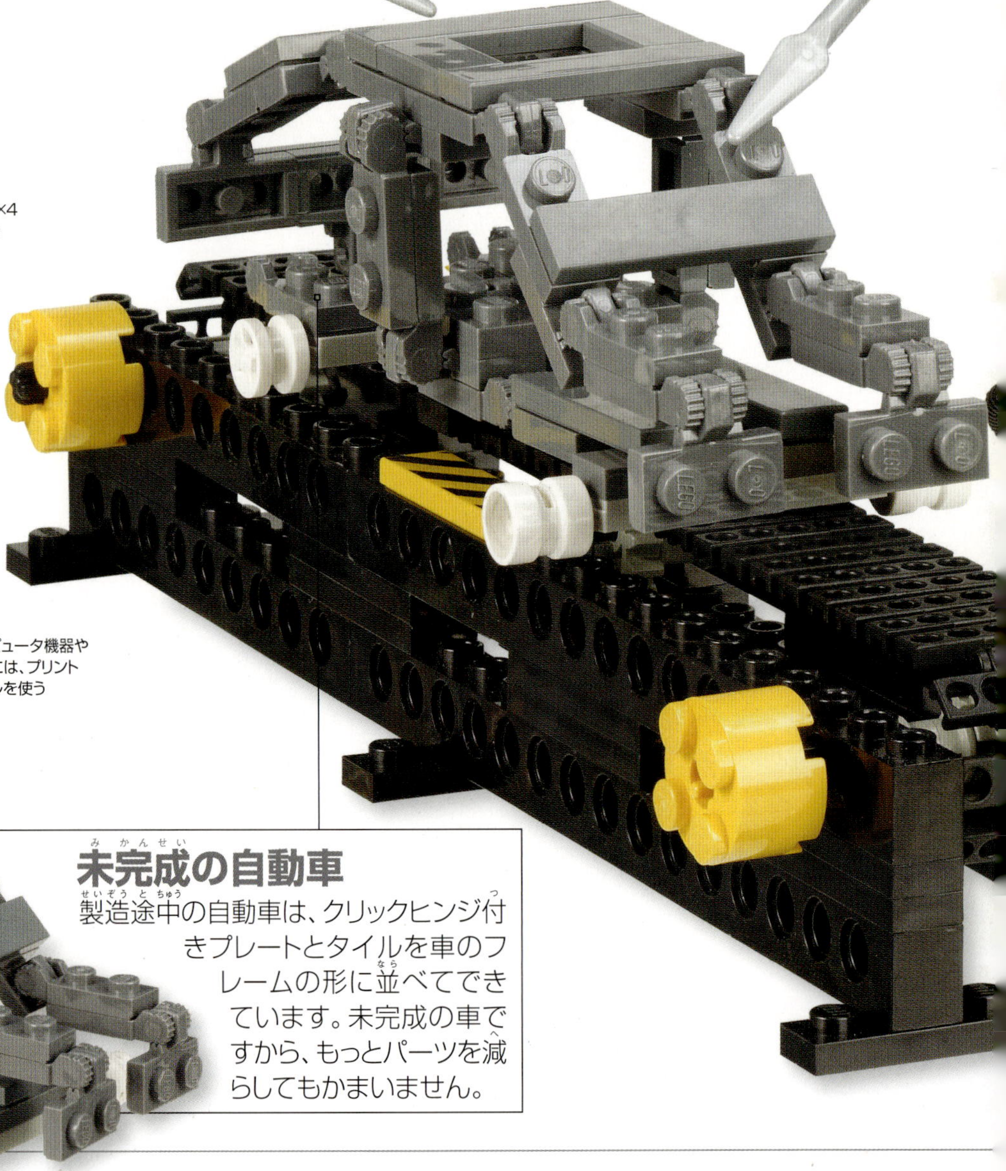

未完成《みかんせい》の自動車

製造途中《せいぞうとちゅう》の自動車は、クリックヒンジ付《つ》きプレートとタイルを車のフレームの形に並《なら》べてできています。未完成の車ですから、もっとパーツを減《へ》らしてもかまいません。

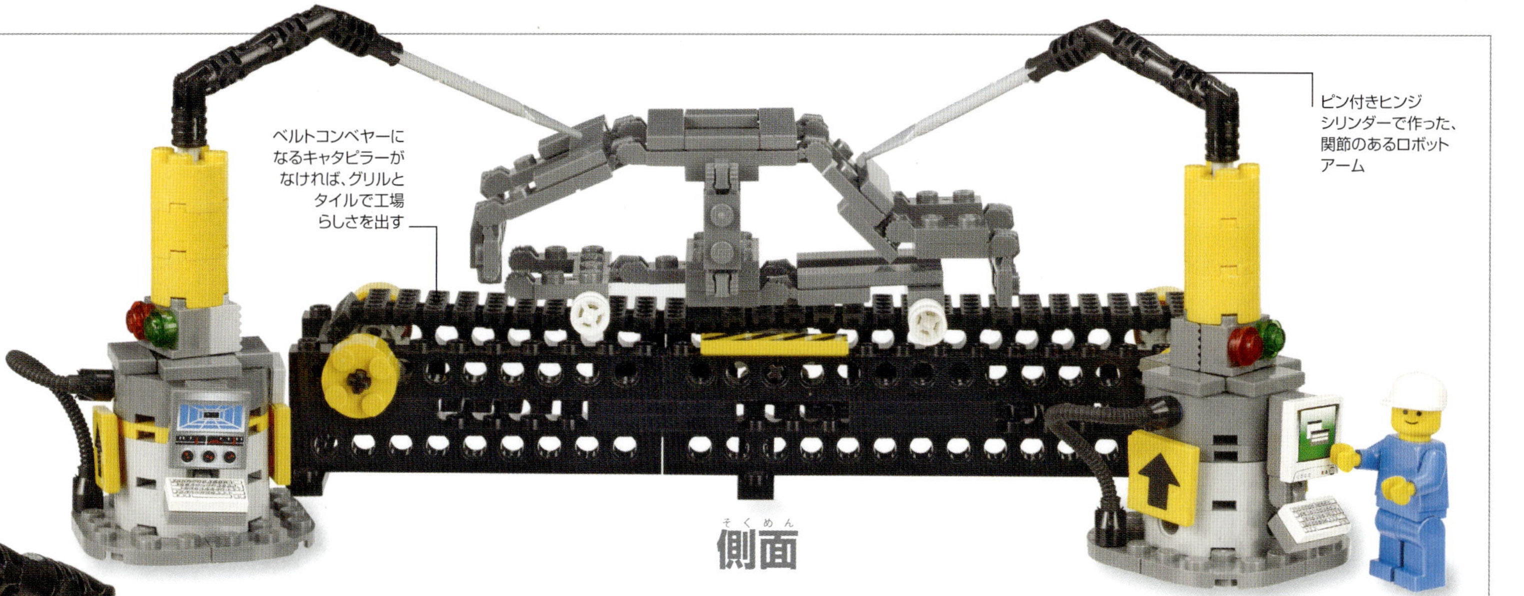
ベルトコンベヤーになるキャタピラーがなければ、グリルとタイルで工場らしさを出す
ピン付きヒンジシリンダーで作った、関節のあるロボットアーム

側面《そくめん》

ロボットは車を作れるけど、運転はできない……今のところはね！
作業ロボットにも、操作する人が必要！

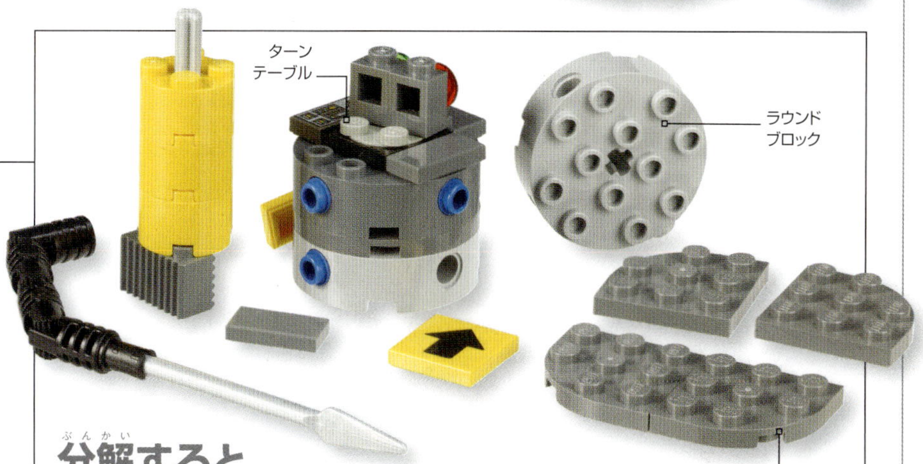
ターンテーブル
ラウンドブロック
ラウンドコーナープレートは、ラウンドブロックで連結する

分解《ぶんかい》すると

溶接機《ようせつき》の土台は、ラウンドコーナープレートに4×4のラウンドブロックを重ねてできています。側面《そくめん》の穴《あな》にさしたレゴ®テクニック ハーフピンにタイルや電源《でんげん》ケーブルを取り付け、いちばん上のターンテーブルでアームを回転させます。

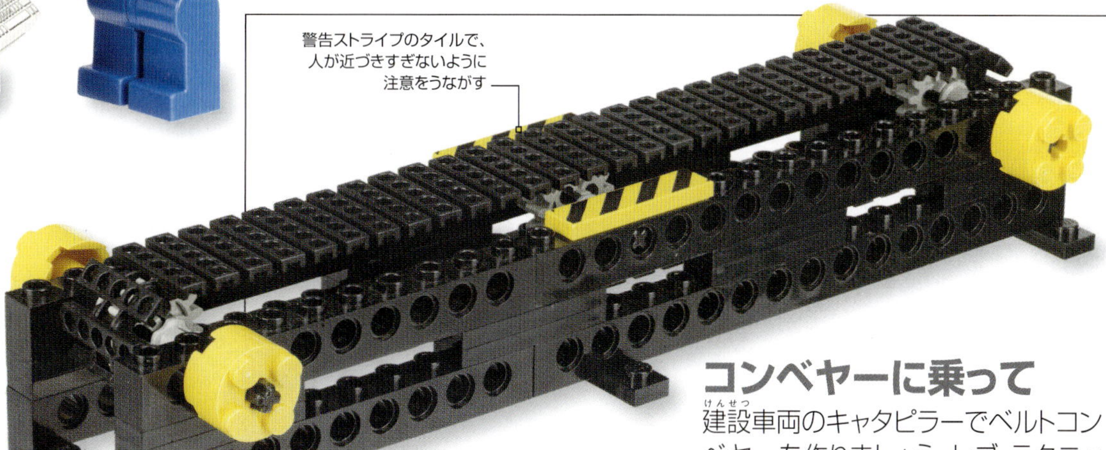
警告ストライプのタイルで、人が近づきすぎないように注意をうながす

コンベヤーに乗って

建設《けんせつ》車両のキャタピラーでベルトコンベヤーを作りましょう。レゴ®テクニックのブルドーザーの部品（リンク）で作ったこのコンベヤーは、黄色のラウンドブロックを回すと動きます。

ビルダー紹介《しょうかい》

ダンカン・ティトマーシュ

DUNCAN TITMARSH

所在: イギリス

年齢: 40

レゴの得意分野: モザイク

これまでで最大《さいだい》の、または最《もっと》も複雑《ふくざつ》な作品は?

レゴ®ブロックのセット#375の大型《おおがた》バージョン。レゴグループがはじめて製造《せいぞう》した、黄色いお城《しろ》だよ。大型化するために、ひとつひとつのブロックを6倍の大きさに作り(簡単《かんたん》なものもあれば、ヒンジブロックのようにむずかしいものもあった)、それをインストラクションどおりに組み立てて、超《ちょう》大型のお城を作ったんだ。

バンクシーの作品が好きな妻のために、レゴ®ブロックで作ったモザイクの絵。自宅の廊下に飾ってある。

これもモザイク作品。花を描いたらどうなるか見てみたくて、デイジーを摘んで、1×1のプレート9216個で組み立てた。

作品づくりにどれくらい時間をかけるの?

毎日。わたしは世界に13人しかいない、レゴ®認定《にんてい》プロビルダー。趣味《しゅみ》が仕事になったというわけ。製品《せいひん》をプロモーションしたい企業《きぎょう》のために、実物よりも大きなモデルを作ったり、1×1のプレートで家族写真のモザイクを作ることもあるよ。

ブロックは、100万個《こ》くらい持っていると思う!

好《す》きなブロックやピースは?

大きな壁《かべ》を作れるから、1×2のブロックが好きだな。1×1のブロックがなくても、1×2のを横に倒《たお》して使えばまにあう。1×2のブロックで組み立てると、本物のレンガの壁みたいに見えるんだ。曲線的な壁にしたければ、1×2のあいだに、1×1のラウンドブロックをいくつか加《くわ》えるといいよ。

お気に入りの作品は？

バンクシー（イギリスのアーティスト）のウォールアートをモザイクで再現《さいげん》してみた。作るのに2日かかったけど、とてもうまくできたと思う。

レゴ®ブロックに関《かん》する、とっておきの秘《ひ》けつは？

いつもブロックはずしを使っている。爪《つめ》が割《わ》れたり、ブロックがこわれたりしないように作られたものだからね。レゴ®テクニック ピンがビームから抜《ぬ》けなくなったときには、車軸《しゃじく》を使ってうしろから押《お》す。

失敗《しっぱい》した作品は？　どう解決《かいけつ》したの？

モデルのすぐそばで作っているときには気づかなくても、少し離《はな》れて見ると、なんとなく変《へん》だったり、ディテールがものたりなく感じたりする。そんなときは、一部を分解《ぶんかい》して組み立てなおすのがいちばん。手間はかかるけど、結果的《けっかてき》には満《まん》足《ぞく》できるよ。

このイギリスの古いマナーハウスのレプリカは、誕生日のサプライズプレゼントとして依頼を受けたもの。写真だけをたよりに、1日もかけずに完成させた。実際の建物は、イギリスのサリー州にある。

レゴグループは船体の専用ピースを作っているが、みんなが持っているとは限らない。これは、ふつうのブロックでも船が作れることを示したくて作った小型の海賊船。道板（みちいた）と、望遠鏡をのぞく海賊を加えた。どくろとクロスした骨は、新しいレゴ®ブロックの骨のピース。

アイデアはどこから得《え》るの?

みんなが見たり使ったりできるものを作るのが大好《す》き。その一例《れい》が、レゴ®ブロックで作ったロンドンの地下鉄マップ。地下鉄に乗っているときにひらめいて、色づかいを考えているうちにアイデアがふくらんでいったんだ。

組み立てる前にプランを立てる? どんなふうに?

グラフ用紙を使ってプランを立てることがある。まずモデルのアウトラインを描《えが》いて、全体を四角で囲《かこ》う。これがモデルの形を決める第一歩になるんだ。

子どものころの、いちばんの自信作《じしんさく》は?

持っているレゴ®ブロックを全部使って、町を作ったことがある。車輪《しゃりん》がたくさんあったから、車を何台も作り、タイヤ店まで作った。この作品のおかげで、手持ちのブロックでクリエイティブに組み立てる力がついた。

レゴ®ブロックをいくつ持ってる?

全部数えたことはないけど、100万個《こ》くらい持っていると思う!

イギリスのバーミンガムにある、有名なブル・リング・ショッピングセンターのモデルづくりの依頼を受けた。最初に作ったのは、この部分。

実用的な家具を作りたかった。
娘のために作ったこのチェストは、
ほこらしげに子ども部屋に置かれている。

実在のものを作るときは、目立つ特徴を考え、なんのモデルかわかるようにする。このキリンの場合は、体の模様と長い首!

世界中のすべてのレゴ®ブロックと十分な時間があったら、何を作りたい?

そんなに時間があったら、店も車も全部そろったフルサイズの町を作りたい! あまり現実的《げんじつてき》じゃないけど、きっと楽しいだろうな!

お気に入りのテクニック、いちばんよく使うテクニックは?

1×4や1×1の側面《そくめん》ポッチ付《つ》きブロックを使うのが好き。横方向の組み立てで、モデルに何倍もディテールが加《くわ》えやすくなる。たとえば建物《たてもの》の側面に文字を入れる場合、壁《かべ》に組みこまなくても、文字を入れたプレートを側面ポッチにはめこめばいい。

レゴ®ブロックで遊びはじめたのは何歳《なんさい》のとき?

はじめてレゴ®ブロックのセットを手にしたのは4歳くらいだけど、大きな作品を作りはじめたのは34歳ごろ。その後、ほかのレゴ®ブロックファンたちと出会い、作るモデルがどんどん大きくなっていった!

アドベンチャーもののほかに、何を作るのが好き?

絵を作るのが大好き。まるでブロックでスケッチしている感じ。失敗《しっぱい》しても、簡単《かんたん》に直せるしね。娘《むすめ》もレゴ®ブロックの絵が好きだから、いっしょに楽しめるんだ。

おもしろ半分、太った野原のヒツジの絵を作ってみた。
同じようにキリンとゾウも作った。

クリエイティブな挑戦は楽しい。
この海賊の砦は、いろいろなセットの部品を組み合わせて作った

作る&使う

いいアイデアがあります！　作ったら二度と分解《ぶんかい》したく
なくなるような、便利《べんり》な作品を作ってみてはどうでしょう？
レゴ®ブロックのボードゲームや絵、身のまわりの小物などは、
見て楽しいだけでなく、実用性《じつようせい》もそなえています。

チェスをしたい人は？　このチェスセットは見た目もクール、友達とゲームをするのにもってこい。最大のメリットは、駒がボードにくっついているので、移動しながらチェスが楽しめること！

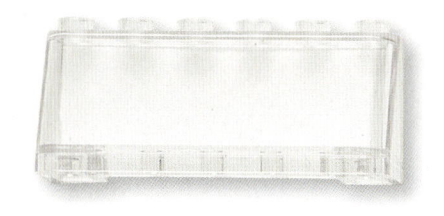

ウィンドスクリーン2×6×2

ブロック1×2

ブロック1×2×2

ブロック2×2×3

スロープ2×2×3

便利《べんり》なピース

実用的《じつようてき》なものを作る場合、最《もっと》も重要《じゅうよう》なのは安定性《あんていせい》です。まず正方形や長方形のブロックをたくさん使ってしっかりした土台を作り、そのあときれいな装飾《そうしょく》を加《くわ》えていきます。おもしろみのある作品に仕上げるなら、ブロックやプレート、スロープ、ディッシュ、アーチ、コーンなど、多種多様《たしゅたよう》なピースを使いましょう。ここで紹介《しょうかい》するのは、手元にあると便利なピースです!

スロープ1×2

スロープ1×2×3

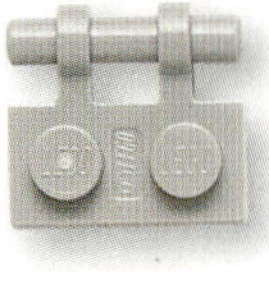
ハンドルバー付き
プレート1×2

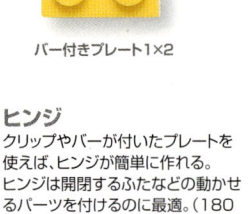

バー付きプレート1×2

プレート1×6

ヒンジ
クリップやバーが付いたプレートを使えば、ヒンジが簡単に作れる。ヒンジは開閉するふたなどの動かせるパーツを付けるのに最適。(180−181ページ「海賊の宝箱」参照)

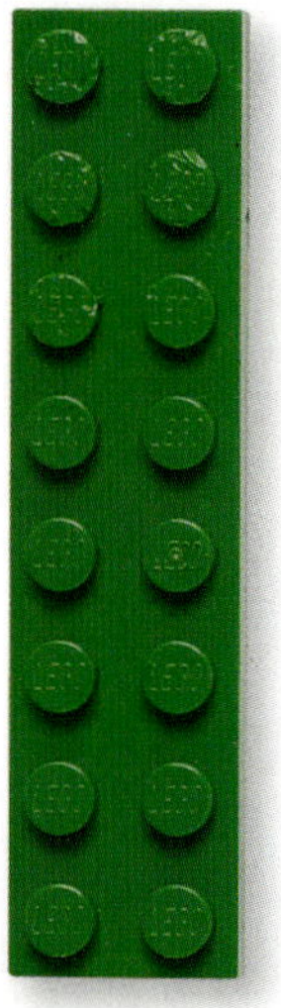
プレート2×8

タイル1×6

ブロック1×2

ブロック1×6

ブロック1×1

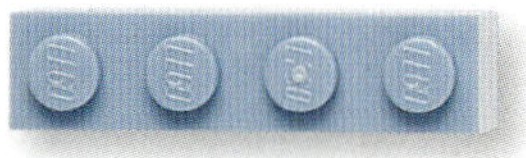
ブロック1×4

ブロック1×1

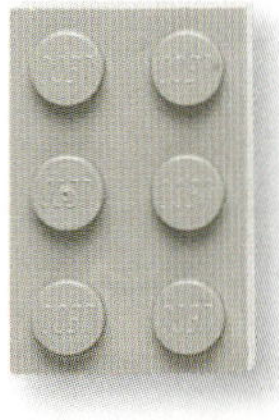
ブロック2×3

曲面ブロック2×2

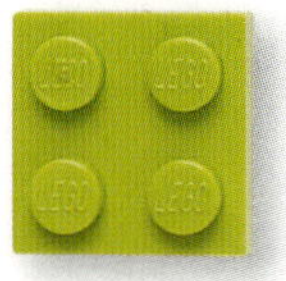
プレート2×2

タイル1×2

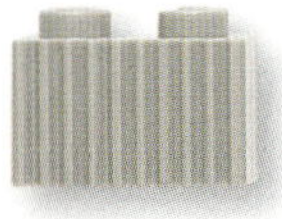
グリルブロック1×2

クールな色
色選びは慎重に。家や部屋にある何かとおそろいの色にする?

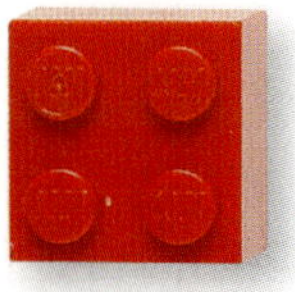
ブロック2×2

逆スロープ2×2

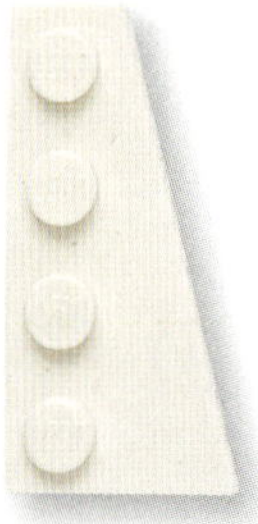
傾斜付きプレート2×4

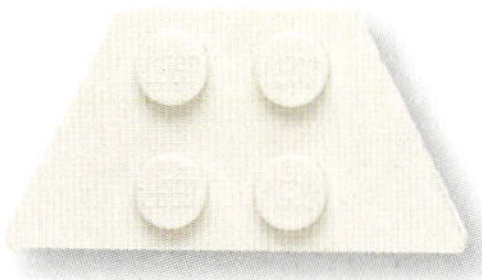
両側傾斜付きプレート2×4

ラウンドコーナープレート4×4

花2×2

花2×2

ラウンドブロック1×1

垂直クリップ付き
プレート1×1

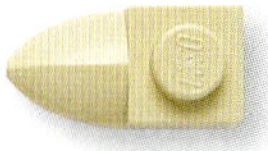
歯プレート1×1

ヘッドライトブロック
1×1

曲面ブロック2×2

竹

ラウンドプレート1×1

スロープ1×1

コーン1×1

歯プレート1×1

きれいなカーブ
カーブ付きのピースは、丸みのあるモデルづくりに役立つ。

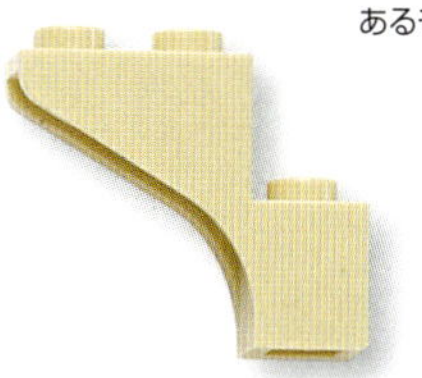
ハーフアーチ1×3×2

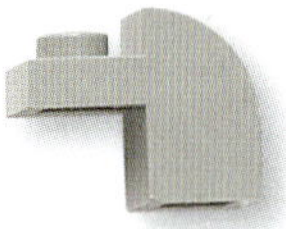
曲面ハーフ
アーチ1×2

草花のデコレーション
花、植物、透明なプレートといった小さなピースは、フォトフレームなどのシンプルな作品の飾りになる。（183ページ「花いっぱい」参照）

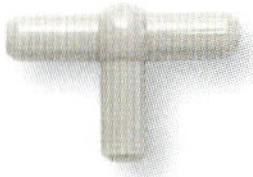
レゴ®テクニック
Tバー

何を作りたいかを考え、ブロックを選《えら》び、組み立てよう!

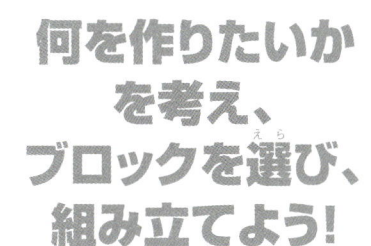

曲面ハーフアーチ
1×3×2

アングルコーナー
ブロック2×2

小型の葉

ラウンドブロック
2×2

車のドア1×3

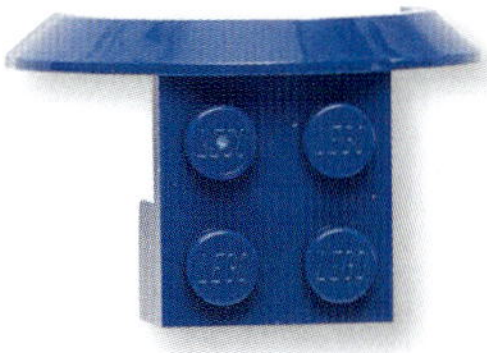
ホイールアーチ付きブロック2×2

ラウンドプレート
2×2

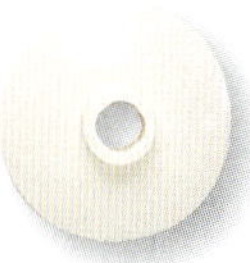
レーダーアンテナ
2×2

レゴ®テクニック
十字軸4

ヒンジブロック1×2と
ヒンジプレート2×2

ワイドリム、ワイドタイヤ、
ピン付き車軸プレート2×2

特殊なピース
めずらしいピースがあるなら、それを組みこんだ作品を考案しよう! 下の白いガーダー（桁）は、宇宙時代のディスプレイスタンドにちょうどいい。（177ページ「宇宙ステーション型ディスプレイ」参照）

ラウンドブロック
2×2

ドーム型ブロック
2×2

連結用のピース
穴や余分なポッチのあるピースは、モデルの各セクションを連結するのにとても便利——装飾を付ける場所も提供してくれる。

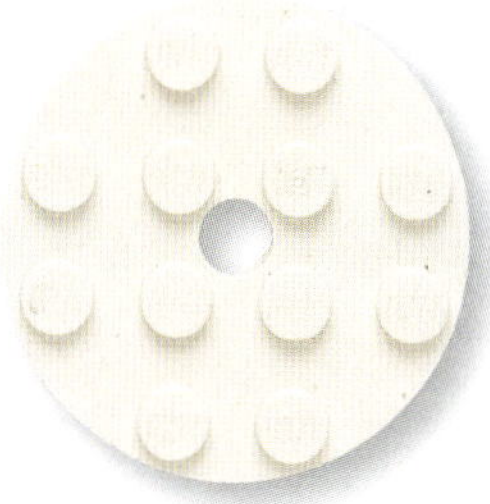
ラウンドプレート4×4

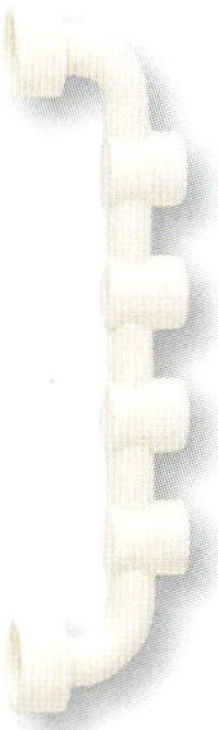
ポッチ付き曲線バー1×6

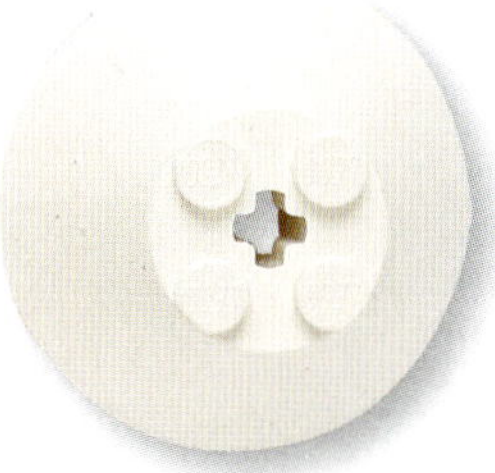
コーン4×4×2

ガーダー（桁）1×6×5

整理箱

レゴ®ブロックの整理箱で、ステーショナリー（文房具《ぶんぼうぐ》）をきちんとかたづけましょう！ 作る前に、何を入れたいかを考えます。ペン、定規《じょうぎ》、消しゴム？ 引き出しは必要《ひつよう》？ 箱の大きさは？ 整理箱は実用的《じつようてき》で丈夫《じょうぶ》でなければなりませんが、仕事や勉強をするワークスペースがぱっと明るくなるように、好《す》きなテーマや色のデコレーションも加《くわ》えましょう！

組み立ての概要
目的: 整理箱を作る
用途: ワークスペースの整理、デコレーション
基本要素: 引き出し、棚、仕切り
その他の要素: 秘密のスペース

お城《しろ》の形の整理箱

ペンやえんぴつを立てる箱と、細かいステーショナリーを入れる引き出しがついているこのクールな整理箱は、まるでミニチュアのお城のよう！ まず引き出しの部分から作り、入れたいものが入るかどうか確《たし》かめましょう。

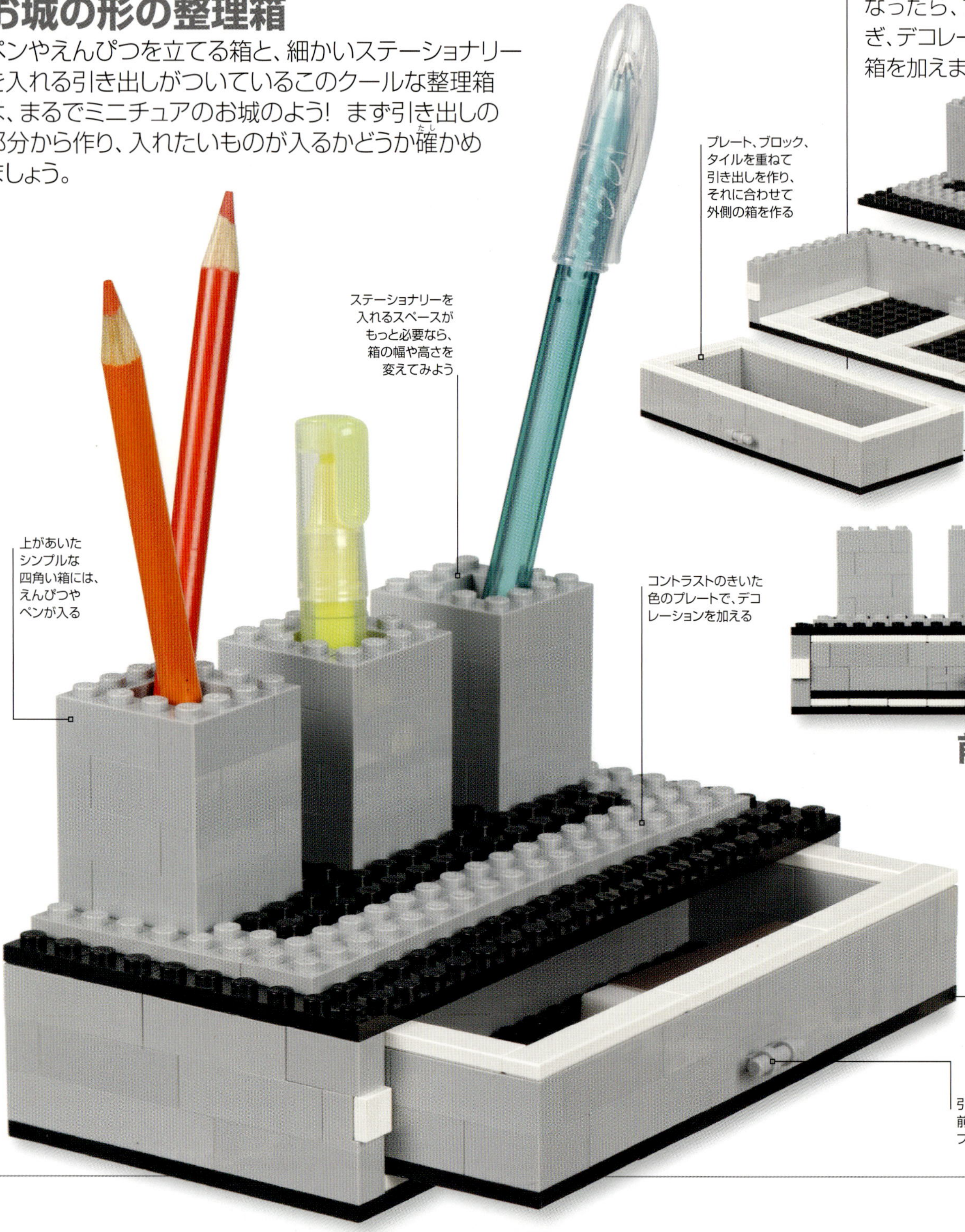

ステーショナリーを入れるスペースがもっと必要なら、箱の幅や高さを変えてみよう

上があいたシンプルな四角い箱には、えんぴつやペンが入る

コントラストのきいた色のプレートで、デコレーションを加える

引き出しの底には1枚の大きなプレートが便利だが、補強すれば数枚の小さなプレートでもだいじょうぶ

引き出しが開けられるように、前面にハンドルバー付きプレートを組みこむ

ステップ バイ ステップ

引き出しができたら、それがぴったりおさまる箱を作ります。引き出しがすっぽり入る高さになったら、プレートで上をふさぎ、デコレーションとペン立ての箱を加えます。

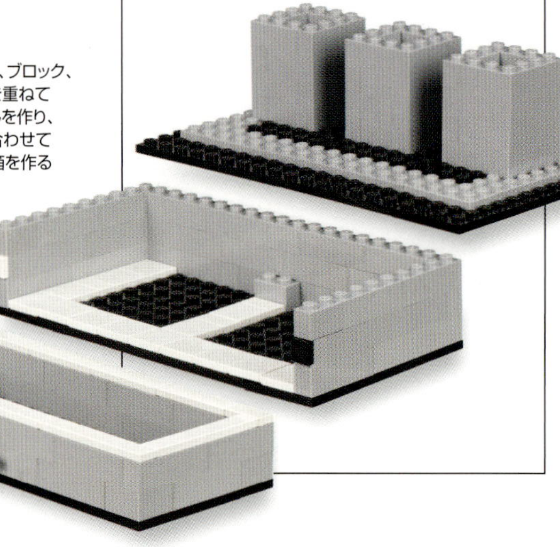

プレート、ブロック、タイルを重ねて引き出しを作り、それに合わせて外側の箱を作る

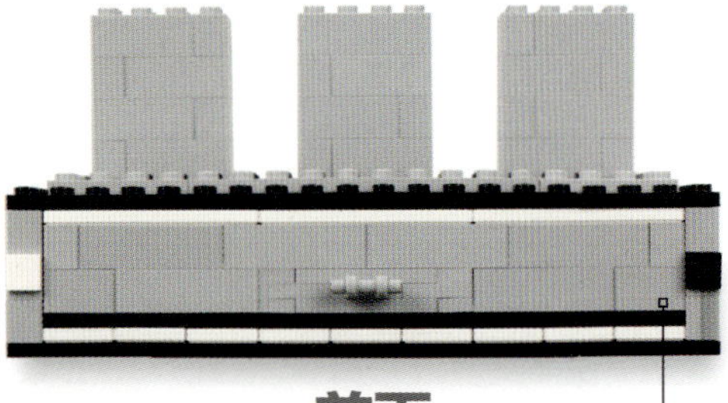

前面

お城にはグレー、白、黒のブロックが似合うが、どんな色でもいい！

シー モンスター

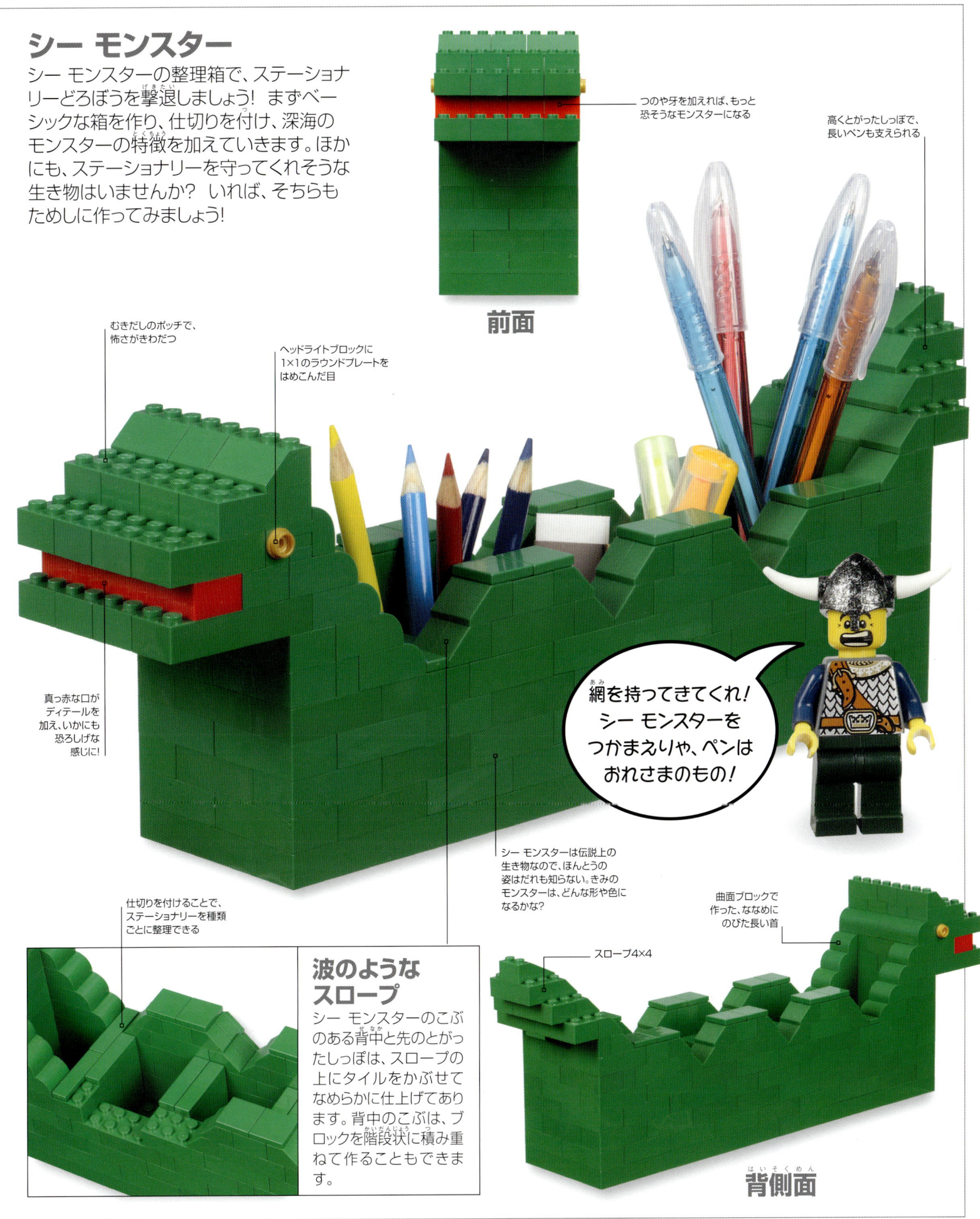

シー モンスターの整理箱で、ステーショナリーどろぼうを撃退《げきたい》しましょう! まずベーシックな箱を作り、仕切りを付《つ》け、深海のモンスターの特徴《とくちょう》を加えていきます。ほかにも、ステーショナリーを守ってくれそうな生き物はいませんか? いれば、そちらもためしに作ってみましょう!

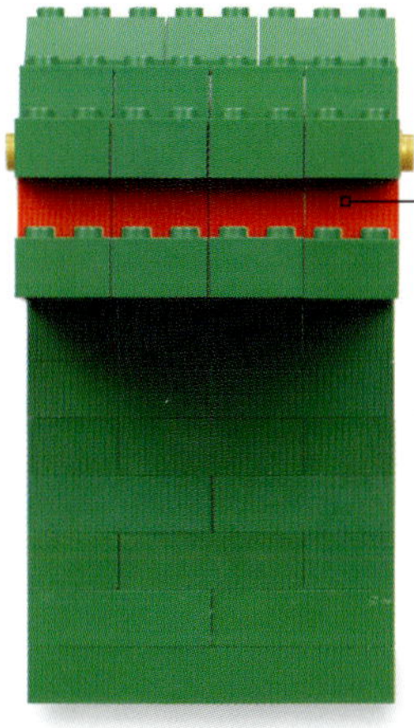

前面

つのや牙を加えれば、もっと恐そうなモンスターになる

高くとがったしっぽで、長いペンも支えられる

むきだしのポッチで、怖さがきわだつ

ヘッドライトブロックに1×1のラウンドプレートをはめこんだ目

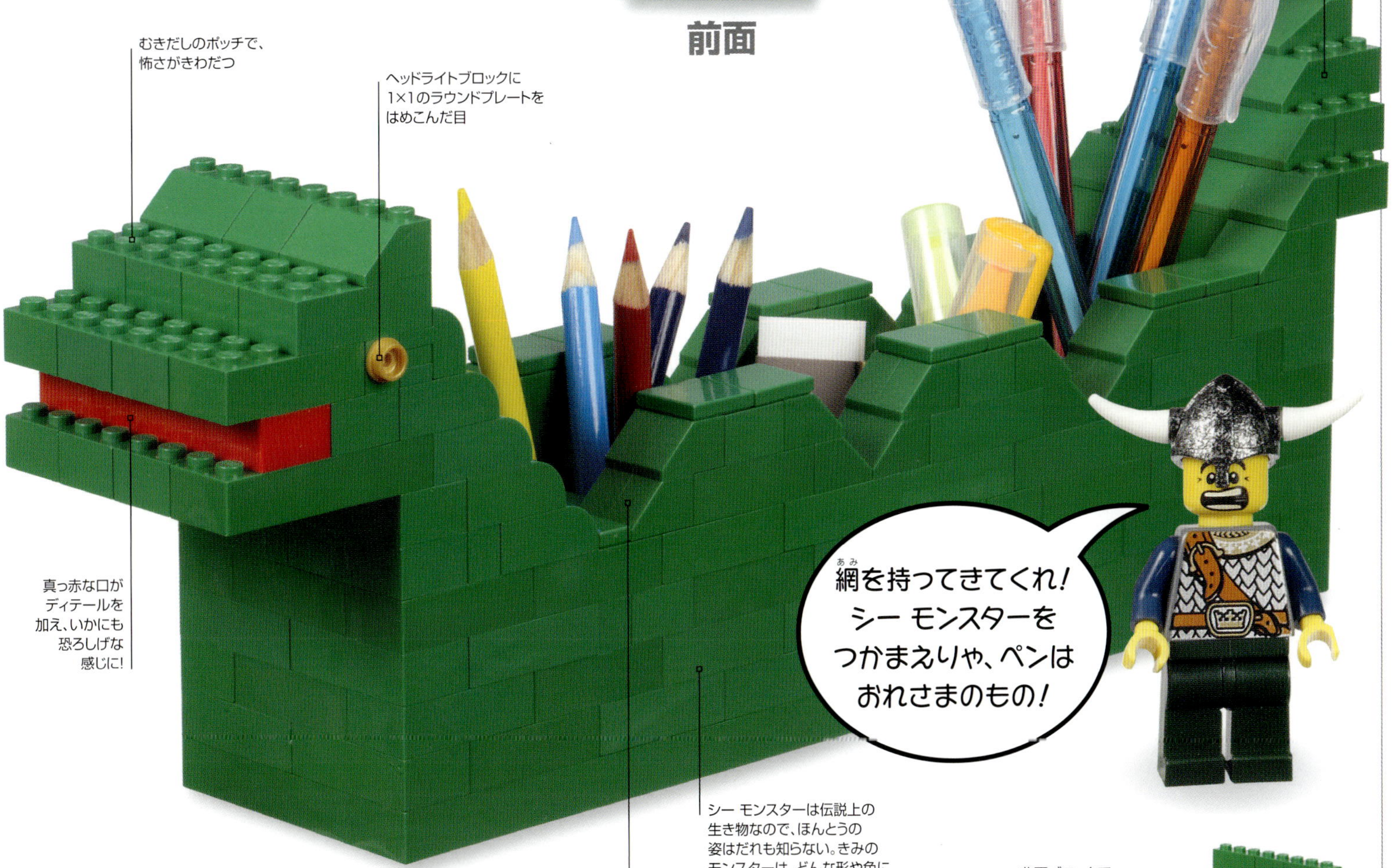
網《あみ》を持ってきてくれ! シー モンスターをつかまえりゃ、ペンはおれさまのもの!

真っ赤な口がディテールを加え、いかにも恐ろしげな感じに!

シー モンスターは伝説上の生き物なので、ほんとうの姿はだれも知らない。きみのモンスターは、どんな形や色になるかな?

仕切りを付けることで、ステーショナリーを種類ごとに整理できる

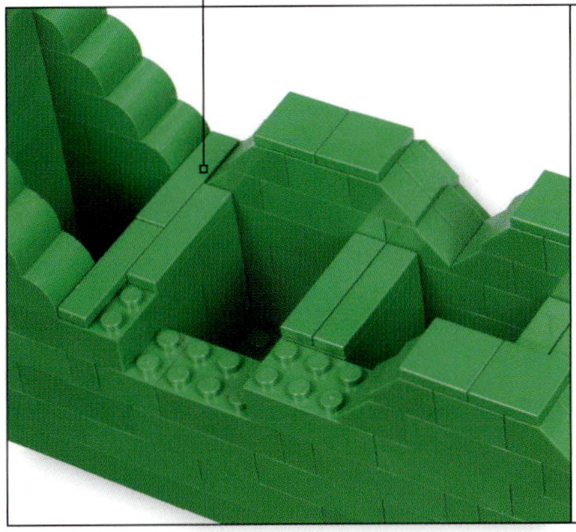

波のようなスロープ

シー モンスターのこぶのある背中《せなか》と先のとがったしっぽは、スロープの上にタイルをかぶせてなめらかに仕上げてあります。背中のこぶは、ブロックを階段状《かいだんじょう》に積《つ》み重ねて作ることもできます。

曲面ブロックで作った、ななめにのびた長い首

スロープ4×4

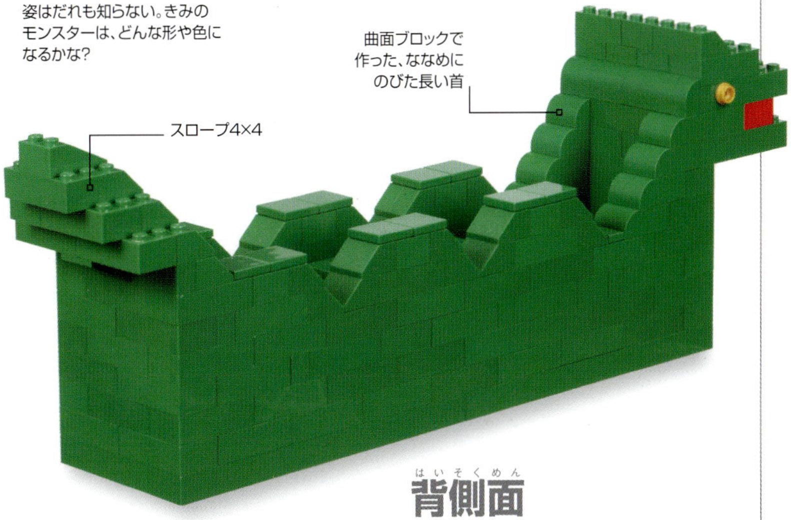

背側面《はいそくめん》

トラック型《がた》の整理箱

整理箱は、なんの形にしてもかまいません。このカラフルなトラックのように、日常的《にちじょうてき》に目にするものからヒントを得《え》てはどうでしょう? これならトラックいっぱいのステーショナリーを机《つくえ》に運べます! お気に入りのものはなんですか? 整理箱にはどんな形が良さそうですか? 車でも、動物でも、宇宙船《うちゅうせん》でも、どんな形でもいいんです——あなたのワークスペースなんですから!

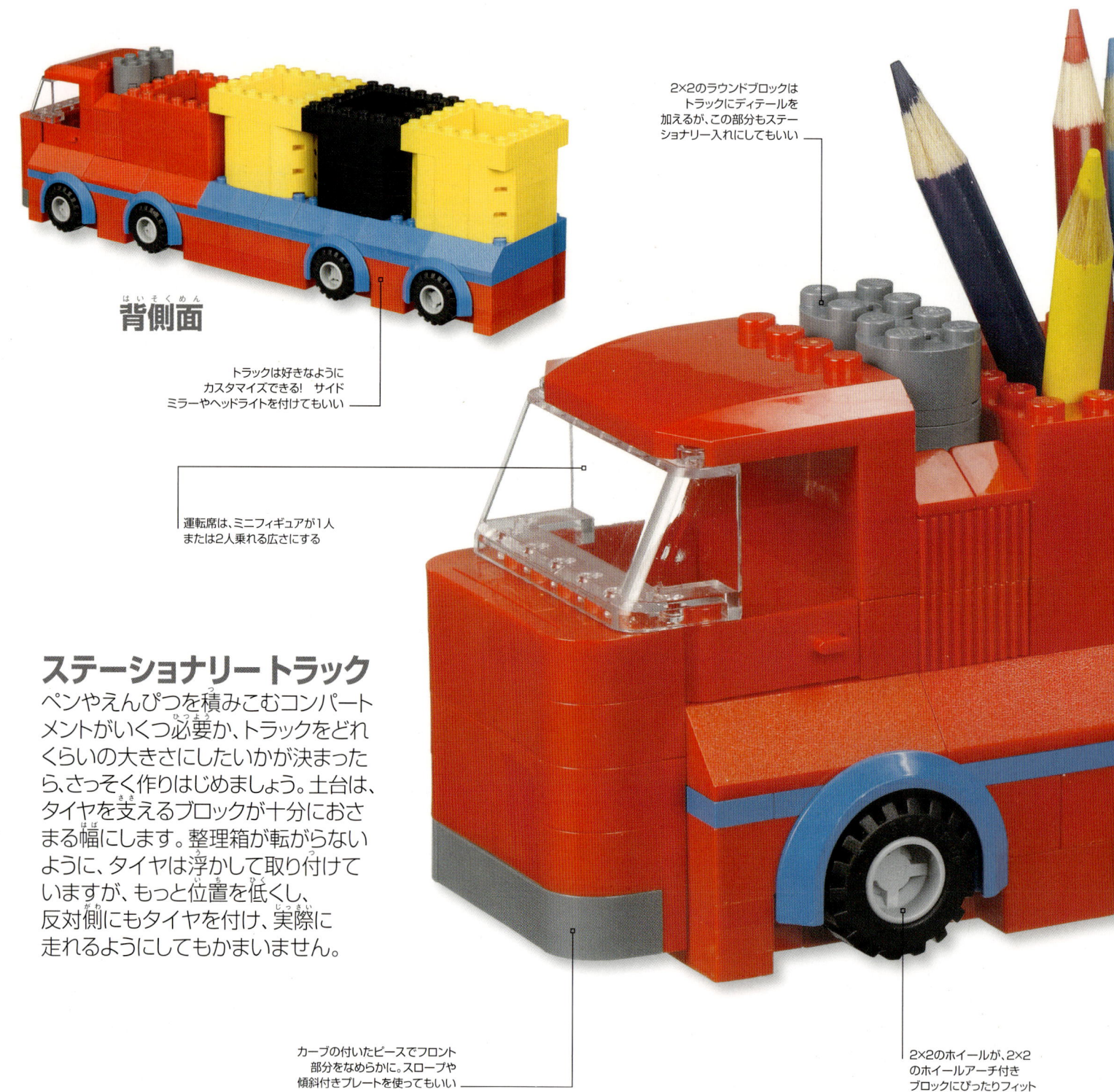

ワークスペースが明るくなるように、あざやかな色をたくさん加えよう!

背側面《はいそくめん》

トラックは好きなように
カスタマイズできる! サイド
ミラーやヘッドライトを付けてもいい

2×2のラウンドブロックは
トラックにディテールを
加えるが、この部分もステー
ショナリー入れにしてもいい

運転席は、ミニフィギュアが1人
または2人乗れる広さにする

ステーショナリートラック

ペンやえんぴつを積《つ》みこむコンパートメントがいくつ必要《ひつよう》か、トラックをどれくらいの大きさにしたいかが決まったら、さっそく作りはじめましょう。土台は、タイヤを支《ささ》えるブロックが十分におさまる幅《はば》にします。整理箱が転がらないように、タイヤは浮《う》かして取り付《つ》けていますが、もっと位置《いち》を低《ひく》くし、反対側《がわ》にもタイヤを付け、実際《じっさい》に走れるようにしてもかまいません。

カーブの付いたピースでフロント
部分をなめらかに。スロープや
傾斜付きプレートを使ってもいい

2×2のホイールが、2×2
のホイールアーチ付き
ブロックにぴったりフィット

側面

待てよ……ぼくが
ここにいるって
ことは、だれが
運転してるんだ?
ブロックはずしは、
整理箱を作るときにも
重宝しそう!
コンパートメントは、
入れるものに応じて
大きさを変えればいい
大きなバケツ型の
箱は、まるで本物
の荷物みたい!
コンパートメントの印象を変えたけ
れば、角ばったブロックのかわりに
曲面ブロックを使ってみよう
タイヤがあるため、
こちら側が出っ張っている

上面

ミニフィギュア用ディスプレイスタンド

組み立ての概要
目的: ディスプレイスタンドを作る
用途: 保管、装飾
基本要素: ミニフィギュアを支えられる頑丈さ
その他の要素: ドア、可動部分

ミニフィギュアを自慢《じまん》しちゃいましょう! どんどん増《ふ》えるコレクションを飾《かざ》るディスプレイスタンドを作って、あなたのビルディング技術《ぎじゅつ》を見せつけましょう。新しいミニフィギュアをゲットするたびに、スタンドに加《くわ》えていけます。レゴ® ブロックセットのテーマごとに、スタイルのちがうスタンドを作ってもいいでしょう。

ディスプレイスタンド

ディスプレイスタンドは、シンプルなブロックとプレートで作れます。まず頑丈《がんじょう》でバランスのとれた基本構造《きほんこうぞう》を作り、それから特殊《とくしゅ》なブロックやおもしろいブロックでディテールを加えていきます。エキサイティングな色や部屋《へや》とマッチする色を選《えら》び、思いどおりに作りましょう!

背面《はいめん》

フィギュアがなくなれば、すぐに気づく!
いろいろなミニフィギュアを置くことで、スタンドが楽しくなる
もしあれば、曲面ハーフアーチなどを使ってみる
ハーフアーチでおもしろい形に。逆スロープでもいい
フィギュアが落ちないように、タイルではなくプレートを使う
ヘッドライトブロックで、ミニフィギュアに似合うタイルをはめてもいい

段《だん》の高さ

たいていのミニフィギュアには、ブロック5個《こ》分の高さがあれば十分ですが、大きな帽子《ぼうし》やヘルメットをかぶせる場合は、それよりも高くする必要《ひつよう》があるかもしれません。

いまが逃《に》げるチャンスだ!

宇宙《うちゅう》ステーション型《がた》ディスプレイ

この宇宙ステーション型スタンドは、奇抜《きばつ》さ抜群《ばつぐん》! 白いガーダー（桁《けた》）が、いかにも宇宙の建物《たてもの》らしい印象《いんしょう》を与《あた》えています。おもしろいブロックやめずらしいブロックで壁《かべ》を作ってみようと思ったときは、ミニフィギュアが入る高さがあるかどうか確認《かくにん》しましょう!

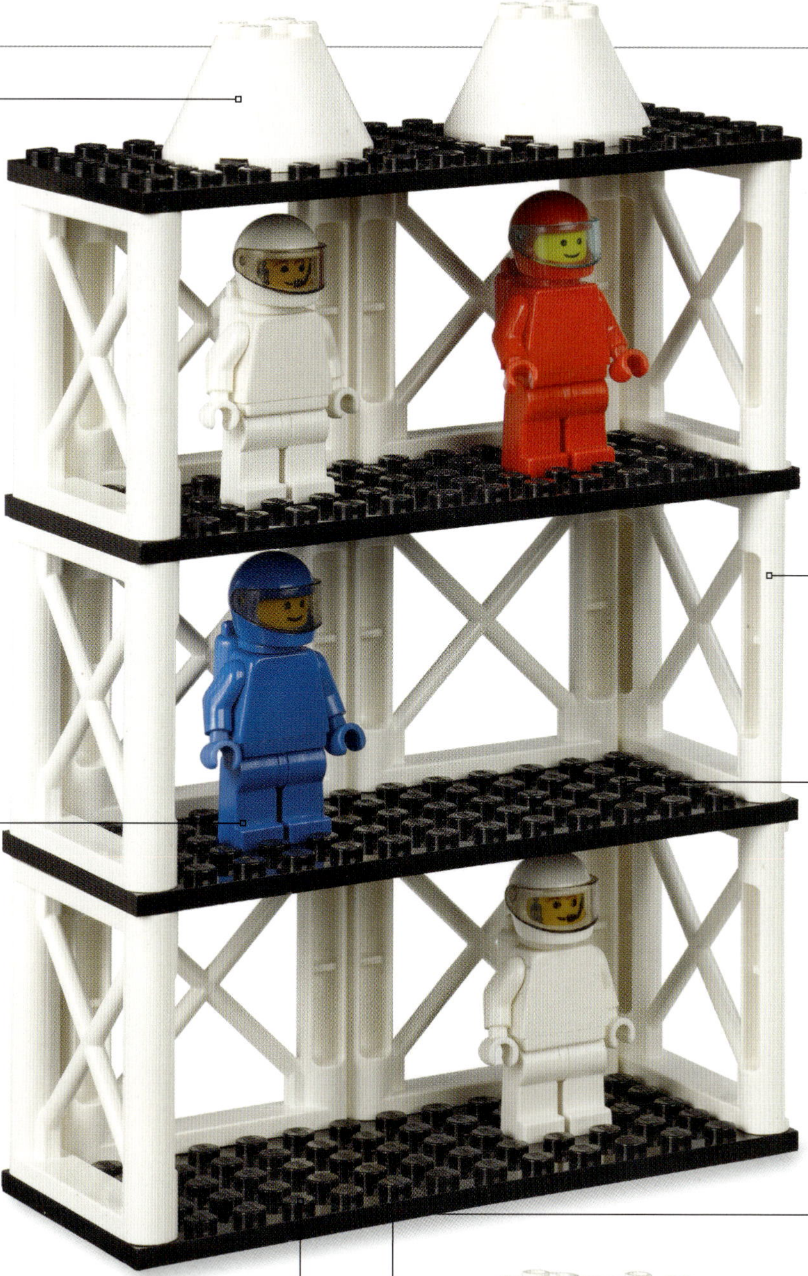

テーマに合った装飾を付ける。アンテナやドロイドを立ててみよう!
スタンドは、ミニフィギュアを全部飾れる幅にする
大きなプレートがない場合は、小さいプレートをオーバーラップさせて好きな大きさにする
ミニフィギュアにコントロールパネルや脱出ポッドを与えてもいい!

5、4、3、2、1、
発射《はっしゃ》!
しまった、待って
くれぇ〜!

背面《はいめん》

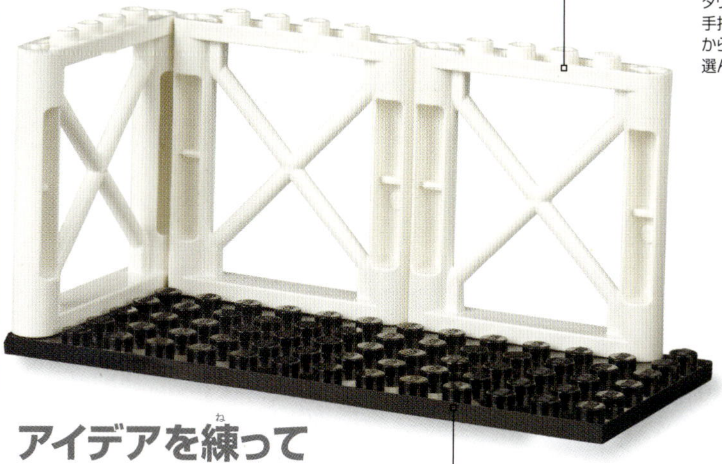

ガーダーは、いくつかのレゴ® タウンのセットに入っている。手持ちの専用ピースの中から、テーマに合ったものを選んで使おう
テーマに合った色を選ぶ。たとえば水中の世界ならブルーやグリーン。ほかにはどんなテーマがあるかな?

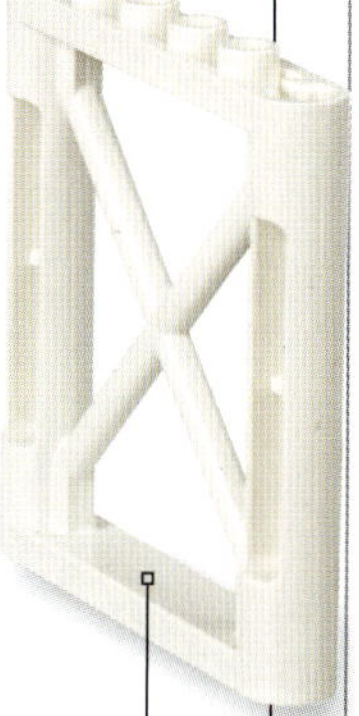

このピースがなければ、窓などの透明なブロックを使ってみよう。それなら宇宙のテーマに最適!

アイデアを練《ね》って

スタンドには、ミニフィギュアをいくつ飾りますか? それが決まったら、テーマに合ったピースを使って、一段《だん》ずつ組み立てていきます。ここで使われている白いガーダーは、まさに宇宙時代のイメージにぴったりです。

ボックス

レゴ®ブロックのピースが、あちこちに散《ち》らばっていませんか? 机《つくえ》の上にえんぴつが何本も転がっていませんか? そんなときの解決策《かいけつさく》が、ボックスです。何を入れるか、どれくらいの大きさが必要《ひつよう》かを考えましょう。宝物《たからもの》を全部しまえるように、ボックスには丈夫《じょうぶ》さと安定感が必要です。シンプルな色やデザインにするか、それともイマジネーション全開で思いきり大胆《だいたん》にしてみるか——そこはご自由に!

組み立ての概要
目的: 収納用ボックスを作る
用途: ワークスペースの整理整頓
基本要素: ヒンジ、引き出し
その他の要素: 取っ手、仕切り、秘密の引き出し

前側面《そくめん》

シャイニーなボックス

このボックスは、机を明るくしてくれると同時に、すっきりきれいにしてくれます! 底《そこ》の部分には大型《おおがた》のプレートを使い、側面《そくめん》はブロックを重ね合わせた上にタイルをかぶせてなめらかに仕上げています。ふたは壁《かべ》の要領《ようりょう》で組み立て、箱のふちよりもほんの少し大きくなるようにします。

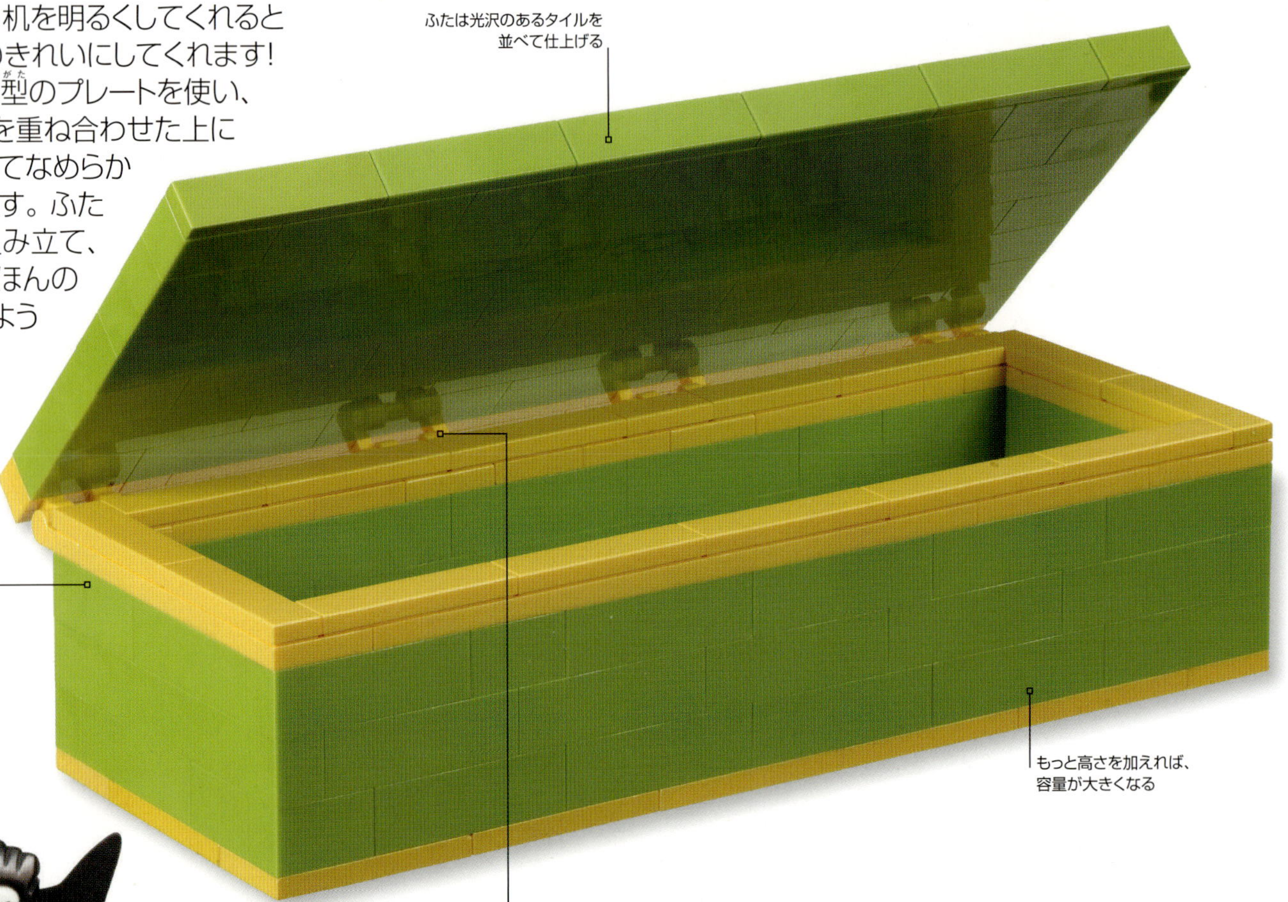
ふたは光沢のあるタイルを並べて仕上げる
好みの色を選ぶ
もっと高さを加えれば、容量が大きくなる

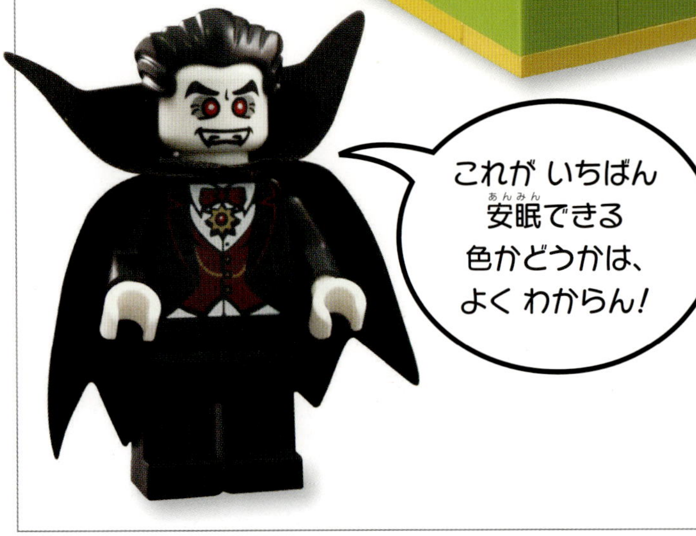
これが いちばん 安眠《あんみん》できる 色かどうかは、よく わからん!

ヒンジ

バー付《つ》きプレートと水平クリップ付きプレートを組み合わせてヒンジを作り、上からタイルをかぶせて固《こ》定《てい》します。ボックスを丈夫で長持ちさせるには、ヒンジの数を多くしましょう。

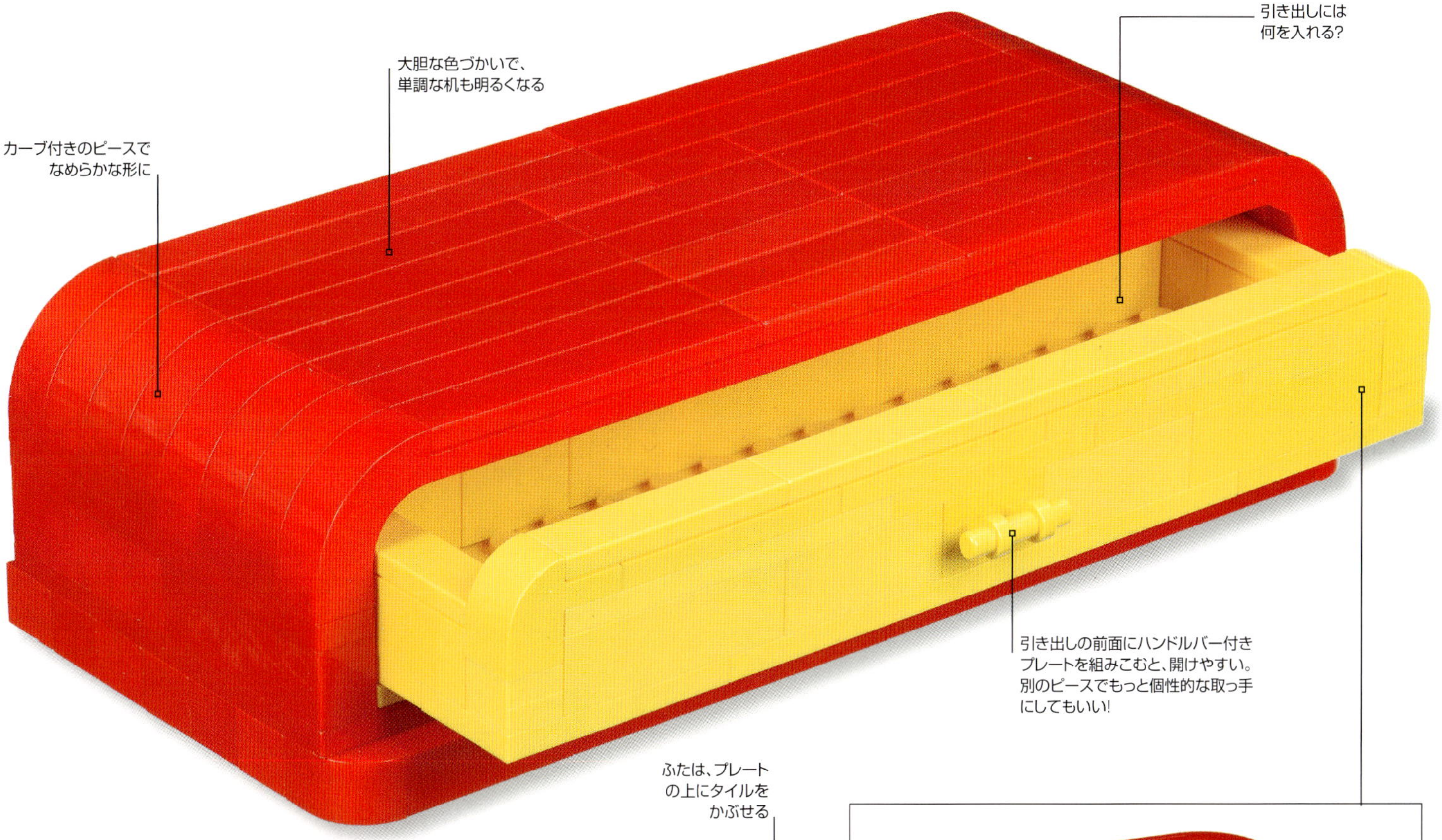
大胆な色づかいで、
単調な机も明るくなる
カーブ付きのピースで
なめらかな形に
引き出しには
何を入れる?
引き出しの前面にハンドルバー付き
プレートを組みこむと、開けやすい。
別のピースでもっと個性的な取っ手
にしてもいい!

クールなカーブ

ボックスだからといって、なにも四角い箱型《がた》にする必要はなく、曲線的な形だってかまいません! カーブの付いたピースを使い、思いどおりの形に作りましょう。最初《さいしょ》に引き出しを、それからまわりの部分を、そして最後に、壁を横に倒《たお》した要領で底を組み立てます。ボックス本体と底の連結には、側面ポッチ付きブロックを使いましょう。

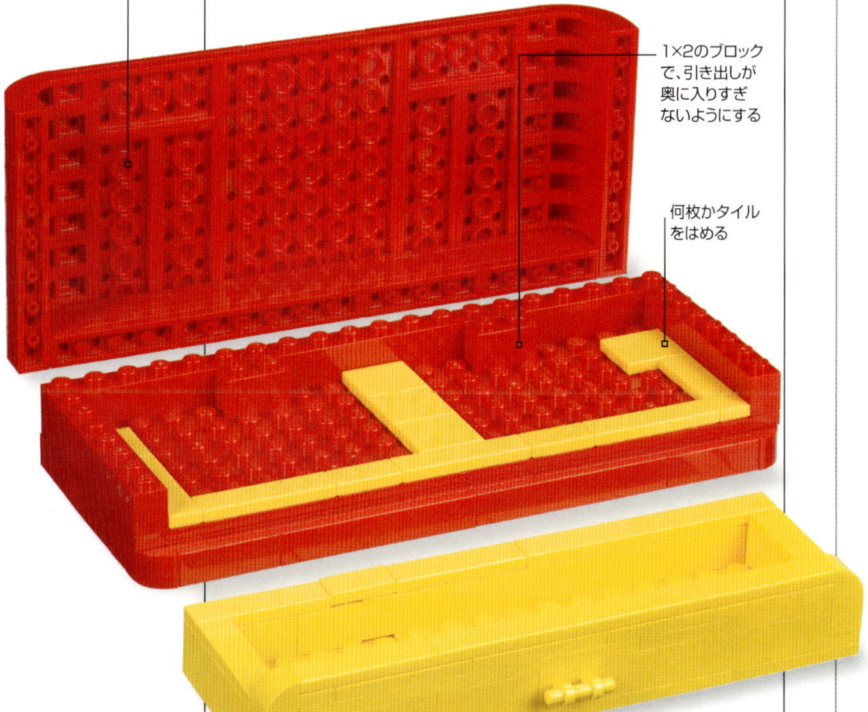
ふたは、プレート
の上にタイルを
かぶせる
1×2のブロック
で、引き出しが
奥に入りすぎ
ないようにする
何枚かタイル
をはめる

スライド式の引き出し

引き出しのすべりが良くなるように、ボックスの底に何枚《まい》かタイルをはめておきましょう。こうすることで平らな面ができ、ポッチに引っかかることなく、引き出しをスムーズに開閉《かいへい》できます。

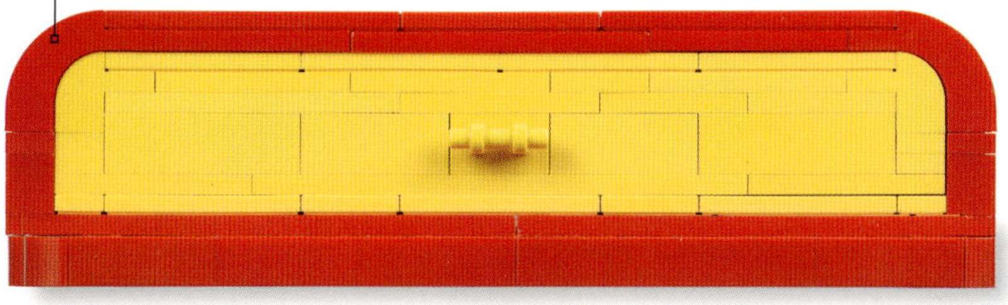
曲面ハーフアーチ

前面

宝箱《たからばこ》

あらゆる形や大きさの——そして好《す》きなテーマに合った箱が作れます！ 騎士《きし》のミニフィギュアを入れるなら、大きな金属《きんぞく》の錠《じょう》がついた中世風の木製《もくせい》トランクがいいかもしれません。宇宙飛行士《うちゅうひこうし》やエイリアンを入れるなら、ハイテク無重力《むじゅうりょく》スペース・カプセルはどうでしょう。いろいろな色を使って、あなただけの箱をデザインしましょう。ふたは、平らである必要《ひつよう》はありません!

組み立ての概要
目的: 奇抜な箱を作る
用途: 物入れ、遊び
基本要素: ヒンジ付きのふた、引き出し
その他の要素: 秘密のスペース、装飾

海賊《かいぞく》の宝箱

この宝箱の底《そこ》には、貴重《きちょう》なレゴ®ブロックのピースや宝物をかくすための秘密《ひみつ》の引き出しがついています! まず、スライド式の引き出しを中心に、箱の下半分を作ります。次に上半分を積《つ》み上げていき、横方向に組み立てた、ヒンジ付《つ》きのふたをかぶせます。ヒンジの数が多いほど、ふたの安定感が増《ま》します。

一段はさんだプレートが、
秘密の引き出しと
上の箱とを区切る
テーマに応じた色を使う。
茶色と黄色は、いかにも
海賊の宝箱らしい

ブロックをオーバーラップ
させて頑丈にする
この秘密のブロックを
押すと、反対側に引き
出しが出てくる!

側面《そくめん》

金色の1×1のラウンドプレートでディテールが加わる。透明なプレートやコーンでも海賊の宝らしく見える!

バー付きプレートが、本物の宝箱の金縁のように見える

黄色のブロックが、華やかな金の装飾に見える

前側面

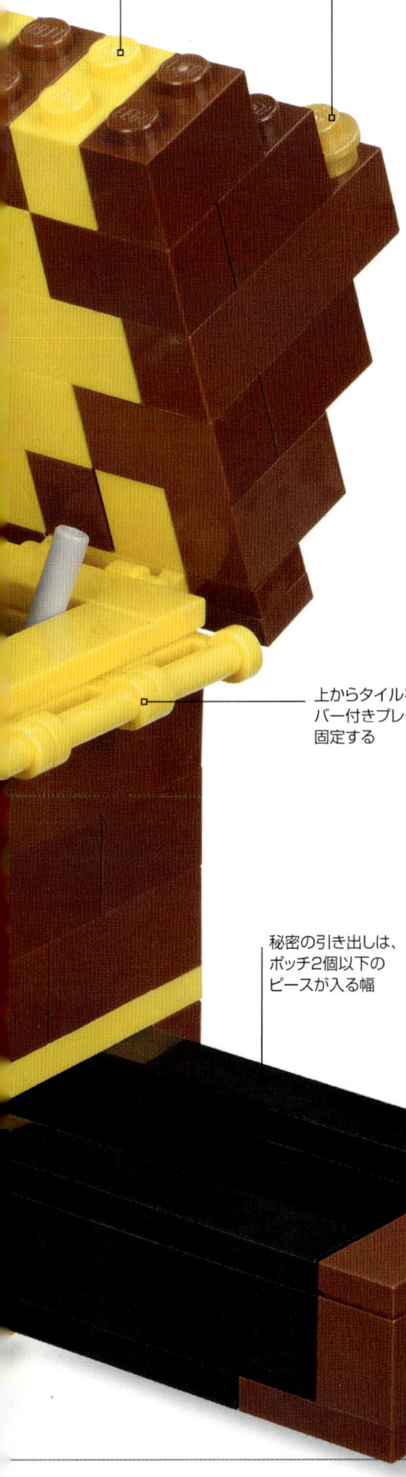

上からタイルをかぶせ、バー付きプレートを固定する

四角いブロックとタイルが、端の穴にぴったりはまる

引き出しがスムーズに開閉するよう、平らなタイルでポッチを覆う

端に付けたブロックが、引き出しが突き抜けないように食い止める

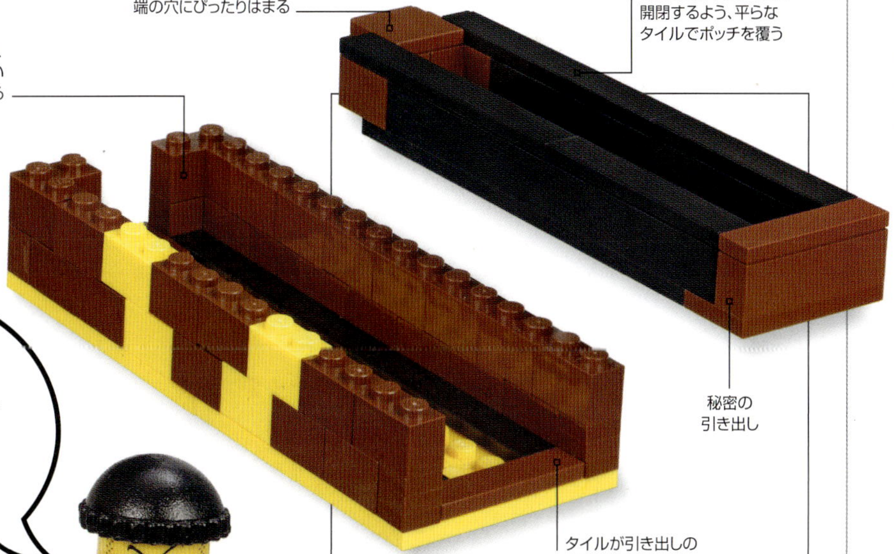

秘密の引き出し

タイルが引き出しの前面と調和し、カムフラージュする

秘密の引き出しは、ポッチ2個以下のピースが入る幅

秘密《ひみつ》の宝《たから》を
ここにかくせば、
だれにも
見つかりっこ
ないさ!

秘密《ひみつ》の引き出し

細長い箱型《がた》の秘密の引き出しを作り、それがちょうど入る大きさの空《くう》洞《どう》をあけて、宝箱の下半分を組み立てます。秘密の引き出しなので取っ手は付けず、指で押《お》せば開くように箱の両側《りょうがわ》に穴《あな》をあけておきましょう!

フォトフレーム

はい、チーズ! とっておきの写真を飾《かざ》るフレームを作って、お気に入りのレゴ® ブロック作品の写真や、大切な家族や友だちの写真を飾ってみませんか? ベーシックなフレームができたら、好《す》きなようにデコレーションできます。写真を変《か》えるたびに、フレームのテーマを変えることもできます!

組み立ての概要
目的: フォトフレームを作る
用途: お気に入りの写真を飾る
基本要素: 丈夫なフレーム、立てられること
その他の要素: マルチフレーム、テーマに沿ったフレーム、変わった形のフレーム

ベーシックなフレーム

写真を主役にしたければ、フレームはシンプルに。プレートを重ね合わせながら並《なら》べ、同じ形の長方形の枠《わく》を2つ作ります。そのあいだにポッチ1個幅《こはば》のプレートを1段《だん》はさんで2つの枠を連結《れんけつ》させると、あいだに写真を入れるすきまができます。

写真を入れられるように、片側だけポッチ1個幅のプレートをはさまずにおく
最初に写真のサイズをはかり、フレームの大きさを決める

内側《うちがわ》

スタンドの上にアングルプレートを加えれば安定感が増す
プレートとクリップ&バー・ヒンジでスタンドを作る

背側面《はいそくめん》

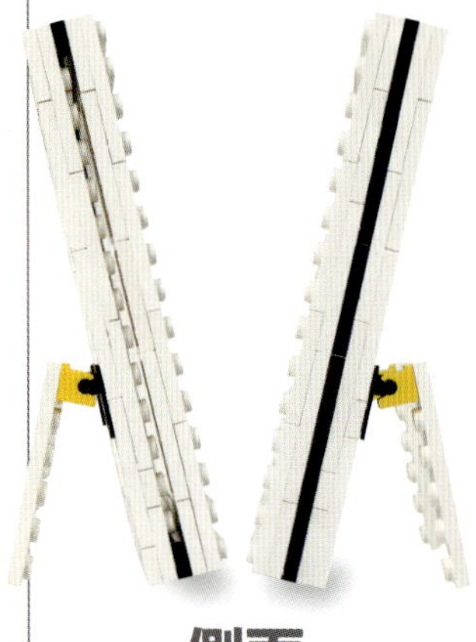

側面

プレートを2色交互にすると、クールな印象になる
隣人《りんじん》だったギャングがいなくなって、さびしいよ!

好きな色の
かわいい花を
使う

花いっぱい

ベーシックなフレームができたら、次はクリエイティブにいきましょう！　花は好きですか？　フレームを花模様《もよう》にして、きれいな写真を飾りましょう。葉っぱや小さな蝶《ちょう》を加《くわ》えてもいいでしょう。
ピースをななめに配置《はいち》することで模様に変化《へんか》がつき、デコレーションの数も増《ふ》やせます。

テーマに合った
ピースを使う
レーダーアンテナと
半透明のプレートが、
とても宇宙っぽい
ミニフィギュアは、側面ポッチ付き
ブロックでフレームに連結する

宇宙《うちゅう》時代

写真にマッチしたデコレーションをしませんか？
宇宙がテーマのこのフレームは、半透明《はんとうめい》のピースをたくさん使い、宇宙飛行士のミニフィギュアまで付《つ》いています！　フレームの後ろに付いているスタンドの位置《いち》を変えるだけで、横長のポートレート用フレームにもなります。

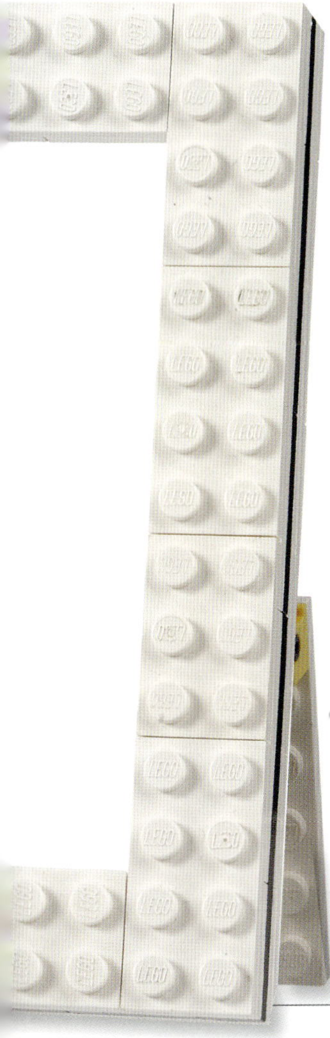

ところどころ出っ
張らせ、フレームの
形に変化を付ける
ほかにも、ジャングルのテーマに
加えたいピースを考えてみよう。
ロープのつり橋や小さな滝は？

ジャングル フィーバー

テーマに合わせて、さまざまな色のブロックを加《くわ》えていきましょう。ジャングルのテーマなら茶色のブロックを使い、グリーンの葉っぱをたくさん付けます。動物をプラスしてもかまいません。
思いきりワイルドに！

モザイク

モザイクは、細かい素材《そざい》で絵や模様《もよう》を作るアートです。素材は、ガラスや石……それにレゴ®ブロック！　まず、どのようなモザイクにするかプランを立てましょう。平らに置《お》く、それともまっすぐ立たせる？　光を通すようにする？　立体的にしてみる？　あっというまに、レゴ®ブロックのアートギャラリーができあがります！

組み立ての概要

- **目的:** モザイクを作る
- **用途:** 装飾、プレゼント
- **基本要素:** 安定性（とくに垂直に立てる場合）
- **その他の要素:** 3D効果、有名な作品のコピー、スタンド、フレーム

基礎板《きそばん》

旗《はた》のモザイクは16×16の基礎板をベースにしていますが、大きさは自由です！　ちょうどいいサイズのベースがなければ、プレートを何枚《まい》かつなぎ合わせてもいいでしょう。

楽しい旗《はた》

愛国心《あいこくしん》を発揮《はっき》し、レゴ®ブロックのモザイクで国旗《こっき》を再現《さいげん》してみましょう！　下のユニオンジャック（英国《えいこく》の国旗）の図案《ずあん》では、おもに1×1のブロックが使われ、同じ色がかたまっている部分には大きめのブロックが少しだけ使われています。

もっとシンプルなデザインの旗の場合、幅の広いブロックを使えば時間の節約になる！

旗は定番の色でなくてもいい――色づかいは大胆に！

1×1のブロックは、モザイクに細かいディテールを加えるのに便利

1×1と1×2のブロックを壁のように積み上げた、シンプルなデザイン

花のアート

レゴ®ブロックの花で気持ちを伝《つた》えましょう！　まっすぐに立つこの花のモザイクは、晴れわたる青空をバックに咲《さ》きほこる2本の花のようです。背《せ》の高いスロープの土台が、モザイクをしっかり支《ささ》えています。

厚い土台

土台を補強《ほきょう》するために、モザイクの下のほうはブロックの壁《かべ》を1枚分厚くしています。出っ張《ば》った部分は後ろからしか見えません。

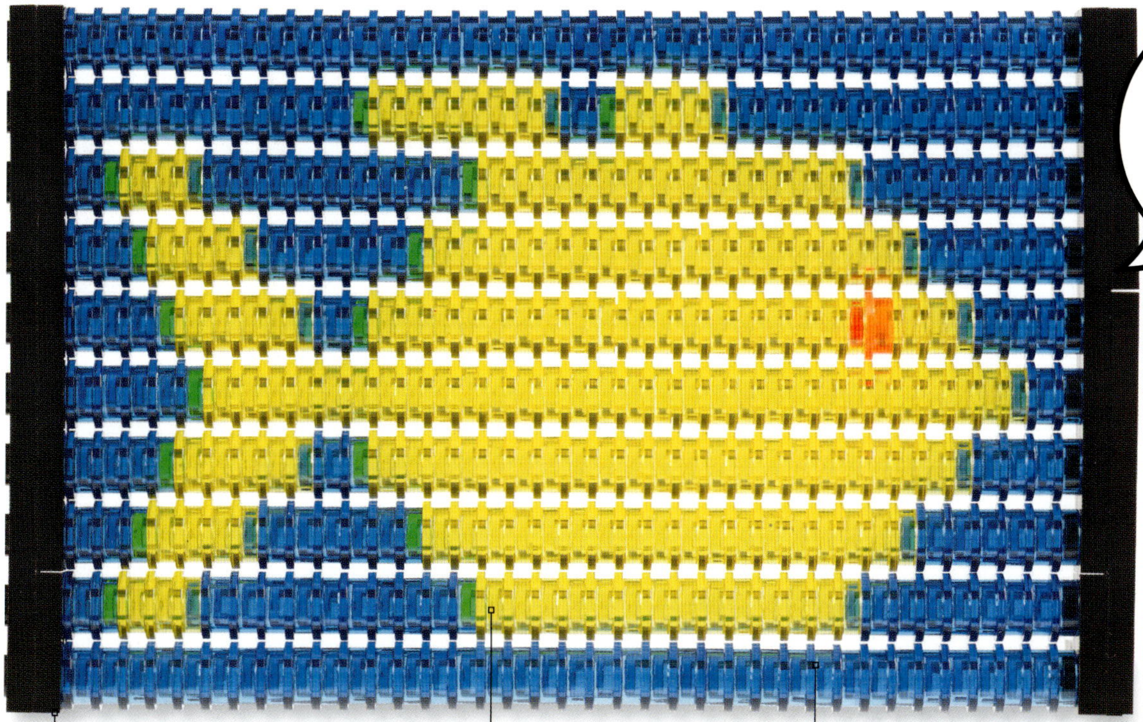

ずっと泳ぎ
つづけているけど、
両はしのプレートは
越《こ》えられそうに
ない!

透明なプレートが
光を通し、モザイクが
輝いて見える!

海のモザイク

このモザイクは、透明《とうめい》な1×1のラウンドプレートだけでできています。ていねいにプランを練って組み立てたブロックを10段《だん》重ねると、水中に浮《う》かぶ黄色い魚に! 両わきの長い黒のプレートが、各《かく》段をつなぐフレームとなっています。

組み立て

このモザイクのデザインには、念《ねん》入りなプランが必要《ひつよう》です。図案に合わせて透明なプレートを積《つ》み重ね、端《はし》を両わきのプレートに連結《れんけつ》させます。

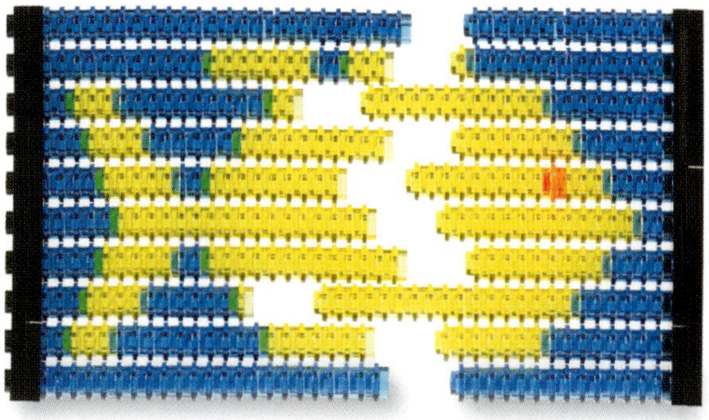

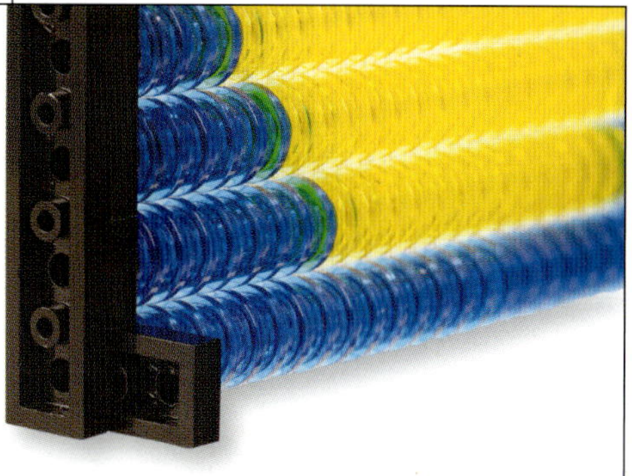

スタンド

両はしのプレートのいちばん下に小さなプレートを垂直《すいちょく》に付《つ》けると、フォトフレームのようにモザイクを垂直に立てることができます。モザイクが小さいほど安定性《あんていせい》は高くなります。

オレンジ フィッシュ

モザイク全体に使えるほど透明なラウンドプレートがなくても、うまく組み合わせればだいじょうぶ! このオレンジの魚の作品には、白いラウンドプレートも使われています。1×1の四角いプレートをまぜてもかまいません!

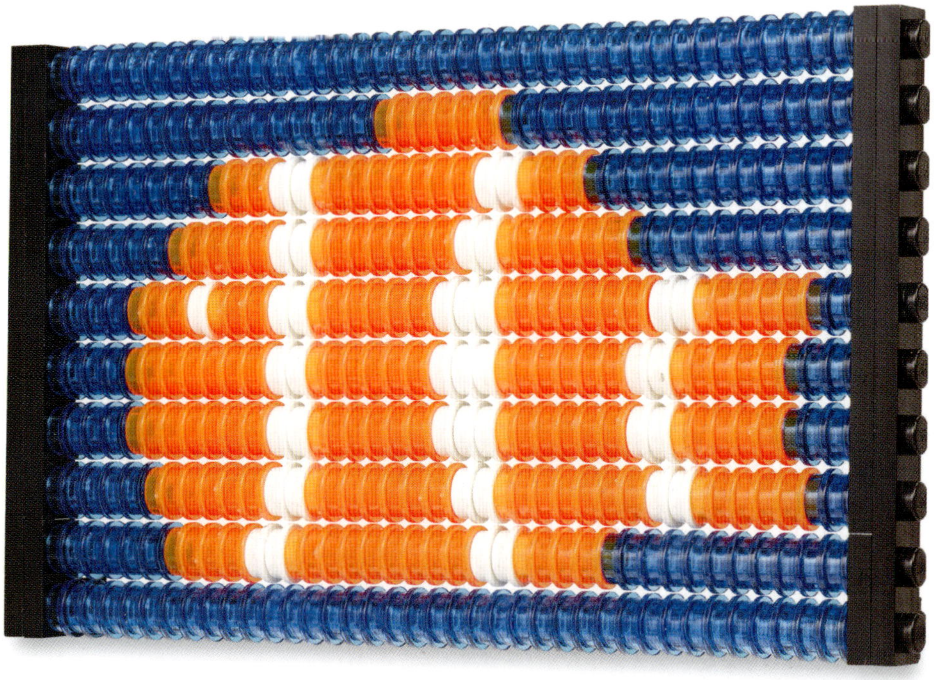

3Dモザイク

モザイクは、平らである必要《ひつよう》はありません。いろいろな形やサイズのブロックがあるなら、立体的な要素《ようそ》を取り入れて、まさに“突出《とっしゅつ》”したレゴ® ブロックのモザイクを作ってみてはどうでしょう。まず図柄《ずがら》を決めたら、どの部分を立体化させれば最《もっと》も効果的《こうかてき》か考えます。どこをいちばん目立たせたいかがポイントです!

そんなに耳を
目立たせなくても
よかったんじゃ
ない?

前面

ブロックを重ねて高さを変え、立体感を出す
ヘッドライトブロックのポッチに、白い1×1のタイルをかぶせる
部屋やほかのモザイク作品に合わせて色を選ぼう

牙《きば》の作りかた

ゾウの突《つ》き出た牙が、モザイクに生き生きとした表情《ひょうじょう》を与《あた》えます! 曲面ハーフアーチで牙を作り、それを白いヘッドライトブロックでグリーンの背景《はいけい》部分に取り付《つ》けます。

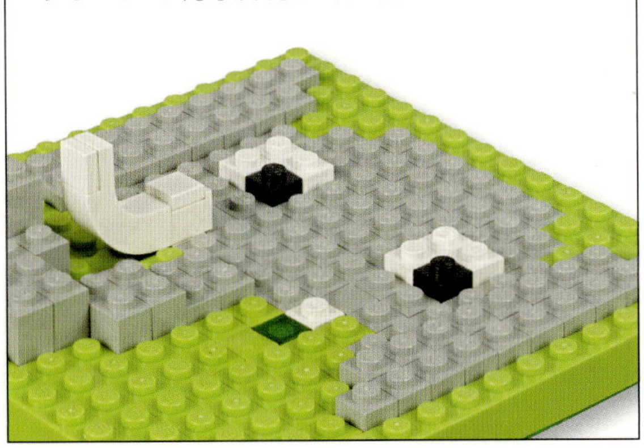

ゾウ

好《す》きな動物はなんですか?　3Dでその動物の似顔絵《にがおえ》を作ってみましょう! このモザイクのベースは、16×16の基礎板《きそばん》。それをグリーンの背景とゾウの頭部をかたどったグレーのプレートで完全に覆《おお》い、いくつかブロックやプレートを加《くわ》えて、立体的な特徴《とくちょう》をかたちづくっていきます。

前面

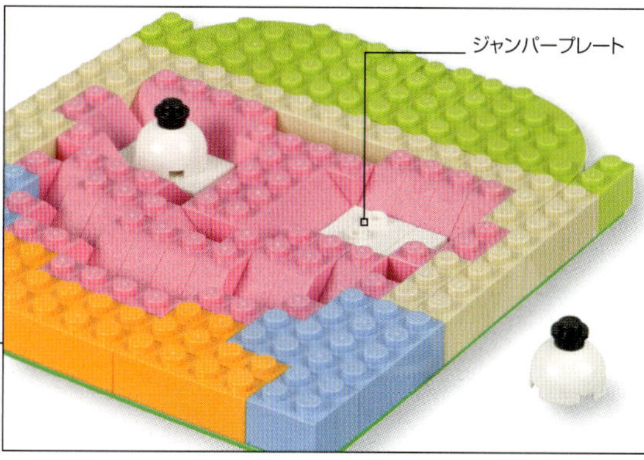

ジャンパープレート

びっくり目玉

モザイクづくりでは、四角いブロックにこだわる必要《ひつよう》はありません! この作品の目は、ドーム型《がた》ブロックと黒いラウンドプレートでできています。ドーム型ブロックは、白いジャンパープレートにはめこんであります。

ラウンドコーナープレートで、女の子がかぶっているグリーンの帽子の丸みを出す

スロープを反対向きに並べて、笑った口を作る

おどけた顔

四角いブロックに限定《げんてい》せず、あらゆる種類《しゅるい》のブロックを使って3Dのディテールを作る方法《ほうほう》を考えましょう。この女の子の顔は、ほとんどがピンクのスロープ! ピースをこのように使うことで、おしゃれでクレイジーなモザイクのスタイルが生まれます。

ビッグベンの針はTバー

タイヤはラウンドプレート

都市の風景《ふうけい》

このロンドンの風景には、めずらしいブロックがたくさん使われています。時計塔《とう》、木、赤いバスはすべて、多種多様《たしゅたよう》なブロックでできています。あなたはどれくらい創造性《そうぞうせい》を発揮《はっき》できそうですか?

時計塔には、歯プレートが使われている

赤いバスに付けた透明な窓のように、プレートを重ねてディテールを加える

前面

クラシックなボードゲーム

定番のボードゲームは、楽しいひとときを与《あた》えてくれます。それはレゴ®ブロックのボードゲームも同じ――ピースを固定《こてい》できるので、長旅にもうってつけ！ 必要《ひつよう》なのは、シンプルなベースとゲームの駒《こま》だけ。ルールがわからなければ、家族に聞いたりネットで調べましょう。好《す》きなテーマに合わせて、ゲームをアレンジすることもできます。

組み立ての概要
目的: ボードゲームを作る
用途: 友だちと遊ぶためのゲーム
基本要素: 丈夫なベース、ゲームの駒
その他の要素: ゲームテーブル、もっと大型で手の込んだセット、サイコロ

ついに、キングをとらえるチャンスがやってきた！

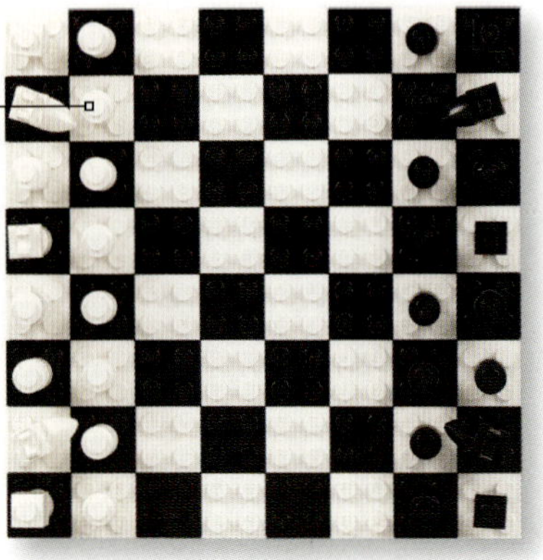
各サイドにある駒は、ポーン8つ、ナイト2つ、ルーク2つ、ビショップ2つ、キング1つ、クイーン1つ
上面

チェス

16×16の基礎板《きそばん》は、チェスを含《ふく》む多くのボードゲームにちょうどいいサイズです。基礎板がなければ、プレートをオーバーラップさせて四角いベースを作りましょう。その上に2×2のプレートを白黒交《こう》互《ご》に8列並《なら》べてチェス盤《ばん》を作ります。

スタンダードなチェス盤は白と黒だが、好きな色を使えばいい!

チェックメイト!

ポーン、ナイト、ルーク、ビショップ、クイーン、そしてキング――チェスの駒は、簡単《かんたん》に見分けがつくものでなければなりません。あなたのクイーンには、大きな冠《かんむり》をかぶせますか? ナイトには輝《かがや》く鎧《よろい》? あちこち持ち運べるように、こわれにくい駒を作りましょう。

ポーン
ビショップ
ナイト
キング
クイーン
ルーク

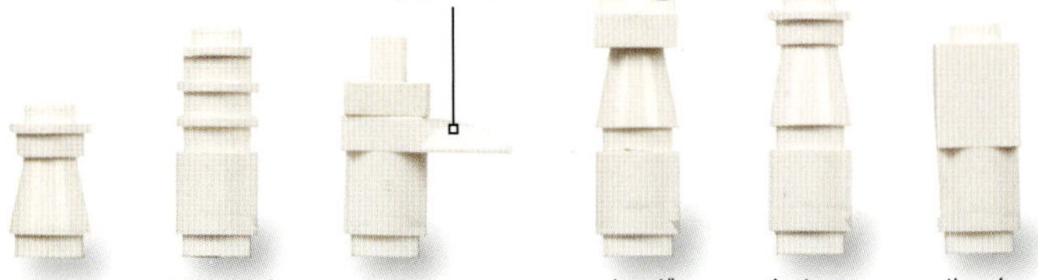
馬の鼻は歯プレート
垂直クリップ付きプレート1×1
ポーン
ビショップ
ナイト
キング
クイーン
ルーク

ポッチのあいだに駒がぴったりはまる
このボードで遊べるゲームを考案しよう

上面

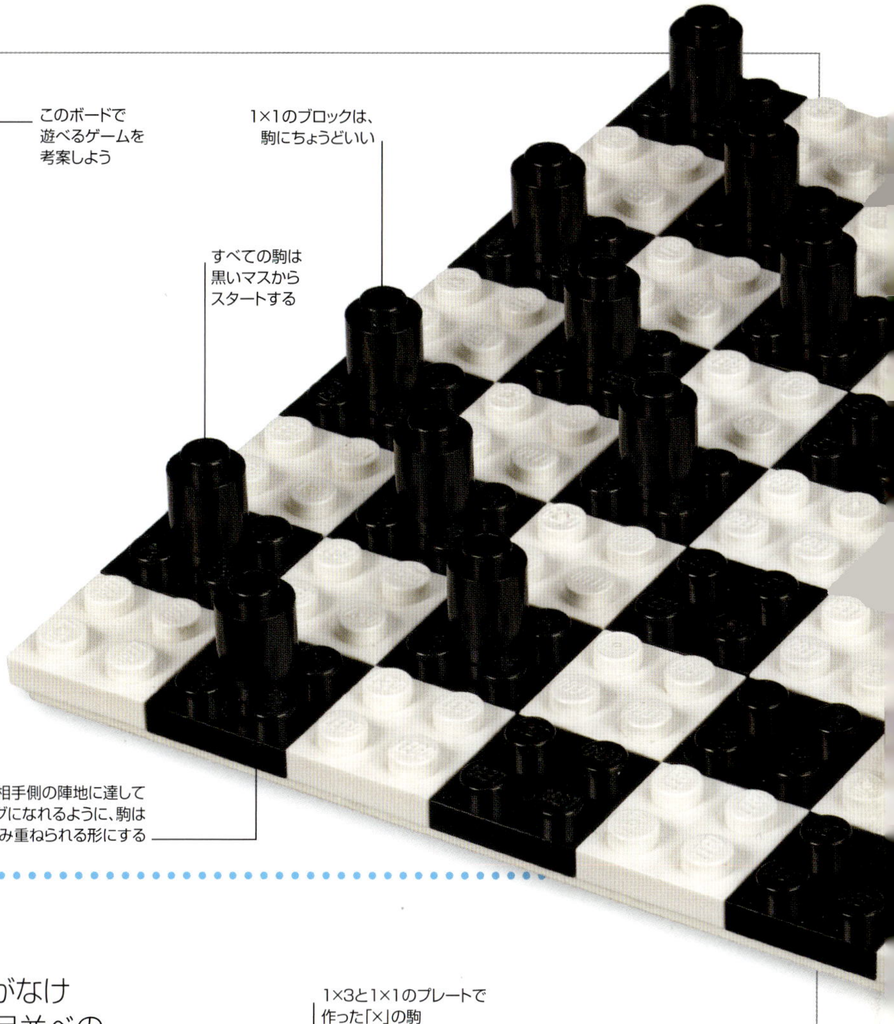
1×1のブロックは、駒にちょうどいい
すべての駒は黒いマスからスタートする
駒が相手側の陣地に達してキングになれるように、駒は積み重ねられる形にする

チェッカー

チェッカーというゲームは、チェスと同じボードを使います。黒い駒と白い駒がそれぞれ12個《こ》ずつ必要ですから、たくさんあるピースを駒にしましょう。あるいは、白と黒のかわりに好きな色を2色使ってみてはどうでしょう?

上面

三目並《なら》べ

チェスやチェッカーをする時間がなければ、もっと短時間で遊べる三目並べのボードを作りましょう! 16×16のベースを使い、細い線で9マスに区切られたゲーム盤を作ります。

1×3と1×1のプレートで作った「×」の駒
1×2のプレートを四角に組んだ「○」の駒。曲面ブロックを使ってもいい

いろいろな駒《こま》

ラウンドブロックと四角いブロックで、ごくシンプルな駒を作りましょう。かわりにミニフィギュアを使うこともできます! 警官《けいかん》とどろぼう、宇《う》宙《ちゅう》飛《ひ》行《こう》士《し》とエイリアンの組み合わせはいかが?

駒は5つずつ必要

駒の底に1×1のラウンドプレートを付け、動かしやすくする。ボードの上に駒を置くだけでもいい

そのほかのボードゲーム

ブロックでボードゲームを作れるようになったら、あなたもお友だちも、もう退屈《たいくつ》しないはず！ 好《す》きなゲームはなんでも作れるし、自分でゲームを考案《こうあん》することもできます。組み立てはじめる前に、まず必要《ひつよう》なピースをそろえ、何人で遊ぶのか、どんな色を使いたいかを考えます。お気に入りのミニフィギュアを駒《こま》として使うこともできます。

小さいピースなら、なんでも駒になる。コーンやミニフィギュアの頭でもいい

上面

ルードー

まず、四角いボードから作りましょう。必要な色は4種類《しゅるい》（プレーヤーひとりあたり1色）。コーナーごとに色を変《か》え、コーナーから中央へ駒を動かすパス（通り道）をデザインします。

だれか、
じゅうどうって
言ったか？

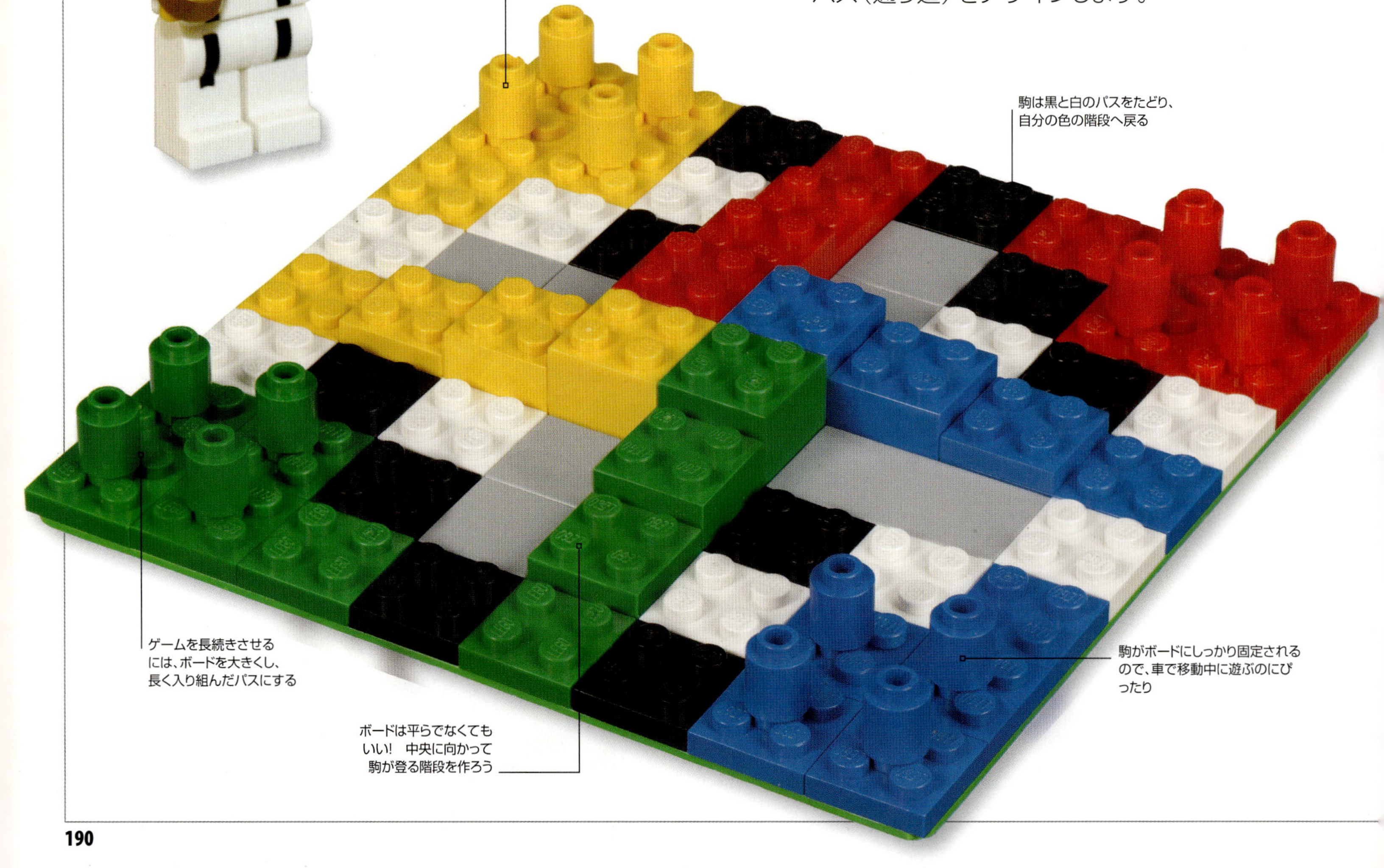

赤、黄、青、緑の4色でなくても、ブロックの数さえそろえば、どんな色でもいい

駒は黒と白のパスをたどり、自分の色の階段へ戻る

ゲームを長続きさせるには、ボードを大きくし、長く入り組んだパスにする

ボードは平らでなくてもいい！ 中央に向かって駒が登る階段を作ろう

駒がボードにしっかり固定されるので、車で移動中に遊ぶのにぴったり

サミット

自分で考えたゲームを作ってみましょう。頂上《サミット》に到達《とうたつ》するのが目的《もくてき》のこのゲームは、サミットと名づけられました。ボードは、角を曲がるたびに一段《だん》高くなるうずまき型《がた》のピラミッドのような形に組み立てます。

頂上のマスに最初に到達した人が勝ち

上面

思いきりカラフルに

ボードの基本色《きほんしょく》を1、2色選《えら》びます。このモデルには赤と白を使っています。たまに別《べつ》の色を入れ、ごほうびがもらえるマスや落とし穴《あな》にします。

頂上に旗や宝物のピースを置いてもいい

ピラミッド型にこだわる必要はない。お城の形にして、最初に頂上に到達した人が王や女王になれるルールにしては?

独自のルールを考えよう。たとえば、黒いマスに止まったら1回休み、青いマスに止まったら3マス進むなど

実物そっくりに作る

空飛《と》ぶ円盤《えんばん》から海賊船《かいぞくせん》まで、みなさんは楽しく遊べるファンタジックなモデルをたくさん作ったことでしょう。では、こんどは現実《げんじつ》の世界に目を向けてみましょう! 身のまわりの家庭用品を再現《さいげん》するのは、実際《じっさい》に手に取ってよく観察《かんさつ》し、どうすればうまく作れるかプランを立てられる点で、これまでとはひと味ちがう手ごたえがあります。実物大のモデルにするか、ミニフィギュアスケールで作るか、それはあなたしだい!

組み立ての概要
目的: 身のまわりのものを再現する
用途: 装飾、収納
基本要素: わかりやすい形、実物大
その他の要素: アイロン台、トースター、MP3プレーヤー

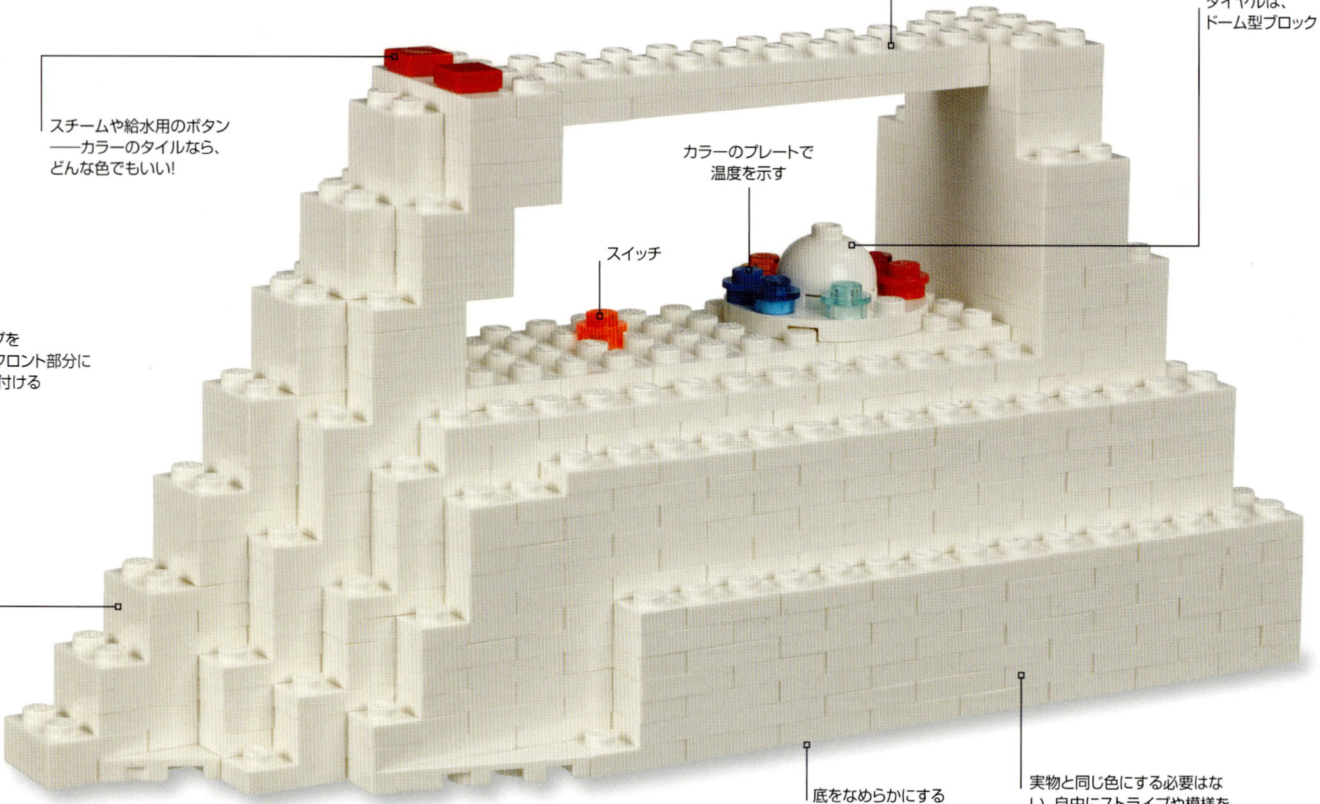
ハンドルには、アイロンを支えられる強度が必要。ブロックやプレートを加えるほど頑丈になる!
ダイヤルは、ドーム型ブロック
スチームや給水用のボタン──カラーのタイルなら、どんな色でもいい!
カラーのプレートで温度を示す
スイッチ
ブロックとスロープを階段状に重ねて、フロント部分になめらかな傾斜を付ける
底をなめらかにすると、アイロンがすべるように動く
実物と同じ色にする必要はない。自由にストライプや模様を入れよう!

背側面《はいそくめん》

海の上《アット・シー》じゃ、
服をプレスする
アイロンがなくて
困った《アット・シー》よ!

アイロン

カーブやスロープのあるアイロンの形をレゴ®ブロックのピースで再現するのは、なかなかむずかしいものですが、やってやれないことはありません! ダイヤル、ライト、ボタンを付《つ》けて、本物らしく仕上げましょう──でも、レゴ®ブロックのアイロンなら服をこがす心配はありません! 本物のアイロンに触《ふ》れる前には、スイッチを切ってプラグを抜《ぬ》くのを忘《わす》れずに!

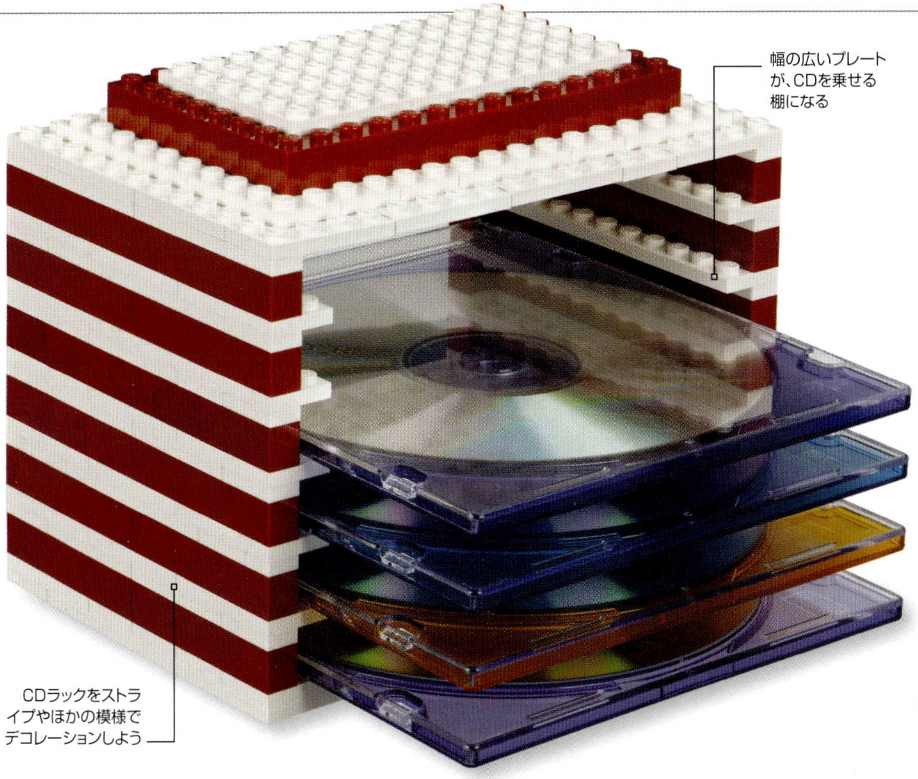

幅の広いプレートが、CDを乗せる棚になる

CDラックをストライプやほかの模様でデコレーションしよう

CDラック

リアルなレゴ®ブロックの作品の中には、本物と同じように使えるものもあります。このCDラックは、CDを収納《しゅうのう》するのに十分な大きさと強度をそなえています。ベースの両わきに2枚《まい》の壁《かべ》を作って、少し幅《はば》の広いプレートを等間隔《とうかんかく》に加《くわ》え、そこにCDを乗せます。

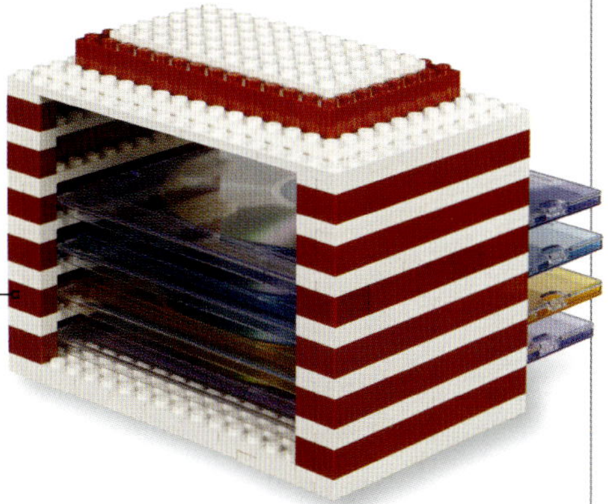

CDを入れるすきまは、幅16ポッチ分、高さはプレート4枚分

背側面

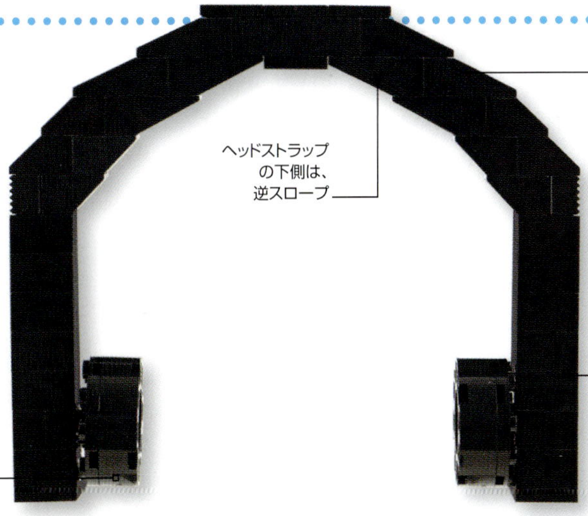

ヘッドストラップは、2×2のブロック、スロープ、逆スロープでできている

ヘッドストラップの下側は、逆スロープ

ヘッドホンがフィットするように、頭の幅をはかる

ヘッドホン

ヘッドホンはかなり細いため、デリケートです。頑丈《がんじょう》に仕上げるには、ブロックをオーバーラップさせてしっかり連結《れんけつ》させます。ヘッドストラップとイヤーピースは、別々《べつべつ》に組み立ててからつなぎ合わせましょう。

耳をすませて

なめらかなイヤーピースは、4×4のラウンドプレートに曲面ブロックをはめこんだもの。穴《あな》あきブロックとレゴ®テクニック ピンを使って、ヘッドストラップに取り付けます。

曲面ブロック

穴あきブロック

レゴ テクニック ピン

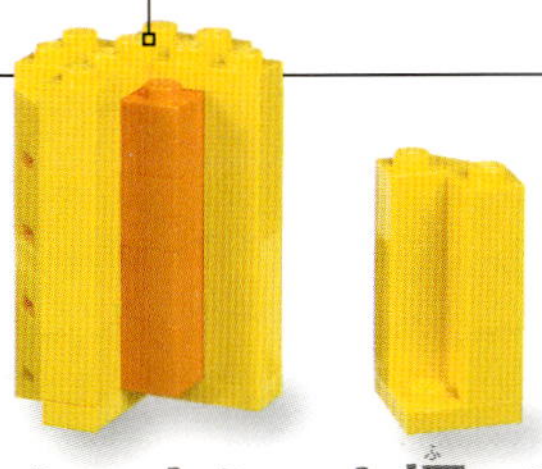

1×1のブロックを積み重ねたものをコーナーブロックで覆う

シャカシャカ振《ふ》って

右のシェイカーはアングルコーナーブロックでできていますが、曲面ブロックや四角いブロック、曲面ハーフアーチも使えます。あなたなりのシェイカーを作ってみましょう!

ブロックに穴があいているので、実際には塩やコショウを入れられない!

ソルト&ペッパー

塩《しお》やコショウを入れるシェイカーは、あなたが作るレゴ®ブロックのダイニング用品の第1号になるかもしれません。陶器《とうき》やシルバーウェアから枝付《えだつ》き燭台《しょくだい》まで、ダイニングテーブルにありそうな品々を再現してみましょう。

自分でデザイン

さあ、こんどはイマジネーションを発揮《はっき》して、おしゃれな雑貨《ざっか》を作りましょう！　何かをそのままコピーするのではなく、自分でデザインしたレゴ®ブロックの傑作《けっさく》に挑戦《ちょうせん》です。好《す》きな色で美しいオブジェを作ったり、実際《じっさい》に使えるコースターをデザインしましょう——ただし、コースターは冷《つめ》たいドリンク専用《せんよう》です！

組み立ての概要

- **目的：** 自分でデザインしたものを作る
- **用途：** 装飾、容器
- **基本要素：** 実物大、美しい、機能的、めずらしい形、おもしろい模様
- **その他の要素：** 書類箱、ランチョンマット、宝石

丸いブロックと
長方形のブロックを
組み合わせてカーブを作る

このオブジェは、デリケート
でこわれやすい。どうすれ
ばもっと頑丈になるかな？
ラウンドプレートとコーン
を1×2のブロックと
プレートで固定する

カラフルなオブジェ

ラウンドプレート、長方形のプレート、コーンやブロックを並《なら》べたものを好きな高さに積《つ》み重ねたオブジェを作りましょう。飾《かざ》る部屋《へや》に合わせて、色や模様《もよう》を選《えら》びます。別《べつ》の形にも挑戦してみましょう。

基本《きほん》はベース

プレートをタイルで覆《おお》い、丸いベースを作ります。ふちの4カ所に1×2のプレートとジャンパープレートを配置《はいち》し、そこに丸い側面《そくめん》を連結《れんけつ》します。

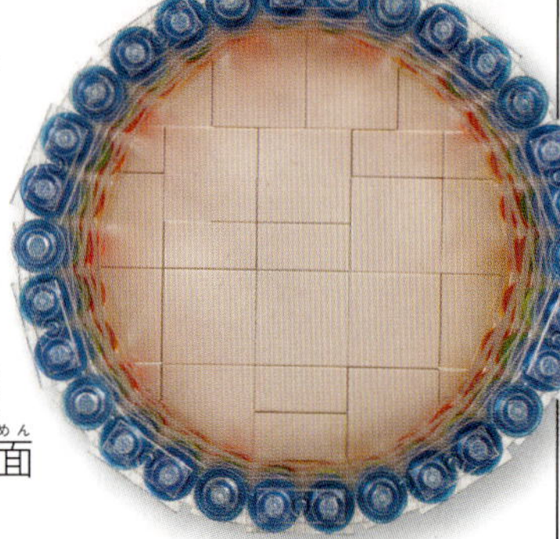
上面

丸いコースター

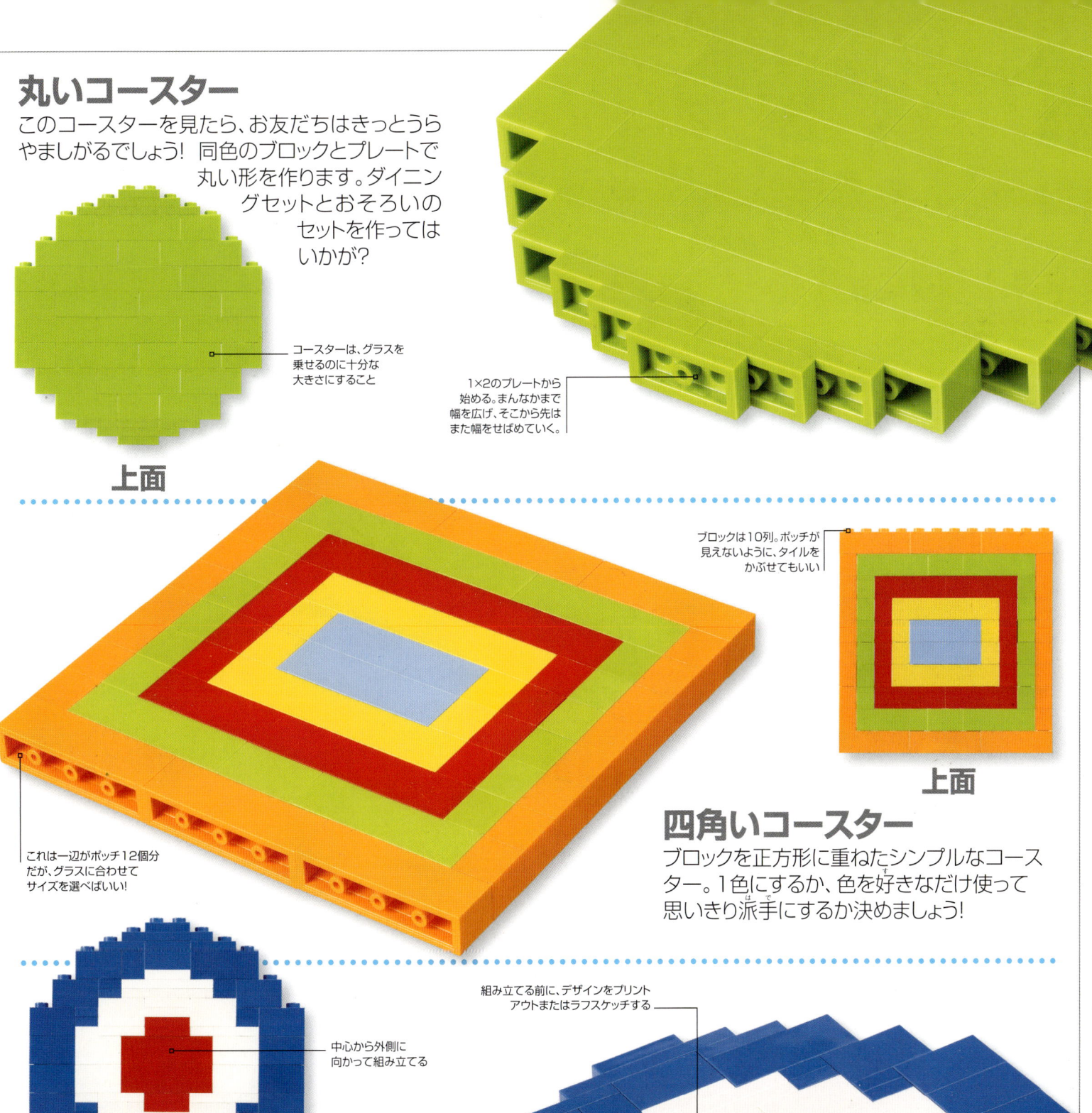

このコースターを見たら、お友だちはきっとうらやましがるでしょう! 同色のブロックとプレートで丸い形を作ります。ダイニングセットとおそろいのセットを作ってはいかが?

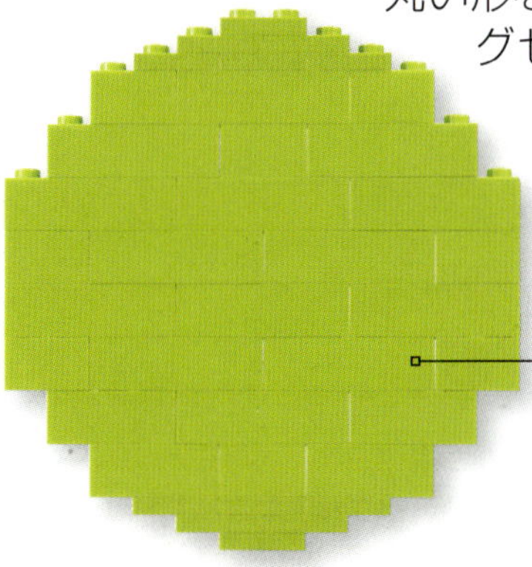
コースターは、グラスを
乗せるのに十分な
大きさにすること

上面

1×2のプレートから
始める。まんなかまで
幅を広げ、そこから先は
また幅をせばめていく。

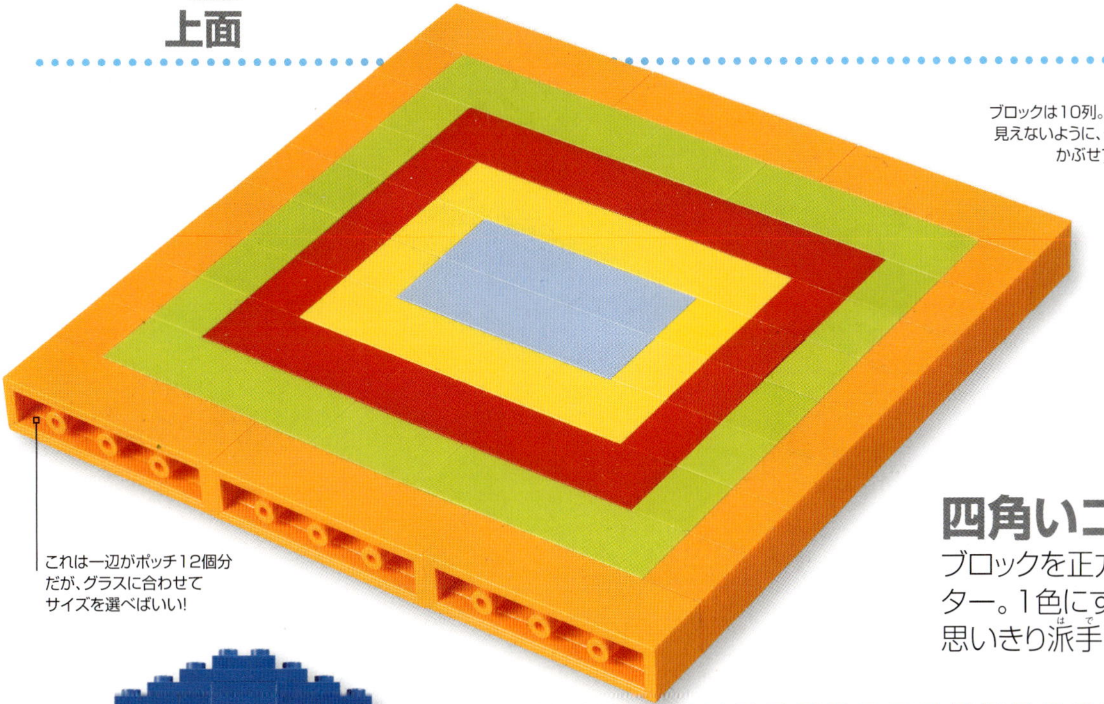
これは一辺がポッチ12個分
だが、グラスに合わせて
サイズを選べばいい!

ブロックは10列。ポッチが
見えないように、タイルを
かぶせてもいい

上面

四角いコースター

ブロックを正方形に重ねたシンプルなコースター。1色にするか、色を好《す》きなだけ使って思いきり派《は》手《で》にするか決めましょう!

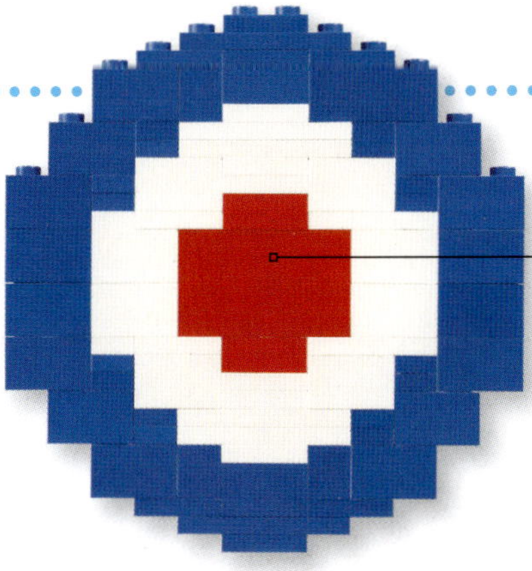
中心から外側に
向かって組み立てる

的《まと》を射《い》たデザイン

的をデザインしたこのコースターのように、おなじみのシンボルやロゴの形や色にしてもいいでしょう。まんなかに自分のイニシャルを入れることもできます!

組み立てる前に、デザインをプリント
アウトまたはラフスケッチする

ビルダー紹介《しょうかい》

アンドルー・ウォーカー
ANDREW WALKER

所在: イギリス
年齢: 45
レゴの得意分野: シティ、トレイン、静物

レゴ®ブロックで遊びはじめたのは何歳《なんさい》のとき?

いつもレゴ®ブロックで遊んでいたのは確《たし》か。姉や兄たちのものだったんだろうな。古いベビーバスに入れてあるブロックをかき回しては、必要《ひつよう》なパーツを探《さが》していた。ところが、わたしが13歳のとき、兄が家にあるレゴ®ブロックのピースを全部売ってしまい、それから長いあいだレゴ®ブロックなしの生活が続《つづ》いた。再開《さいかい》したのは、ほんの5年前だよ。

この露店では、レゴ®ブロックのペットを売っている。
男の子は、ペットのヘビを手に入れてうれしそう!

これは世界初の蒸気機関車、スティーブンソンのロケット号。
最もむずかしかったのは、樽を取り付けるところと、ピストンを動かすところ。

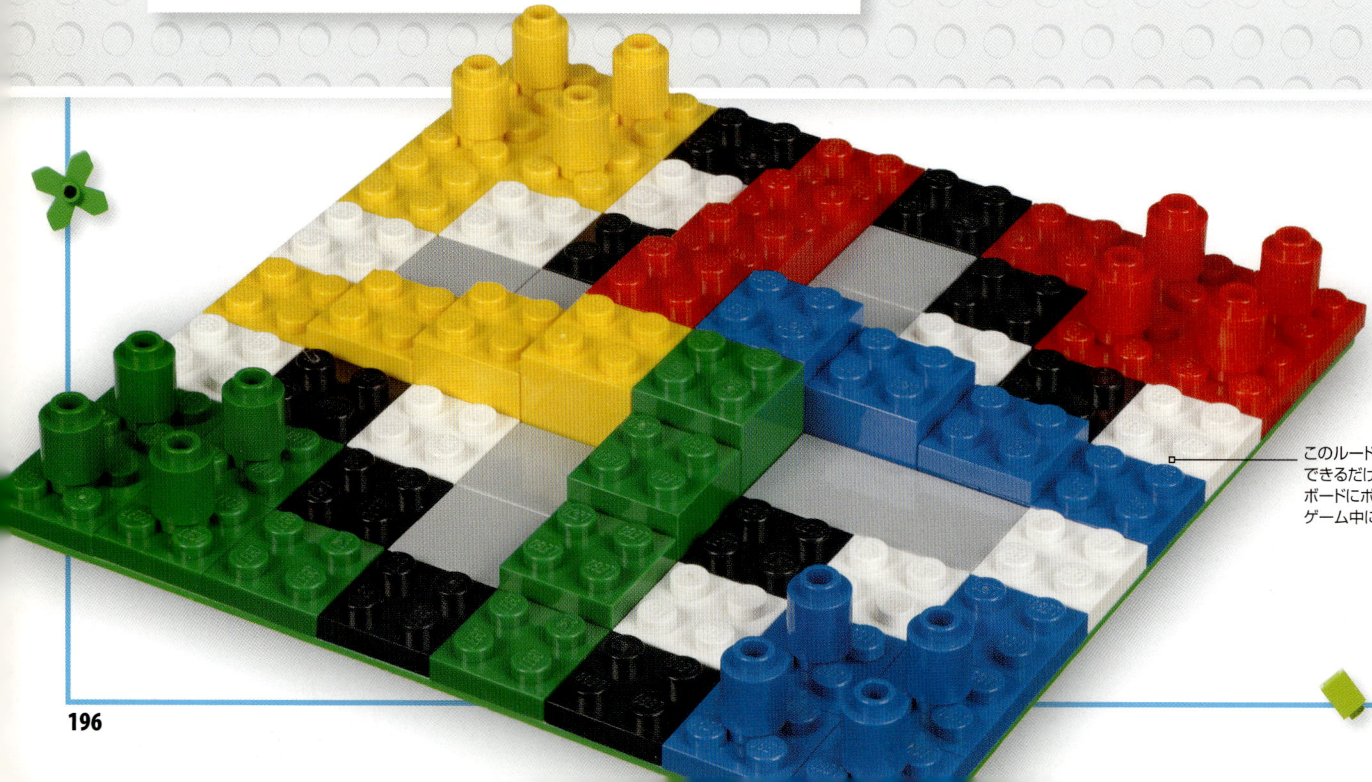

このルードーのセットは、
できるだけリアルに作った。
ボードにポッチがあるので、
ゲーム中に駒が落ちることはない!

アイデアはどこから得《え》るの?

以前《いぜん》乗った列車や、若《わか》いころに通った映画館《えいがかん》など、思い出とともにアイデアが浮《う》かぶことが多い。映画のシーンや物を再現《さいげん》するのも好《す》き。

これまでで最大《さいだい》の、または最《もっと》も複雑《ふくざつ》な作品は?

レゴ®ブロックのすばらしいところは、仲間《なかま》といっしょに組み立てられること。最近、鉄道模型《もけい》の展覧会《てんらんかい》で、5人のレゴ®ブロックファンとコラボレーションし、長さ6メートル、幅《はば》2メートルの模型を作ったんだ。それぞれが小さなモデルを持ち寄《よ》って、活気に満《み》ちたエキサイティングな町と線路をつくりあげた。みごとなできばえで、お客はみんな楽しんでくれたよ。

失敗《しっぱい》した作品は? どう解決《かいけつ》したの?

せっかく列車を作って車輪《しゃりん》を付《つ》けても、線路を一周《いっしゅう》できなかったり、客車や貨車《かしゃ》を連結《れんけつ》できないことがよくあった! 列車が長すぎると線路からはずれ、コーナーを曲がるときにまわりのものにぶつかってしまうので、線路のサイズと形を意識《いしき》する必要《ひつよう》がある。それと車輪も重要《じゅうよう》——付ける位置《いち》をまちがうと、線路を走れない。そうならないためには、かならず車輪とベース部分を先に作り、走りかたをチェックしてからほかの車両と連結させ、そのあと車体を組み立てるといい。

「小惑星《アステロイド》 478」と名づけた展示作品の主役は、宇宙の乗り物。
コマンドセンターには、ソーラーパネルやレーダー、通信アンテナ、修理ロボットなどがある。

個人輸送の未来へいざなうクラシックカー。
定番のロングノーズとフロントグリルに、タイヤ6個、
盛り上がったキャビン、なめらかなサイドと丸いブーツを加えた。

世界中のすべてのレゴ®ブロックと十分な時間があったら、何を作りたい?

わたしが好きなランドマークのひとつがエッフェル塔《とう》。レゴグループがオフィシャルモデルを組み立てたのは知っているけど、実際《じっさい》に動くエレベーターを付けて、ミニフィギュアスケールで作ってみたい。

お気に入りの作品は?

『サンダーバード』に出てくる"モグラー(ジェットモグラ)"を作った。ボディーの組み立てがうまくいき、レゴ®ブロックで丸い形ができたところが気に入っている。

集めたミニフィギュアたちの居場所を作るのは、とても楽しかった。好きなものを飾れるのは、うれしいものだ!

レゴ®ブロックに関《かん》する、とっておきの秘《ひ》けつは?

新製品《せいひん》に遅《おく》れないようにすること。レゴグループが次々に発売する新しいブロックは、実在《じつざい》のものを組み立てるのにとても役立つ。最近《さいきん》出たブロックで気に入っているのは、ヘッドライトブロック(ブロックを多方向に連結《れんけつ》でき、密《みつ》な組み立てに便利《べんり》)、側面《そくめん》ポッチ付《つ》きブロック(ディテールの盛《も》りこみかたに変革《へんかく》をもたらす)、そして1×1のサイドリング付きプレート(ブロックの底《そこ》どうしを連結できる)。

子どものころの、いちばんの自信作《じしんさく》は?

7歳《さい》くらいのとき、地元のデパートで町がテーマのビルディングコンテストが開かれ、刑務所《けいむしょ》のある町の風景《ふうけい》を作ってみごと優勝《ゆうしょう》。賞金《しょうきん》でレゴ®ブロックが買えてうれしかったよ!

ドリル付きの地下レスキュー車両の組み立ては、おもしろい挑戦だった。カーブの付いたピースで丸いボディーを作り、レゴ®テクニック ビームでベースに連結した。

おなかをすかせたペンギンたちが、露店で魚強盗! シーンにぴったりのミニフィグヘッドはなかなか見つからないものだが、この表情はパーフェクト!

時計塔の上に立つ小さなフィギュアは、時報が鳴ると出てくる人形のよう。レゴグループがトロフィーを発売したとき、この作品を思いついた!

実用品のほかに、何を作るのが好《す》き?

実用品を作るのは、じつに楽しい。車や列車、建物《たてもの》、人々——本物の町に必要《ひつよう》なものがすべてそろったミニチュアの町を作るのも楽しい。

お気に入りのテクニック、いちばんよく使うテクニックは?

AFOL(大人《おとな》のレゴファン)のあいだでSNOTと呼《よ》ばれている、ポッチが見えない、なめらかで丸く、平らな形を作るテクニック。こういう組み立てかたが好きだね。

作品づくりに どれくらい時間をかけるの?

どんな作品に取りくんでいるかによるけど、ふだんは1日に1〜2時間。ときどき仕分けや整理もしないといけない。

レゴ®ブロックをいくつ持ってる?

もう5万個《こ》以上はあるはず。

組み立てる前にプランを立てる? どんなふうに?

プランがあると便利《べんり》なことが多いよ。わたしはレゴグループのデジタルデザイナーというバーチャルビルディングソフトを使って、納得《なっとく》がいくまでデザインやテクニックを練るんだ。さらに表計算ソフトも使い、必要なブロックの購入《こうにゅう》プランを立てる。でも、すでにあるブロックだけで何かを作らなければならない場合は、そのまま組み立てはじめ、試行《しこう》錯誤《さくご》しながら仕上げていく。

新発売のレゴ®ブロックのセットのパーツを使い、ミニフィギュアが乗った自分の車を作ってみた。このようなモデルをうまく組み立てるには、あるていど妥協や改造が必要かもしれない。

この典型的なイギリスの電車は、わたしの最新作のひとつ。右側の後ろのドアが、最後に加えたピース。

好きなブロックやピースは?

目下のお気に入りは、2年ほど前から発売されている1×1のスロープ。

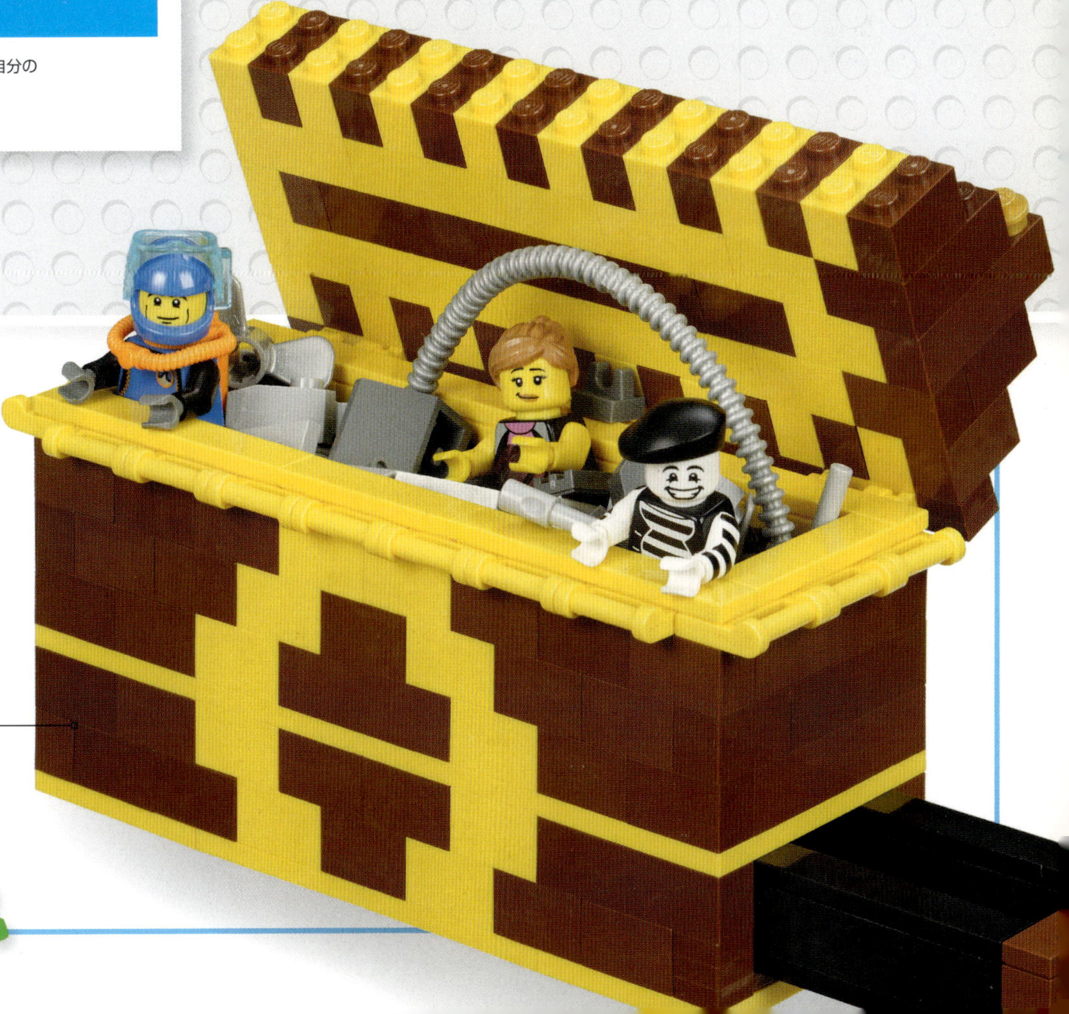

この宝箱は、だいじなピースのかくし場所に最適!　決まったカラーデザインで組み立てる場合は、ピースの色が調和し、連結もうまくいくように、やや念入りなプランが必要

DK

LONDON, NEW YORK
MELBOURNE, MUNICH, and DEHLI

A Dorling Kindersley Book

Editor Shari Last
Additional Editors Simon Beecroft, Jo Casey, Hannah Dolan,
Emma Grange, Catherine Saunders, Lisa Stock, Victoria Taylor
Senior Editor Laura Gilbert
Designer Owen Bennett
Additional Designers Guy Harvey, Lynne Moulding, Robert Perry,
Lisa Sodeau, Ron Stobbart, Rhys Thomas, Toby Truphet
Senior Designer Nathan Martin
Design Manager Ron Stobbart
Art Director Lisa Lanzarini
Publishing Manager Catherine Saunders
Publisher Simon Beecroft
Publishing Director Alex Allan
Production Editor Sean Daly
Production Controller Nick Seston

Photography by Gary Ombler,
Brian Poulsen, and Tim Trøjborg

Japanese edition Managing Editor Shigeki Oyama
DTP Editor Yukio Yamamoto

First published in Great Britain in 2011 by Dorling Kindersley Limited
80 Strand, London WC2R 0RL, United Kingdom

Published in Japan by Tokyo Shoseki Co., Ltd.

Japanese translation rights arranged with Dorling Kindersley Limited, London
through Tuttle-Mori Agency, Inc., Tokyo

ISBN: 978-4-487-80654-6

Reproduced by MDP in the UK
Printed and bound by Leo Paper Products Ltd, China

Discover more at
www.dk.com
www.LEGO.com

協力　レゴ ジャパン株式会社
田村知子・但馬菜美

Acknowledgments

Dorling Kindersley would like to thank: Stephanie Lawrence, Randi Sørensen, and Corinne van Delden at the LEGO Group; Sebastiaan Arts, Tim Goddard, Deborah Higdon, Barney Main, Duncan Titmarsh (www.bright-bricks.com), and Andrew Walker for their amazing models; Jeff van Winden for additional building; Daniel Lipkowitz for his fantastic text; Gary Ombler, Brian Poulsen, and Tim Trøjborg for their brilliant photography; Rachel Peng and Bo Wei at IM Studios; and Sarah Harland for editorial assistance.

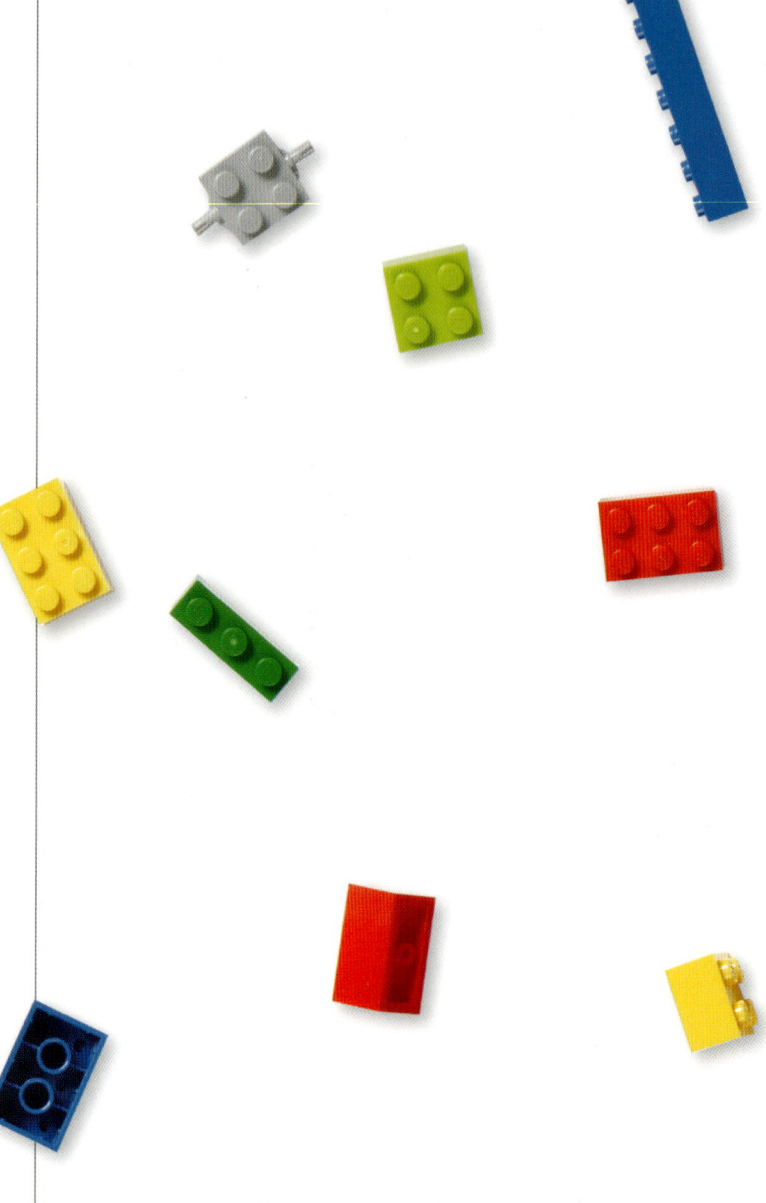

レゴ® アイデアブック

2012年9月19日　第1刷発行
2015年12月1日　第5刷発行

著者　ダニエル・リプコーウィッツ
訳者　五十嵐《いがらし》加奈子《かなこ》
発行者　川畑慈範
発行所　東京書籍株式会社
東京都北区堀船2-17-1　〒114-8524
電話　営業 03-5390-7531　編集 03-5390-7455
印刷・製本　Leo Paper Products Ltd

ISBN 978-4-487-80654-6 C0076
書籍出版情報　http://www.tokyo-shoseki.co.jp/
Printed and bound in China

LEGO